W9-CXZ-611

언니, 오래 기다렸어?

응 조금. 바쁘면 그냥 가구.

아냐, 오늘 어차피 당직이야. 미리 말해뒀어. 같이 저녁 먹자.

다행이구나.

잠깐만 기다려. 옷 갈아입고 나올 거니까.

정희와 나는 대학 구내를 천천히 걸어나왔어요. 막 신록이 짙어지고 있었고 바람도 싱그러웠지요.

사실은…… 언니에겐 좀 미안한데 말야, 내가 겹치기 출연을 하게 되어서 그래.

무슨 얘기?

언니 전화 오기 며칠 전부터 약속이 되어 있었어. 누가 자리를 함께 해두 괜찮겠지?

머 괜찮겠지. 근데 누구야?

내 환자. 형 친구래.

나는 정희가 형이라고 부르는 게 누구인지 알고 있었어요. 그즈음에 군의관으로 나간 선배를 말하는 것이었고 두 사람은 나중에 부부가 되었지만요. 어쨌든 그래서 나는 그 친구를 만나게 되었어요. 정희는 그에 관해서 아무 얘기도 해주지 않았어요.

우리는 대학의 담을 빙 돌아서 호젓한 곳으로 갔는데 무슨 경양식집이었을 거예요. 아마도 정희는 맥주라도 먹고 싶었겠지. 그 무렵은 과로와 스트레스 때문이었는지 정희는 다른 수련의들과 학교 근처에서 소주를 왕성하게 마셔대던 시절이었으니까요. 우리가 계단을 올라가 격자유리가 달린 문을 열고 들어서니까 창가의 구석자리에서 한 사내가 엉거주춤하면서 일어나 보였습니다. 그에 관한 맨 처음의 인상은 내게 남아 있지 않아요. 다만 어디서 많이 본 것처럼 생각되었어요. 그래요, 구겨진 와이셔츠와 칙칙한 색깔의 낡은 양복 차림이었던 것 같아요.

우리 언니예요.

정희가 서슴지 않고 말했는데 그는 아주 정중하게 거의 구십도 각도로 내게 인사를 했습니다.

송영태입니다.

나는 그저 어색하게 마주 인사를 하고 이름도 말하지 않고 예에 하고 얼버무렸지요. 정희는 우선 자기 일부터 처리하려는 것처럼 보였구요.

결과는 아주 좋아요. 별루 염려를 안해두 될 것 같아요. 공동이 있었는데 이젠 희미해졌구요. 그렇지만 당분간 투약은 더 해야 되겠어요. 내친 김에 아예 뿌리를 뽑아야 할 테니까. 위장이 좀 안 좋은 거 같던데…… 뭐 그것두 전보다는 투약의 양이 많이 줄었으니까 호전되겠죠.

아아, 다행입니다.

요즘 어떠셨어요? 컨디션이……

피로감은 그대로인데 열은 없는 것 같습니다. 저 안에서는 미열이 쭉 지속되었거든요.

얼마나 계셨죠?

삼년 반입니다.

어머, 벌써 그렇게 되었나요? 많이 사셨네.

뭘요, 남들 군대에서 썩은 세월하구 비슷하지요.

나는 점점 그들과 합석해 있기가 거북스러워졌어요. 정희와 그 사람이 하는 이야기가 전혀 낯선 내용이 아니었거든요. 아니 오히려 그건 당신을 상기시키는 고통스런 얘기일 수도 있었지요. 아마 그는 감옥에서 나온 지 얼마 안되었을 테고 정희의 이야기 내용으로 보아 무슨 결핵이나 그런 병을 앓았던 모양이지요.

오래된 정원 하

황석영 장편소설

창작과비평사

오래된 정원(하)

초판 발행/2000년 5월 2일
5쇄 발행/2000년 8월 17일

지은이/황석영
펴낸이/고세현
편집/김성은 공병훈 염종선 김명재
펴낸곳/(주)창작과비평사
등록/1986년 8월 5일 제10-145호
주소/서울 마포구 용강동 50-1 우편번호 121-875
전화/영업 718-0541, 0542 · 편집 718-0543, 0544
기획 703-3843 · 독자사업 716-7876, 7877
팩시밀리/713-2403
천리안 · 하이텔 · 나우누리 ID/Changbi
홈페이지/www.changbi.com
전자우편/changbi@changbi.com
지로번호/3002568

ISBN 89-364-3337-7 03810
89-364-3590-6 (전2권)

오래된 정원 (하)

16

팔십사년 봄에 나는 학교로 다시 돌아갔습니다. 이젠 아줌마였지만 그래도 겉으로는 아직 젊었어요. 은결이는 우리 나이로 벌써 세살이 되었구요. 대학원에 들어가면서 나는 집에서 나왔죠. 정희는 대학병원에서 인턴을 하고 있었어요. 나는 대학가 부근의 이층에 화실을 내고 실기를 위한 수강생들을 받았어요. 하기 싫은 짓이었지만 사업 형편이 아주 좋아졌다고 엄마에게 나까지 기대고 싶지는 않았거든요. 그리고 혼자 있으면서 내 공부를 열심히 하고 싶기도 했어요. 은결이는 집에 맡겨두었죠. 일하는 아줌마가 있었고 엄마도 밑에 사람들이 많이 있어서 예전처럼 바쁘진 않았으니까요. 엄마는 오히려 은결이가 집에 있는 걸 다행스럽게 생각했어요.

당신은 안에서 몰랐을 거예요. 그 무렵에 대학가는 날이면 날마다 최루탄 가스로 가득 차 있었습니다. 감옥과 사회로 쫓겨났던 많은 사람들이 복학생이 되어 학교로 막 돌아온 무렵이었으니까요. 오월의 충격에서 서서히 깨어난 사회적 역량들이 차츰 모이는 중이었지요. 천여명의 시국사범들이 풀려나왔지만 당신들 같은 이른바 좌익수들은 한사람도 나오지 못했어요. 냉전은 점점 고조되고 있어서 이러다가 세계대전이 일어나지 않을까 염려스러울 정도였지요.

나는 그 무렵에 한 남자를 알게 되었어요. 그를 사랑했다거나 하는 일은 없었으니 모쪼록 실망하지 말기를 바랍니다. 다만 당신이 없는 동안 내게는 그가 가장 가까운 친구가 되었습니다. 아마…… 이제 와서 곰곰이 생각해보면 나는 그를 당신처럼은 아니었지만 다른 면으로 좋아했던 듯싶어요. 당신이 저 안에서 벽을 바라보며 지켜나가려 했던 것들이 무엇인지는 나도 조금 알아요. 당신은 오래오래 침묵하고 있었지만 내 꿈속에 어쩌다가 몇년에 한두 번씩은 나타나곤 했지요. 사는 일에 단순함이란 없어요. 당신의 독방생활마저 당신 생각처럼 거대하고 복잡하지 않던가요. 우리는 사회적 변화의 가파른 언덕에 서 있었답니다. 어떤 이는 초라하게 일상의 바닥으로 곤두박질치거나 욕망에 휩쓸렸고 당신 말대로 그맘때 남한 자본주의는 이미 재생산 구조를 갖추었어요. 통제는 받겠지만 내버려두어도 자기 관성대로 굴러가게끔 되었어요. 우리는 제대로 싸워보지도 못하고 어떻게 싸울 것인가를 놓고 교과서를 펼치며 입씨름하다가 남들이 겪은 한세기를 단 몇년 동안에 거덜을 내버리고 말게 되지만요. 이것이 밖에서 진행된 우리의 삶이었지요.

팔십사년 초여름이었을 거예요. 나는 정희가 근무하는 대학병원으로 찾아갔어요. 그 무렵에 어찌 된 일인지 우리 자매는 시간이 서로 엇갈려서 집에 들를 때에도 서로 전화는 가끔 하면서도 약속을 했다가는 서로 바쁜 일이 생겨나서 몇달 동안을 못 만나고 있었거든요. 내가 병원 구내의 복도 밖 의자에 앉아서 기다리려니까 가운차림의 정희가 피곤한 얼굴로 나타났어요.

형은 다음주에 외박 나온다구 전화했어요. 송선배 건강이 어떠냐구 물어서 지금 말씀드린 것처럼 아주 좋다구 그랬죠. 하지만 방심하시면 안돼요. 적어도 반년 동안은 조심을 해야 할 거예요. 참, 그러구 복학되셨죠?

창피하게 그렇게 된 모양입니다.

우리 언니 그 학교 대학원 다녀요.

아, 그래요? 반가운데요.

언닌 그림쟁이예요. 나처럼 썰렁하지 않아요.

우리는 저녁을 먹고 맥주를 몇병 비웠습니다. 나는 송영태라는 이가 아주 성실한 사람일 거라는 느낌을 받았어요. 그렇지만 너무 진지한 게 변함이 없어서 재미는 별로였는데. 게다가 그는 철학도래요. 세상에 철학이라니. 누가 밥 먹여주나. 남의 말 하구 있네. 미술사는 또 누가 떡이라두 먹여줄까봐. 송영태는 아마도 시쳇말로 교육방송일 거예요. 서두르지 않고 진지하게 차근차근 논리적으로 상대를 설득시켜 나가겠지요.

정희와 만나고 나서 그 다음주던가 저녁시간은 오히려 내게는 눈코뜰새 없이 바쁜 시간이었는데 송영태가 화실로 찾아왔어요. 여름 한철은 실기생들이 몰려오는 때라 이젤을 스무 개나 늘어놓아야 했거든요. 하여튼 늦은 시간까지 화실에 붙어 있어야 했어요. 석고상 앞에서 소묘를 하는 아이들의 등뒤로 돌아다니며 말도 걸어주고 목탄도 대신 잡아 고쳐주고 하는데 조수를 하는 미대생이 밖에 손님이 왔다고 일러주는 거예요. 화실에서 출입구로 나가는 곳에 칸막이를 하고 소파를 두어 응접실로 썼는데 그가 거기 앉아 있었어요. 나는 처음엔 그를 못 알아볼 뻔했어요. 그가 경양식집에서 엉거주춤 일어나 보이던 것과 같은 몸짓으로 의자 앞에 서 있지 않았다면 말이지요.

아, 안녕하세요? 여긴 어떻게……

예, 저 그것이…… 정희씨가 알려주더군요.

무슨 일이세요? 나 지금 아주 바쁜데……

하고 나면 보통사람들 같으면 머리를 긁거나 약간은 주눅이 들어서 언제 바쁘지 않으냐 시간을 낼 수 있느냐 오늘은 그만 가보겠다든가, 하여튼 그런 식일 텐데 전혀 엉뚱하게 나오는 거예요.

저는 오늘 시간이 많습니다. 여기서 한가해지실 때까지 기다리지요.

오래 걸릴 텐데……

나는 짜증은 내지 않았습니다. 나는 애기엄마이고 그보다는 좀더 철이 들었다고 생각되었거든요. 그가 두꺼운 안경알 뒤에서 가늘게 눈주름을 잡고 웃고 있었어요. 뭘 숨기려고 한다든가 해 보이지는 않고 선량한 것 같기는 해도 별로 서두를 것이 없다는 투로 어딘가 여유만만해 보였죠.

나는 하는 수 없이 돌아가달라고 딱 잘라서 말하지는 못하고 그를 그냥 응접실에다 놔두고 화실 쪽으로 돌아갔어요. 송영태란 사람이 정희와 관련이 있어서는 아니었지만 그의 아주 자연스러운 느긋함에 나도 저절로 전염된 듯이 그에게 돌아가달라고는 말하지 못했어요. 나는 학생들에게로 돌아가서도 처음엔 좀 신경이 쓰여서 자꾸만 입구 쪽을 돌아보고는 했답니다. 학생들 사이로 돌아다니다가 바깥 응접실이 내다보이는 데서 아직도 있나 하면서 힐끗 들여다보니까, 글쎄 송영태는 낡은 가죽가방을 탁자 위에 올려놓고 책과 종이며 사전이며를 벌여놓고는 자기 일을 하고 있는 거예요. 내 쪽에서는 그의 굽은 등과 뒤통수가 보였는데요, 굵은 반곱슬머리가 미친 사람 머리털처럼 사방으로 흐트러져 있었고 정수리가 훤히 들여다보일 정도로 큰 가마가 보였죠. 그는 눈이 지독하게 나쁜지 안경을 쓰고도 사전을 코앞에 바짝 대고 들춰볼 정도였어요. 어쩐지 그가 오래 전부터 내 화실의 그

자리에서 일하고 있었던 것 같은 느낌이 들더군요. 아니, 그 정도가 아니라 이 공간의 원래 주인이 아닌가 하는 착각이 들었을 정도예요.

아이들이 차례로 돌아가고 밤 아홉시가 넘어서야 일이 모두 끝났지요. 나는 잠시 빈 화실 의자에 축 늘어져 앉아서 담배 한개비를 태우고 있었습니다. 누군가 검은 머리가 기웃하면서 안으로 고개를 내밀더군요. 나는 그게 아래층 주인이거나 무슨 외상값 받으러 온 중국집 소년이거나 뭐 그렇게 흔히 드나들던 무관한 사람인 줄로 잘못 알고 그냥 고개를 돌리며 물었어요.

무슨 일예요?

저요…… 접니다.

어머, 나는 화들짝 놀라서 그쪽을 획 돌아보았어요.

아직두 거기 있었어요?

그는 화실 안으로 슬슬 들어왔어요. 상의도 벗고 아주 셔츠바람으로 저희 집인 것처럼 말이지요.

왔다갔다하시면서도 절 못 본 모양이지요? 저는 줄곧 저기 앉아 있었습니다.

아, 미안해요. 아이들이 너무 많아서 정신이 없었어요.

커피라두 한잔 주시겠습니까?

나는 그제서야 진심으로 미안해졌어요.

예, 그러죠. 이리 앉으세요.

그는 내 말에 따르지 않고 화실 안을 서성대면서 이리저리 돌아다녔어요. 마치 마지막 심사를 하는 사람처럼 학생들의 소묘를 둘러 보거나 책장에 놓인 작은 장식품들이며 손으로 빚어 구운 그릇이나 항아리에 꽂힌 마른 꽃들을 자세히 들여다보는 시늉을 했어요. 커피 잔을 의자 앞에 놓아주고 내가 먼저 마시면서 그에게 말했어요.

무슨 좋은 일이라두 있나요?

예에?

이번에는 그가 내 존재를 잊고 있었다는 듯이 고개를 돌려 나를 멍한 얼굴로 돌아다보았어요. 그는 정말 천진스럽게 눈이 안 보일 정도로 주름을 잡으며 웃었지요.

그러믄요, 아주 좋은 일이 있습니다.

송영태가 내 앞에 다가와 마주앉으면서 다시 말했습니다.

저는 이 학원의 수강생이 되기로 결심했죠.

그건 곤란한데요. 전 지금 입시생 위주로 받구 있거든요. 그것두 두달 동안이에요.

특별 개인지도라든가 그런 건 없습니까?

경우에 따라서는 그럴 수 있어요. 수강료가 좀 비싸겠지만.

좋습니다. 언제부터 시작할까요?

그쪽에서 편하신 때부터 시작하기루 하죠. 매일 나올 필욘 없구요, 일주일에 두번이 어떻겠어요?

바로 제 생각과 같습니다. 다음주부터 시작하기루 하지요. 에에, 그러니까……

하고 더듬더니 그는 상의 안주머니에서 수첩을 꺼내어 코앞에다 대고 들여다보았어요.

수요일, 금요일이 좋겠군. 어떻습니까?

저녁 여섯시 이후라면 저두 괜찮아요. 그런데 뭐하러 그림을 배우려고 하죠?

그는 마치 나의 그런 질문을 예상하기라도 한 것처럼 서슴없이 대꾸하더군요.

에에, 그러니까…… 좀더 유연한 사고를 가지려고 그럽니다. 사물의 표현에는 여러가지 관점과 방법론이 필요할 테니까요.

그건 훨씬 나중의 일이구요, 일단은 정확하게 보고 그대로 잡아내는 게 우선이지요.

그래도 사람마다 보이는 것과 안 보이는 것이 서루 다를걸요. 솜씨두 다르구요. 헌데 이거 좀 출출하고 어딘가 섭섭하지 않습니까?

저는 진작에 저녁을 먹었어요.

아, 그렇군요. 에에, 그러니까…… 어떻습니까? 오늘 사제의 인연을 맺은 셈이니까 제자가 스승에게 박주 한잔 대접해드리고 싶은데요.

나도 소주 한잔 생각이 전혀 없는 건 아니어서 선선히 말했죠.

좋아요. 여긴 우리 동네니까 내가 잘 아는 집이 있어요.

그를 데리고 화실에서 나가 길을 건너 시장통 입구로 갔습니다. 거기 일년 사철을 다른 데로 이사가지 않고 저녁녘이면 나오는 포장마차로 갔어요. 부부가 하고 있었는데 남자는 삐쩍 마르고 키가 작은 반면에 여자는 키도 크고 뚱뚱해서 그 집을 드나드는 우리 학생들이 뚱뚱이와 홀쭉이네 집이라고 부르는 곳이지요. 송과 내가 천막자락을 들치고 안에 들어서니까 제법 손님이 많았어요. 우리는 기역자로 꺾어진 안쪽의 비좁은 자리에 가서 앉았는데 그는 고개를 잔뜩 숙이고 뭔가 식품검사라도 하듯이 식판 위에 늘어놓은 먹거리들을 살펴보는 거예요.

그렇게 눈이 나빠요? 이건 꼼장어, 이건 곱창, 그리고 닭똥집, 염통, 하여튼 내가 시킬게요.

에에, 그러니까…… 저는 이런 건 잘 못 먹습니다.

나는 송영태가 겉보기보다는 입맛이나 비위가 섬약하다는 걸 알게 되었어요. 세상 물정 모르는 초급학년의 여학생이라면 몰라도 내 나이 또래의 남자가 곱창이니 내장이니 하는 것들을 못 먹는다니 조금 우습잖아요. 나는 놀리는 투로 그에게 말했어요.

비위가 약한가요?

예, 저 그게, 알레르기가 있어서 아무거나 먹기는 좀……

그 정도 체질로 어떻게 빵살이를 했어요?

그는 소주를 벌컥 들이켜고는 벙긋, 웃었어요.

불편한 건 잘 견디는 편입니다.

이를테면 어떤 일을 잘 견디세요?

뭐…… 다 잘 견디지요. 길에서 노숙을 한다든가, 며칠씩 굶는다든가.

그래봤어요?

그전에 땡전 한푼 없이 한 두어 달씩 돌아다닌 적두 있지요.

참 어이가 없어서, 나는 그게 무슨 소리인지도 모르고 잠시 후에 내가 어떤 곤경에 처하게 될지도 모르면서 그를 아까보다는 훨씬 친근하게 느끼기 시작했지요. 그런데 이 사람은 술과 안주가 나오자마자 출출했다면서도 안주는 거들떠보지도 않고 소주잔만 연거푸 집어다 입에 털어넣는 거예요. 마치 잔째로 목구멍 속으로 넘겨버릴 듯이 말이지요. 나는 점점 불안해지기 시작했는데 어느 틈에 우리는 소주 세 병을 마셨어요. 내가 한병쯤 마셨을까. 그가 다시 한병을 시키는 거예요. 나는 손을 내저었어요.

그만, 그만 해요.

인제 시작인데 그만이오? 딱 한병만 더 먹구 미련없이 술 끊읍시다.

취한 거 아녜요?

취하다니 무슨 흰소리를 하십니까? 저는 마시다가 졸기는 해도 취하진 않는 체질입니다.

어쨌든 그는 마지막 한병을 더 시켜서 처음처럼 벌컥벌컥 털어넣었어요. 그러다가 술병에 술이 손가락 한마디만큼 남았을 제 돌아보니 그는 예고한 대로 고개를 숙이고 졸고 있었어요. 아, 이 물건을 어떻게 처치한담. 나는 정말 짜증이 머리끝까지 올라와서 그의 미친놈 같은 산발의 곱슬머리를 주먹으로 쥐어박고 혼자서 일어나고 싶었지만 꾹 참았지요. 포장마차 부부네 눈치도 보이고 창피하고 난처했지만 그냥 버려둘 수도 없어서 그 녀석을 끼고 질질 끌면서 계단을 오르고 간신히 내 화실의 응접실 소파 위에다 부려놓고는 하도 성질이 나서 마주앉아 담배 한개비를 태워물고는 내뱉었어요.

뭐 이런 놈이 다 있어!

그러나 그는 축 늘어져서 입맛까지 다시며 긴 의자 위에 너부러져 있는 거예요. 담배 한대를 다 피우고 나니까 부아가 좀 가라앉았어요. 나는 먼저 내 의자가 더럽혀질 테니 그의 구두를 벗기고 안경을 벗겼어요. 그리고 그의 바깥세상으로 통하는 유리창을 내 눈 위에 갖다대 보았지요. 어머나, 뿌옇게 흐리기만 할 뿐 내 눈엔 아무것도 보이지 않아요. 나는 그의 안경을 탁자 위에 올려놓아주고 응접실의 불을 껐습니다.

아무튼 그렇게 되어서 송영태는 나의 일상 가운데로 진입을 했던 셈입니다. 그는 나보다는 한살 위였지만 학번은 나와 같았고 사실 생일로 따지자면 겨우 여섯달 차이여서 처음부터 철부지로만 보였거든요. 나는 그에게 데쌩을 가르쳐보면서 입시생들처럼 무슨 줄리앙이라든가 아그리파나 비너스 등속을 그리라고 하지 않고 물건들을 그리게 하였지요. 그에게 자기 신발을 벗어서 올려놓고 그려보라고 했는데 제법 꼼꼼히 그렸더라구요. 그는 첫달에는 한주일에 두번씩 부지런히 나오더니 차츰 김이 빠졌는지 한번씩 건너뛰는 주가 많아졌지요. 여름방학이 끝날 무렵에는 수강기간을 마치는 입시생들에게 최종평가를 해주어야 하기 때문에 몹시 바빠서 그가 와도 인사조차 제대로 건네지 못할 정도였어요. 주말이고 일요일도 없었지요. 이학기의 입시를 바로 앞두고는 더했지만 어쨌든 겨울이 오기까지는 학생들이 일단 썰물처럼 빠져나가니까 나로서도 열심히 할 수밖에 없었어요. 그리고 나도 개학을 하면 틈틈이 학교에도 나가야 할 테지요.

일요일 낮이었는데 그날은 다른 때보다 더 바빴어요. 전화를 받으러 화실 밖으로 나와보니까 그가 언제 왔는지 긴 의자를 혼자 차지하고 앉아서 그 무슨 번역작업인가를 하고 있는 거예요. 그는 두 주일 가깝게 나타나지 않았거든요.

에에, 그러니까…… 오랜만이오.

참 나, 에에 그러니까 소리 좀 하지 말라고 그렇게 주의를 줬는데도……

이건 사실 국립학교에서 보안과장 입버릇을 흉내내다 그렇게 된 거요.

나는 전화를 받고 나서 머리도 식힐 겸 결석이 잦은 그에게서 수강료 받아먹기에 미안한 마음도 있어서 잠깐 인사치레로 말동무를 해주려고 했지요. 그를 찬찬히 바라보니 얼굴이 시꺼멓게 그을려 있었어요. 드러난 팔뚝은 타다 못해 껍질이 벗겨지고 있었구요.

어디 갔다온 거예요?

그는 의외로 간단히 대답했어요.

뭐 우리두 피서쯤은 다닙니다.

사실 우리 또래라면 그 시절에 그와 같은 대답을 간단히 해버리기엔 어려웠거든요.

팔자 늘어지셨군.

나는 진심으로 냉랭하게 말하고는 그에게 물었어요.

도대체 그림은 뭐하러 그려보겠다는 거예요. 취미생활이신가?

이건 어릴 적의 얘기지만, 맨날 땡땡이나 치던 놈이 갑자기 열을 내어 공부를 열심히 하는 이유는 새로 오신 여선생님한테 잘 보일라구 그러는 게요.

우리 화실에서 제일 게으른 걸 보니까 시들해진 모양이군.

어, 그게 아니오. 관심의 다른 표현이라구.

나는 어이없이 웃고 말았습니다. 그를 한순간도 남자라고 여겨본 적이 없었으니까요. 아니 학교에 가서도 빤한 소리만 늘어놓는 교수들이나 같은 학급 친구들과도 단답형식의 짧은 말만을 주고받았고, 화실로 돌아와서는 역시 입시생들과 필요한 말만 하고, 그러곤 그들이 모두 빠져나가고 나면 혼자 우두커니 앉아서 하얀 새 캔버스나 들여다보고 있었거든요. 생각나면 집에 전화를 걸어서 은결이의 옹알이 소리를 듣기도 하고 정희와 몇마디 요즘 엄마 이야기를 나누는 정도였죠.

헌데 남의 일터에 와서 맨날 뭘 하는 거예요?

나는 그가 펼쳐둔 책을 집어들었어요. 독일어 제목만 눈에 들어왔어요.

번역을 하는 중이오.

아르바이트하는 거예요? 사무실료까지 일정 부분 배당을 해야겠네.

에에, 그러니까…… 나는 지금 무보수로 노력동원된 인력이오.

제목이 뭐예요?

'철학의 빈곤'이란 책의 몇 챕터를 뽑고 있어요. '도이치 이데올로기'에서도 간추려내고.

출판사 일이 아니시고?

그는 나를 가만히 쳐다보다가 주섬주섬 책과 원고를 그러모아 가방 속에다 쓸어넣었습니다.

직업활동가 양성소에서 쓸 교재요.

남의 일터에 와서 음모나 꾸미고 있으면 안돼요. 책 따위로 무슨 변화가 일어난담.

송영태는 두꺼운 안경을 벗어서 입김을 호옥 내불더니 남방자락에다 대고 정성스럽게 문지르고 나서 다시 고쳐 썼지요.

내가 잘 아는 문장 하나가 있어요. 뭐라고 했느냐 하면, 에에 그러니까…… 인간은 자신의 힘에 관한 지식을 획득해서 이들 힘을 사회적 힘으로 조직하고, 그러한 사회적 힘을 더이상 정치적 힘의 형태로 자신과 분리시키지 않을 때에야 비로소 자신의 해방을 실현시킬 수 있게 될 것이다.

나는 어쩐지 콧날이 시큰해지더니 자기도 모르게 눈 속이 뜨거워졌지요. 갑자기 그때 당신 생각이 났을까요. 그래그래, 세월이 얼마나 흘렀는지도 모르고. 편지라도 써야 하는데. 나는 그에게 조용히 물었습니다.

그게 누구의 책인가요?

맑스라는 털보아저씨의 책입니다. 이때는 그가 청년으로 불리던 시기였지만요. 우리도 여기서 이제 겨우 시작이니까.

나는 얼른 붉어진 눈을 감추려고 자리에서 일어났어요. 최루탄 때문에 언제나 학교에 갈 때마다 마스크를 쓰고 두 눈을 가리고도 눈두덩이 부어오를 정도로 울고 나오면서 그건 아무런 감정이 없는 상처 같은 것이었는데, 역시 사람의 말은 위대해요. 물론 나는 그 딱딱한 번역투의 문장이 시 같다고는 생각하지 않았지만, 그건 당신이 사용하던 말투였기 때문이기도 해요.

그것이 낡고 상투적인 표어처럼 내동댕이쳐진 먼 훗날에까지도, 이를테면 남의 목소리나 영화의 번역자막을 통해서 볼 때라든가, 창고 선술집에서 취한 유학생들의 인터내셔널 합창을 들었을 때, 어쩐지 나팔이 달린 먼지투성이의 옛날 축음기에서 흘러간 유행가를 들으며 가슴이 서늘해지던 것과도 같이. 베를린의 그날 밤 새벽에 나는 침묵하고 마리는 탁자 위에 번진 생맥주의 흔적을 찍어 뭔가 끼적거리고 있었고 축제로 변한 까페에서는 샴페인 터지는 소리가 요란했지요. 모두 나중의 일이에요.

선생님……

하고 조용히 부르는 소리에 돌아다보니 진작에 나간 줄 알았던 그가 와서 응접실 쪽에서 화실 안으로 머리를 내밀고 있는 거예요. 나는 그게 좀 반갑기도 했죠.

이번엔 또 뭐예요?

뭐 별건 아니고, 오늘은 내가 모실려고 왔소.

근사한 데가 아니면 사양하겠어요.

나는 을씨년스럽게 어지러진 화실 안을 새삼 둘러보고 나서 그를 따라 층계를 내려갔는데 길가에 진회색의 승용차가 서 있더군요. 기사가 앞서가던 그를 보자 얼른 운전석에서 내려 차 앞으로 돌아오더니 뒷문을 열고 기다리는 거예요.

타슈.

송영태가 과장된 동작으로 호텔 문지기처럼 한손을 쳐들어 휘익 내밀며 말했고 얼결에 나는 올라탔죠. 그가 내 옆에 들어와 앉자 차가 곧 떠났어요. 글쎄 잘 모르긴 해도 차 한대 값이 웬만한 아파트 값만 하다는 독일제의 그 몹쓸 자동차더라구.

이건 무슨 뜻이죠?

기본모순에의 탐구. 잠깐 빌린 것이지만 그 임자의 것도 아니오. 그쪽도 훔친 거니까.

우리는 그 무렵에 근사하다는 무슨 호텔의 꼭대기에 있는 스카이라운지로 올라갔지요. 심야에 무슨 사람들이 집에도 안 가고 그렇게나 많던지. 그와 나는 창 아래 별밭처럼 도시의 야경이 펼쳐진 창가에 가서 앉았어요. 술을 시켰고. 나는 아무 얘기도 없이 술을 홀짝홀짝 잘도 마셨어요. 술이 적당히 오르기 시작하자 나는 그에게 내놓고 시비를 걸기 시작했습니다.

이봐, 너 말야 까불지 좀 마라. 난 니가 어떤 녀석인지 잘 알구 있어. 너 벼락부잣집 아들인 줄 다 알아.
그랬더니 이 자식이 대꾸를 하는 거예요.
나두 오선배 잘 아는 사람이라구.
니 따위가 수도하는 사람을 어떻게 알아?
한 다리 건너 아는 선배야.
나는 독한 심정이 되어서 자꾸 내뱉었지요.
너 내 앞에서 시건방떨지 마라. 정희한테서 다 들었어. 느이 집 땅부자라메?
그가 의외로 순순히 기를 죽이고 말하더군요.
건 내 께 아니야. 윤희씨, 나는 그저…… 지식인이 되어보려는 사람이라구.
지식인 좋아하네 개새끼. 느이 아부지 유신 때 빽지도 달았다면서?
그가 갑자기 탁자를 쾅 내려치면서 평소처럼 더듬지도 않고 속사포로 내뱉었죠.
그래 이년아, 인텔리는 계급을 선택한다. 내 원죄를 따지자는 거야?
나는 그냥 입을 다물어버렸습니다. 그러곤 남은 술을 냉수 마시듯 대번에 입속에 털어넣고는 일어섰지요. 핑글 돌면서 다리가 좀 풀린 듯한 느낌이었지만 뒤꿈치에 힘을 주고 꼿꼿이 걸어서 엘리베이터에까지 갔습니다. 그가 뒤통수 쪽에 보이지 않았으니까 아마 그는 창가에 그대로 앉아 있었겠지요. 나쁜 자식, 다시 나타났단 봐라. 괜히 어눌한 척하면서.
나는 무슨 정신으로 내 화실에 돌아왔는지 몰라요. 화실에 들어서자마자 판 걸어놓고 냉장고에서 맥주 꺼내들고 방에 들어가서 혼자 더 마셨지요. 그러다가 유리잔을 쥔 내 손이 보이고 손가락 끝의 손톱이 보이고 손톱 아래 끼여 있는 검붉은 물감의 때를 보았죠. 나는 술김에 그게 피가 아닐까 생각했어요. 혹시나 얼김에 내 몸의 어느 곳을 긁어 상처를 내지나 않았나 하구요. 그러다가 잤어요.

송의 이야기가 길어져서 점점 귀찮은데 하여튼 나중에 알고 보니 그에게도 장점이 많았거든요. 그는 나의 유일한 남자친구였고. 바보 같은 녀석, 그는 엉뚱한 선택을 하게 되지만요. 광주가 꼬뮌이 되지 못한 것과 같이 팔십년대 인텔리의 숙명이라고? 그해 가을 대초원의 황량한 벌판 너머로 지던 노오란 해가 생각나요. 녀석의 멀고먼 길을 돌아가던 긴 여행이 생각나는군요.

송영태와 다툰 뒤에 학교에서 우연히 그와 부딪치게 되었습니다. 교내 식당에서 점심을 먹고 있는데 누군가 내 앞에 와서 식판을 소리나게 내려놓으며 앉았어요.

앉아두 되지?

자식이 내놓고 반말이잖아. 그날 이후 젊은이들 말로 야자를 트게 된 셈이어서 나도 서슴지 않고 대꾸했지요.

누가 말려?

그날 미안했어.

뭐가?

내가 좀 잘난 척하지 않았나 해서……

송이 그렇게 맥없이 중얼거리자 나는 오히려 내가 너무했다는 생각이 들고 미안했지만, 욕먹어두 싸지 하는 말이 입속으로 지나가면서 순간 표정을 바꾸었습니다.

무슨 짓을 하든 표를 내는 건 질색이야.

한형…… 나하구 친구 하지.

웬수는 아니니까 걱정 말어.

그는 벌쭉이 웃고 나서 숟가락을 들고 퍼먹기 시작했어요. 나는 그냥 아무렇지도 않게 말했죠.

나 결혼한 사람야.

그는 숟가락질을 하다가 잠깐 멈추더니 천천히 고개를 쳐들고 나를 바라보았어요.

그래서……?

딸두 하나 있구.

그는 다시 아무 소리 않고 밥을 퍼먹었어요. 말을 해놓고 나서 나는 좀 싱거운 생각이 들었지요. 그보다 먼저 시작했기 때문에 진작에 식사를 마치고 슬그머니 식판을 들고 일어났는데 그가 먹다 남은 식판을 들고선 내 뒤를 따르는 거예요.

부탁이 있는데……

학교 식당을 나와 도서관으로 향하는데 그가 내 옷깃을 잡아 벤치에 끌어다가 앉히는 거였어요.

나 읽을 책이 많아. 리포트 내야 한다구.

요즈음 화실 한가하잖아?

그래, 겨울까진 학생 안 받을 거야.

거기서 작은 모임을 좀 가지면 안될까?

속내가 뻔한 얘기라서 나는 그에게 내용을 묻지는 않았어요.

학구적인 모임이라면…… 그 대신 나는 외출하거나 화실에 있어두 차 한잔 타줄 수 없어. 그런 것들은 각자 지참들 하라구.

한형, 고마워. 내일 전화하지.

그러고는 멋대로 쓰윽 일어나서 가버리는 거예요. 당시에 학교 안의 숨통은 예전보다 훨씬 열려 있었고 일학기에 벌어졌던 싸움이 방학 동안에 정리가 된 것처럼 보였어요. 개학을 하면서 바로 무엇인가가 안으로부터 꿈틀대며 움직이기 시작한 것 같았지요.

나는 그날이 주말이라 늦게까지 도서관에 있다가 사방이 어둑어둑해져서야 학교에서 나왔고, 전화를 하고는 그 길로 집에 가는 버스를 탔어요. 추석이 가깝도록 집에 가지 못해서 은결이를 본 지가 언제였는지 가물가물했지요. 동네 어귀에 있는 연쇄점식의 그 당시 슈퍼에 들러서 엄마 좋아하는 굴비 한 두름 사고 양품점에서는 은결이의 작은 옷 몇가지를 샀어요. 백화점 갈 시간도 없었다니 나는 제 코앞도 못 보고 세월을 보냈나봐요. 겨우 대학원 수업이나 간신히 때우면서 그림도 안 그리고 돈도 제대로 벌지 못하면서 말예요. 우리집의 푸른색 대문과 외등이 보이자 나는 저절로 가슴이 두근거렸어요. 큰 잘못을 저지르고 먼데서 돌아오는 부랑자처럼 말이지요. 초인종을 누르니까 새소리가 들리더니 어머니의 나직한 목소리가 흘러나왔어요.

누구세요?

저예요.

문이 딸깍 열리고 현관에 불이 켜지면서 아줌마와 어머니가 거의 동시에 마당으로 나서는 게 보였죠.

어서 와라. 너 얼굴 잊어버리겠다.

은결이는요……

하는데 거실 쪽에서 엄마 엄마 하는 고것의 목소리가 들려와요. 우리가 들어서니까 은결이는 입으로는 엄마를 찾으면서도 웬일인지 비척비척 뒷걸음질로 물러나면서 아줌마의 뒤로 숨는 거 있죠. 나는 또 나대로 어머니 앞에서 호들갑을 떨기도 그래서 내 성질대로 그냥 서서 한동안 바라보았어요.

은결아, 일루 와!

내가 두 팔을 벌려 보였는데도 고것이 더욱 아줌마의 치마를 잡고 얼굴을 묻어버리는 거예요. 어머니가 곁에서 중얼거렸어요.

둘이 똑같다.

아줌마가 은결이를 덥석 안아다가 내 팔 사이에 넣어주었고 나는 뽀뽀를 해주었습니다. 은결이는 그 무렵에 엄마는 물론이고 맘마, 찌찌, 빠이빠이, 이뻐, 미워 따위의 간단한 낱말들을 한마디씩 종알거렸는데 내가 입을 맞추자마자 고개를 돌려 뺨으로 내 입술을 뿌리치면서 이래요.

엄마 미워.

나는 한동안 은결이를 꼭 안고 서성였어요. 따뜻한 작은 가슴의 통통대는 박동이 느껴지면서 이것이 내 몸안에 있을 적의 일들이 생각났어요. 어머니는 옛날부터 씩씩하신 분이라 창밖을 내다보며 딴전을 피우다가 얼른 내 보따리를 가져다 풀고 굴비를 꺼내어 살피고 아이의 옷을 꺼내어 눈앞에 펼쳐 보였습니다.

엄마가 우리 은결이 꼬까 사왔네요.

어머니가 손수 아이에게 옷을 갈아입히고 나는 여러번 입을 맞추고 하면서 아이의 맺힌 마음을 풀어주려 했지요. 은결이는 새옷을 갈아입고 할머니와 내 앞에서 재롱을 피우더니 저녁 먹고 나서는 익숙한 제 아줌마에게 가버리고 어머니와 나는 둘이서 주방 식탁에 마주앉았어요.

넌 밖이 더 편하니?

편할 건 없지만…… 공부를 해야 하니까.

차라리 살림집이나 아파트를 구하라는데도.

그림두 그려야지, 거기가 좋아요.

정희 온댔다.

나 전화 안했는데.

너 온다구 내가 연락했어.

하더니 어머니가 내 손을 끌어다가 들여다보는 거예요.

여자 손이 이게 뭐냐?

그네는 내 손을 잡은 채로 한동안 보고 있다가 지나가는 듯한 말투로 물어왔어요.

그 사람은 언제…… 나온다는 얘기 없니?

몰라요. 편지 몇번 했는데 아마 안 들어갔나봐요.

재 있는 것두…… 모르겠구나.

엄마, 인제 그만.

나는 어머니에게서 손을 빼내어 앞으로 쳐들었습니다. 어머니가 내 얼굴을 살피면서 조심스럽게 이야기를 꺼내더군요.

지난번에 그 군의관 한다는 박중윈가 하는 사람 보았다. 서글서글한 게 괜찮은 젊은이더라.

나는 정희에게서 전화로 얘기 들은 적이 있어서 그냥 고개만 끄덕였지요.

곧 제대한다니 내년에는 결혼을 시킬 작정이다만……

그 친구 좋은 사람이에요. 둘이 참 보기 좋더라.

너는…… 이제 어떻게 할 작정이니?

공부를 좀더 하고, 직업을 가져야겠지요.

느이 아버지 산에 계실 제 나두 한때 그렇게 생각했다. 혼자서 느이들 키우며 열심히 일하면서 살아가겠다구. 그런데 아버지가 살아 돌아와 곁에 같이 있으니까 그전에 어떻게 혼자 살려구 맘먹었는지 생각만 해두 앞이 캄캄하더라.

아버진 어머니 짐이 아니었어요?

짐이라니 그게 다 무슨 소리야. 가장이 있는 집은 집안 공기두 다른 법이다.

나는 문득 생각이 나서 어머니에게 말을 꺼냈어요.

형식이 중요하다면 나두 결혼할 수 있어요.

뭐? 누구랑 어떻게……

식은 못하는 거구, 그냥 그이 호적에 올리는 옥중결혼은 할 수 있대요.

그건 안돼. 절대루 안된다. 무기수는 앞으루 이십년 이상 살아야 감형의 기회가 온다더라.

어머니는 손가락으로 헤아려보았어요.

이제 겨우 삼년째야. 사람의 일생이란 별게 아니란다. 너까지 그럴 필요는 없어. 너 그이가 그렇게 좋고 못 잊겠던?

나는 순간적으로 웃음이 터져나왔어요. 그냥 이렇게 말했죠.

잘 모르겠어. 이젠 얼굴도 생각이 안 나요. 그냥 살지 뭐.

초인종 소리가 들리고 아줌마와 함께 정희가 들어섰어요.

언니 왔구나.

오늘은 일 없어?

응, 나 오늘 비번이야. 은결이는?

곁에서 아줌마가 말했어요.

새옷 입고 방금 잠들었어요.

새옷?

느이 언니가 추석빔으로 사왔대.

정희가 어머니와 나 사이에 앉으면서 말했어요.

언니 웬일이니? 어울리지 않게. 나두 오늘 백화점에 가서 몇가지 사왔는데.

어머니와 아줌마가 자러 간 뒤에도 정희와 나는 그냥 주방 식탁 앞에 앉아서 밀린 이야기를 나누었습니다. 일을 해서 그런지 정희는 어찌 보면 나보다도 더욱 성숙해 보여요. 책임감있어 보이고 성격도 차분해지고 남의 말을 잘 들을 줄 알아요. 그리고 무엇보다도 전문가 특유의 무식한 편견이 없어 보여서 괜찮은 거예요.

너 송영태 잘 아니?

응 그냥, 박선배 친구니까 좀 아는 편야. 전에 내가 언니한테 전화했잖아. 그 친구가 물어서 화실 가르쳐줬다구. 내가 그 친구에 관해서 몇가지 얘기해줬을 텐데?

그랬어. 알구 보니 나하구 같은 학번이더라.

그 사람 집안에서 돌연변이래. 공부는 꽤 잘했대. 운동에 빠지기 전까지는.

알 만해. 뭣 땜에 감옥 갔다가 왔지?

그 끔찍한 광주사태 끝나고 나서 제일 먼저 시위를 일으킨 주동자였어. 그렇게 안 보이지?

나하구 한번 된통 싸웠다.

왜 그 작자가 무례하게 굴었어?

너 내 성질 잘 알잖아. 난 가성 쓰는 놈하구 폼잡는 놈 젤 싫어하는 거.

즈이 집이 강남에 빌딩 수십채 있다던가 뭔가 하는데 잘난 척이라두 했어?

아니, 그 정도는 아냐. 그래두 그 친구 귀여운 데가 있어.

정희는 그제야 안심이 됐다는 표정이었어요.

난 또…… 언니, 송형이 맘에 들었어?

얼김에 친구가 됐어. 피차에 늙은 복학생이니 잘됐지. 다툴 사람두 없었는데.

정희가 정색을 하더니 나를 똑바로 들여다보면서 말했습니다.

그런데 언니, 너무 가까워지진 말어.

나는 피식 웃음이 새어나왔어요.

무슨 말이니, 내가 송가와 연애라두 하겠다는 줄 알았어? 그 녀석은 아직 철부지야. 지 코가 어디 달렸는지두 모른다니까. 책이나 딸딸 외우구 있겠지.

언니야, 미안하지만…… 그 친구두 사람은 좋은데 사고뭉치라서 그래.

사람좋은 사고뭉치들 지금 학교에 드글드글한다. 밸있는 젊은 남자들 다 그래.

나와 박선배처럼 주어진 일이나 또박으로 하구 무관심하게 조용히 살아가는 이들두 많아.

뭘 하진 않아두 관심을 가지고 두 눈으로 똑똑히 봐둬야지. 난 그러는 편이야.

아아, 오늘도 점심시간에 아이들하구 경찰이 충돌하는 걸 봤어. 최루탄 쏘아대구 화염병 날아가구 곤봉으로 내리치니까 피가 구두에까지 흠빽 젖더라니까. 정말 지긋지긋해.

정희야, 나 추석 전에 그이에게 찾아가볼까 해.

아, 그래? 참 아직두 거기 있겠지. 그렇지만 면회는 직계가족 외에는 안된다면서?

나는 고개만 희미하게 끄덕였어요.

그래, 그래두 찾아가볼 작정이야. 아무려면 어때. 면회가 안된다면 돈하구 영치품이나 넣어주고, 건물 생김새나 보아두고, 교도관들 얼굴이라도 보고 오지 뭐.

정희는 쓰다 달다 아무 말이 없었어요.

집에 다녀온 이튿날 화실에서 깨어나 아무것도 먹지 않고 녹차만 한잔 마시고 있는데 전화가 왔어요. 수화기를 드니까 송영태의 목소리였어요.

여보세요? 한형? 나 송이야.

아침부터 무슨 일?

어제 그랬잖아. 전화한다구.

그 약속? 난 오늘 어디 갈 데가 있어. 열쇠를 맡기구 갈까?

아니, 그럴 필욘 없어. 오늘이 월요일이니까 수요일에 갈 거야.

그의 전화가 끊기고 나는 생각이 나서 서랍을 뒤지기 시작했지요.

언젠가 재판 보러 가서 당신의 누님과 만난 적이 있었거든요. 당신 누님은 내게 그네가 나간다는 대학의 전화번호가 적힌 명함 한장을 주었어요. 역시 명함이 있었지요. 연구실로 전화를 걸었더니 대번에 그네의 좀 굵은 목소리가 들려오더군요.

저…… 전 한윤희라구 합니다. 안녕하셨어요?

한, 윤희……? 아아, 한선생이세요?

나는 더듬거리며 당신에게 면회를 가볼 작정이라고 말했고 누님도 못 가본 지 일년이 거의 다 되었다구 그랬어요. 교도소를 묻고 교통편과 수번을 묻고.

나두 가봐야 하는데 추석 전에는 집안일 때문에 통 틈을 낼 수가 없을 거예요. 어때요, 우리 다음에 서로 연락해서 같이 가보도록 해요. 잘하면 혹시 두 사람이 얼굴을 볼 수 있을지두 몰라.

감사합니다.

이렇게 저지르고 나니 나는 꼼짝없이 당신에게 면회를 가게 되어버렸어요. 갑자기 내 동작이 빨라졌지요. 먼저 근처의 백화점에 가서 긴팔 티셔츠를 두어 장 사고 두툼한 겨울스웨터와 조끼를 샀어요. 내복도 두어 벌 샀구요. 털양말은 아직 없어서 나중에 당신 누님 편으로 보내리라 생각해놓았어요.

고속버스를 타고 그 도시에 내려서 다시 택시를 타고 당신이 있다는 교도소까지 갔습니다. 교도소는 시 외곽의 한적한 곳에 있더군요. 논밭 사이로 시멘트 도로가 곧장 뚫려 있고 미루나무 가로수가 서 있고 제일 먼저 희고 드높은 담장이 보였습니다. 담장 위에는 감시탑이 서 있었어요. 감시탑 위에 총을 든 이가 서 있었는데 커다란 등이 달려 있었고 확성기도 보였어요. 흰 담장 가운데 푸른색의 커다란 철문이 보였습니다. 나는 군복차림의 경교대라는 젊은이에게 면회실을 물어보았어요. 주민증을 맡기고 출입증을 달고 외벽을 지나니까 안에 또 하나의 담이 보였고 한쪽에 면회실이라는 팻말이 보였죠. 면회실 구내로 들어가니까 병원 대합실처럼 넓은 공간에 접수처가 있고 대기하는 가족들이 의자에 앉아서 오가는 사람들을 서로 바라보고 있었지요. 나는 접수하는 줄에 가서 섰어요.

드디어 내 차례가 오고 교도관이 물었습니다.

신청서 주십시오.

아직 안 썼는데요.

다시 옆으로 밀려나 신청서를 쓰고 '관계'라는 난이 있었지만 빈칸으로 놓아둘까 하다가 그저 친지라고만 썼어요. 당신의 수번과 이름도 썼어요. 그러고는 다시 줄에 끼여들었는데 내 차례가 되니까 아까 그 교도관이 나를 말끔한 시선으로 바라보아요.

오현우씨와 어떤 관계입니까?

저 그냥…… 친구인데요.

그는 빙긋 웃었어요.

애인입니까?

저어…… 그, 그래요.

관청이라든가 군에서 여자친구란 성립이 안되는 걸 잘 알아요. 그들에게는 아내면 아내, 애인이면 애인 외에는 정답이 따로 없으니까요. 아무개 애인이 면회 왔다더라는 말은 웃음 섞여 말이 되어도 여자친구?라는 알쏭달쏭한 말은 없는 셈이지요. 교도관이 말했어요.

직계가족 외에 면회가 안된다는 건 잘 아시죠?

전 약혼……했어요. 그래두 안되나요?

글쎄요, 이건 내 소관이 아니라서…… 저기 앉아서 잠깐 기다리세요. 곧 담당자가 나올 겁니다.

나는 다시 기다렸어요. 의자에 앉고 나서야 주위의 사람들이 눈에 들어오기 시작했어요. 어린 손주를 안고 앉아서 눈이 짓무르도록 운

듯한 붉은 눈의 할머니며, 날렵하게 야한 바지와 울긋불긋한 티셔츠나 미니를 차려입은 젊고 쌩쌩한 여자들, 갓난애에게 젖을 물리고 함께 잠든 얼굴이 검게 그을은 시골 아낙네며, 거의가 여자들이었어요. 면회실은 실내 오른쪽에 출구가 보였는데 그 안에 아마도 복도가 있는 모양이에요. 문앞에는 교도관이 의자를 놓고 앉아 있었어요. 호명이 된 사람은 그 문 안으로 들어갔거든요. 그 문 안에서 두 여자가 나오고 있었어요. 젊은 여자가 대여섯살 되어 보이는 사내아이 손목을 잡고 나오는데 갑자기 실내가 떠나가라고 울음을 터뜨리는 거예요. 나이든 여자가 함께 울면서 연신 손수건으로 제 얼굴을 닦고 젊은 여자의 등을 두드려주며 달래고 있었어요.

한윤희씨.

잡음이 섞인 스피커에서 내 이름이 나오기에 일어났더니 접수처의 옆문을 열고 교도관 한사람이 나와서 손짓하고 있더군요. 나는 가져온 쇼핑백을 들고 그에게로 걸어갔습니다. 그는 모자에 금테를 두르고 꽃송이 하나짜리 계급을 달고 있었어요.

오현우 면회 왔습니까?

네, 그런데요.

이리 잠깐 들어오시지요.

그는 나를 사무실 옆에 있는 작은 방으로 데리고 들어갔습니다. 방에는 안락의자와 책상과 기도하는 다니엘의 모습을 나무에 인두로 지져서 그린 액자가 하나 걸려 있었구요. 책상 앞에는 젊은 교도관이 뭔가 서류를 펼쳐놓고 앉아 있었지요. 아마도 그가 나와 주임의 대화를 기록하려는 것 같았어요.

먼저 말씀드리는데 오현우는 중요한 공안수인 관계로 직계가족 외에는 아무도 면회가 안됩니다.

그럴 줄은 알았어요. 하지만 저는 이를테면…… 약혼자나 마찬가진데요.

법적 근거가 없지요? 우리는 아무런 지침이나 명령을 받은 적이 없습니다.

그럼 편지나 메모도 전할 수 없습니까?

죄송합니다.

하고 나서 그는 책상 위에서 무슨 기록철을 집어들어 펼치더니 잠깐 고개를 숙이고 무엇인가를 찾는 듯했어요.

더구나 공범이나 사건 연루자는 접견 금지인물로 이미 지목이 되어 있습니다. 한윤희씨…… 네, 여기 있군요. 오현우 은닉 건으로 검거되었던 적이 있죠?

네, 잠깐 조사를 받았어요.

기소유예 처분을 받으셨군. 더이상 뭐라고 할 말이 없습니다.

나는 그렇게 분개하거나 노엽지는 않았는데도 무력감 때문에 저절로 눈물이 나와 턱밑에까지 주르륵 흘러내리더군요. 나는 의류가 든 쇼핑백을 부스럭거리며 들춰 보였어요.

이건 그이에게 들여보낼 수 있겠지요?

어디 보십시다.

주임이 탁자 위에다 백을 거꾸로 들고 모두 털어내놓았어요. 겨울 내의며 조끼와 털스웨터와 긴팔 티셔츠 등속을 펼쳐서 한점씩 확인하고 나서 그는 내게 영치품 신청서를 내밀었습니다.

신청설 작성하십시오. 품목은 종류별로 수치를 적으시구요.

나는 그게 당신에게로 가는 편지이기라도 한 듯 정성스럽게 글씨를 또박또박 적어나갔습니다. 글씨를 쓰는 동안 그가 고개를 숙이고 목소리를 낮추어 말했어요.

이제 돌아가시면 내가 오현우씨를 이리로 불러다가 물건을 내줄 것입니다. 댁에서 오셨단 얘기도 해주겠습니다.

반짝, 해가 비치는 기분이어서 글씨를 적다 말고 고개를 쳐들어 그를 바라보니 눈이 제법 따뜻하게 웃고 있었지요. 그의 어깨 너머 젊은 교도관이 앉아서 기록하던 책상 앞자리는 비어 있었구요. 나와 주임의 접견은 형식상 이미 끝났던 거예요. 내가 영치품 신청서를 다 적어 그에게 내밀자 그는 아직은 일어나지 않고 말을 꺼냈습니다.

오현우씨는 수형생활을 아주 잘해나가고 있습니다. 잔병치레도 없이 건강합니다. 이번 여름부터는 사동 뒷마당에 채소밭도 가꾸었습니다.

어떤 채소밭인데요?

뭐 그리 크지는 않습니다. 상추 조금, 깻잎 조금, 고추도 있고……

그인 그런 일 참 좋아해요.

나는 교도관의 입이 언제 다시 닫힐지 몰라서 재우쳐서 물었어요.

그런 것들은 씨앗을 뿌리나요?

상추나 배추는 씨를 구해다주고 다른 것들은 봄에 우리가 시장에 나가서 모종을 사다주었지요.

농사는 잘되었대요?

그는 자랑스럽게 말을 이어나갔습니다.

아주 실하게 잘되었습디다. 어떤 재소자들은 온실에 출역해서 화초도 가꿉니다. 물론 모범수의 경우이지만. 모범수가 되면 운동시간도 늘고 출역도 나가게 되니까 건강에두 좋구요. 또 무엇보다 시간이 잘 가지요. 그리고 면회의 폭이나 횟수도 대폭 늘어나게 됩니다.

그인 운동시간에 뭘 하지요?

달리기나 걷기를 많이 하더군요. 워낙 독방에 앉아 있는 시간이 많으니까. 다양한 운동기구는 역시 모범수가 되면……

나는 그제서야 그가 나에게 전달하려는 낱말 중에 모범수라는 말이 초점이라는 걸 눈치챘어요.

얼마나 더 있으면 모범수가 되나요?

글쎄요, 일반수들의 경우에는 급수가 있어서 대개 형기의 삼분의 이만 징계 없이 넘기면 가능합니다. 공안수의 경우에는…… 급수가 따로 없어서 역시 전향 여부가 중요한 문젭니다.

전향이라뇨?

그는 고개를 천천히 끄덕이며 자신있게 다시 말했어요.

그렇습니다. 자기가 가진 사상을 바꾸겠다는 의사를 밝힌 서류를 제출하면 됩니다.

나는 한동안 말을 잃고 그를 바라보았습니다. 문득 아버지가 생각났거든요. 나는 자기도 모르게 목소리가 커지고 있었어요.

머릿속의 생각을 누가 참견해요? 그리고 그건 반대루 법에서 금지하는 생각을 가졌다는 것을 인정하라는 의미 아닌가요?

즉, 자유민주적인 사상을 가져야……

생각과 표현을 자유롭게 할 수 있다는 것이 자유민주주의 아닌가요?

아, 그만두시죠. 저는 이만 바빠서.

나도 그와 함께 빠른 동작으로 의자에서 마주 일어섰습니다. 그러나 순간적으로 내 목소리가 너무 컸다는 사실을 깨달았어요. 당신을 남겨두고 돌아서야 하는데. 나는 얼떨결에 그에게 고개를 깊숙이 숙이고 인사를 했습니다.

잘 부탁드립니다.

주임은 가볍게 목례로 받고 손을 내밀어 문 쪽을 가리켰어요. 나는 뒤도 돌아보지 못하고 접수사무실에서 나왔습니다. 그리고 정문으로 가서 출입증과 주민증을 바꾸고 가로수가 섰는 신작로를 따라 걸었습니다. 뒤를 한번 돌아보니 드높던 하얀 담장은 거리가 멀어질수록 차츰 낮아지고 있더군요.

가까이서는 안 보이던 옥사건물들이 층을 이루어 언덕 위에 서 있는 게 보였어요. 올 때는 무심코 넘겨서 보이지 않던 옥사의 작은 창들이 보였고 창 앞에 창살이 쳐진 것도 보였어요. 나는 돌아서서 마치 그 창의 어딘가에서 당신이 내다볼 것만 같아 우두커니 서 있었어요. 가느다랗게 호루라기 소리가 들리고 구령을 붙이는 소리도 들려왔지요. 흰 벽의 검은 창들은 무슨 예쁜 하모니카처럼 보였어요. 그렇지만 입을 대고 불면 나직하고 무겁게 밑바닥에서 울려나오는 저음만 날 것같이. 그건 또 어떤 벌레의 눈처럼 보이기도 했구요. 그런데 아, 자세히 보면 그 창턱 아래 무언가 울긋불긋한 색깔이 보이는 거예요.

그래 빨래야, 빨래로구나!

아무것도 없는 듯이 보이던 흰 벽 위에 살림살이의 흔적인 빨래가 널려 있었습니다. 그것만이 비어 있는 시멘트 건물 위에서 색색가지로 힘차게 나부끼고 있었지요. 호루라기 소리와 구령소리가 들리고 철문들을 여닫는 소리가 정말 또렷하게 들려왔고 잠시 후에 창문가에 사람의 모습 같은 움직임들이 보였어요. 창문마다에서 손과 팔이 나와 빨래를 하나둘씩 걷어들이고 있었어요. 나는 그제서야 돌아서서 다시 걸었습니다. 두번 다시 그 창문들을 보고 싶지 않았거든요.

버스를 타러 한적한 읍내에 들어서자 나처럼 자유스런 사람들이 길을 건너기도 하고 상점에서 나오기도 하며 서로를 부르고 반기며 하는 양들이, 어쩐지 비디오 영화를 보다가 소리줄임 버튼을 누르고 동작만을 볼 때처럼 기계적이고 허망했습니다.

나는 고속버스를 타고 서울로 올라오면서 당신을 생각했습니다. 갈뫼의 나날을 순서대로 되짚어보기도 했구요. 이제부터 나 자신 스스로의 삶을 열어나가지 않으면 안된다고 생각했어요. 그리고 나의 그림을 위해서 하다못해 내 손가락 끝에서 피 몇방울이라도 흘려야 한다고도 생각했구요. 나는 과감하게 혼자서 그 길을 갈 거예요. 그리고 이 다음 오랜 후에 내가 어떤 모습으로 당신 앞에 서게 될지 지금부터 윤곽을 정해야 할 거라구요.

추석 가까워진 귀퉁이가 조금 일그러진 달이 버스의 차창을 따라서 계속 흘러오고 있었습니다. 가끔씩 부연 들판 저 너머로 밝은 창을 가진 집들이 모여 있는 게 보였어요. 달빛 때문에 마을의 길과 뒷산과 나무숲들이 더 고즈넉하게 엎드려 있는 듯했지요.

나는 이제부터 나 자신에게로 돌아갈 결심을 했습니다. 제발, 몹쓸 병에 걸리거나 쓰러지지 말기를 빌어요. 살다가 언젠가 갈뫼 생각이 나면 그리로 돌아가게 될지는 모르겠어요. 아마도 우리는 무참하게 패배하게 될지도 몰라요. 그렇지만 무슨 대수예요. 까짓 거, 쓰러진 채로 그냥 하늘을 볼 거예요. 하늘 구석엔 저어 끝자락에 가느다란 띠처럼 노을이라도 한줄기 있었으면 좋겠어요. 그 무섭고 끔찍한 희망처럼 가냘프게 남아 있게요. 잘 있어요. 부디 당신의 암울하고 어두운 고독 속에서 뭔가 구원이 남아 있을 걸 미리 기대하진 말구요.

17

저녁을 끝내고 막 휴식을 취하려는 참이었다. 음반을 걸어놓고 화실 안에 붙은 내 방에서 쿠션에 기대어 두 다리를 죽 뻗고 누워 있는데 바깥쪽에서 인기척이 들렸다. 먼저 전화가 있었기 때문에 나는 그게 영태라는 걸 알았다.

아무도 없는 줄 알았잖아.

그가 내 방안을 기웃이 넘겨다보며 서 있었다. 나는 가까스로 일어나 앉는 시늉을 했다.

무슨 일이 있는 거냐, 애 밴 여자처럼 왜 그래?

말투가 아주 엉망이네.

영태는 방문턱에 걸터앉으면서 내게 물었다.

면회 갔었다면서?

누가…… 그래?

영태가 아무렇지도 않게 대꾸했다.

정희씨가 그러던데. 만나봤어?

직계가족이 아니라 안된대. 그리구 같은 사건 연루자라나.

그는 잠시 아무 말 없이 앉았더니 혼잣말하듯이 중얼거렸다.

까짓 거, 현우형 우리가 꺼내주자.

무기수를 어떻게 꺼내주니?

그러니까 독재를 타도해야지.

나는 골백번 들은 소리라 묵묵부답.

그냥 돌아왔단 말이지. 그래서 이렇게 처져 있는 거야?

아니, 저녁 먹구 배가 불러서. 야, 나 좀 혼자 놔둬라아 응? 느이 떨거지들은 오는 거야 안 오는 거야?

음, 곧 올 거야.

그럼 난 여기서 한숨 붙일 테니까 이따가 갈 때쯤 해서 깨워줘.

나는 송을 문턱에서 밖으로 밀어내고 유리 장지문을 드르륵 닫아버렸다. 여덟시쯤 되었을까 바깥쪽에서 두런거리는 말소리가 들려오고 이어서 화실 안으로 들어와 앉는지 의자를 밀고 당기는 소리가 들렸다. 스무명 가까이 되는 것 같다. 서로 인사를 나누는 말들이 오가고. 저건 송영태의 목소리다.

우리가 이 자리에 모인 것은 상반기 투쟁의 여러가지 문제점들을 점검하고 하반기의 당면과제들을 설정하기 위한 것입니다. 먼저 준비위측에서 정세분석을 해주시지요.

빠르고 거침없는 목소리가 기다렸다는 듯이 뒤를 잇는다.

작년 말부터 현정권은 학살과 폭력이라는 일방적인 억압에서 국민화합 조치를 단행한다면서 학원자율화라는 유화국면으로 나오기 시작했는데요. 우리는 적이 현재 강하고 우리는 약한데도 불구하고 이러한 유화책이 어디서 연유되었는가를 냉정히 분석해내지 못하고, 이른바 비공개 지도부에서는 적의 함정이 분명하므로 신중하게 활동반경을 넓혀나가야 한다는 패배적이고 수동적인 결론을 내렸습니다. 즉 대중동원력을 가동시키지도 못하면서 학원자율화 문제에만 매달렸던 것입니다. 비공개 지도부 구성원의 한사람으로서 스스로 비판한다면 이러한 시스템이 오히려 대중의 정세판단을 가로막고 자발적인 운동공간의 자생력과 확대를 막아왔다는 자책이 듭니다. 적으로부터 인정을 받지 못하고 제도적으로 가로막혀 있다 할지라도, 대중의 역량을 모을 수 있는 구심체로서의 대표조직인 학생회를 자주적으로 구성하고, 호국단 폐지투쟁을 동시에 벌여서, 자율화조치나 유화국면의 허위를 폭로했어야만 합니다. 사실상 현재의 유화국면은 광주학살 이래 돌이킬 수 없는 군사정권의 정통성을 조금이라도 회복하기 위한 대외적인 제스처로서, 일조오천억 규모에 달하는 외채에 의한 전국적인 부도와 지난 여름의 외국투자 완전개방에서 보는 바와 같이 정치 경제적인 위기에서 벗어나기 위한 일시적 처방일 뿐입니다. 그러나 이러한 국면이야말로 우리에게는 학원뿐만 아니라 사회 속에, 그리고 일반민중 속에 군사독재를 타도하기 위한 교두보를 확보할 수 있는 기회를 가져다주었습니다. 그러므로 학생대중운동의 기초조직이 되는 과중심의 활동을 강화시키고 학생 개개인을 자발적인 선전선동 활동의 주체로 내세우는 대자보와 유인물 작업이 활성화되어야 합니다. 그래서 공개적인 학생대중조직을 장악한 뒤에는 이 열린 공간을 통하여 대학끼리의 연합투쟁을 조직해나갈 것입니다. 대학들의 연합투쟁은 사회 속에서의 정치투쟁을 한층 극대화시킬 수 있으며 조직력이 상대적으로 약한 대학의 대중운동을 끌어올릴 수 있을 것입니다.

다른 굵직한 목소리가 이어나간다.

학원의 자율적인 민주화공간을 확보하는 것도 매우 중요한 과업이지만, 사실은 이를 통하여 변혁운동의 기본역량이 되는 민중을 동력으로 삼기 위해서 밖으로도 역량배치를 해야 됩니다. 저들을 억압하고 생존을 위협하는 측이 바로 현재의 독재정권임을 폭로하기 위해서는 사회 속에 민중의 생존권을 옹호하기 위한 연대투쟁의 틀을 창출해낼 필요가 있습니다.

어조가 분명하고 카랑카랑한 목소리.

학생회는 예상대로 많은 학우들의 열성적인 참여에 의하여 그럴듯하게 복원 구성되었습니다. 우리는 유신 말기부터 전위냐 대중이냐 하는 오랜 논쟁을 해왔는데요, 사실 이것은 이원적인 문제로 갈라서 볼 것이 아니라 오히려 동전의 앞뒷면이라고 해야겠습니다. 대중들의 의식수준에 맞추고 상황에 맞게 그들을 광범위한 동력으로 이끌어내는 것도 중요하지만 대중추수주의에 빠져서는 안될 것입니다. 한편으로는 전위가 그들에게 투쟁의 모범을 보이며 운동을 선진적으로 이끌어나가는 것도 필요합니다. 이들 양자의 결합이 없이는 민주화운동의 동력은 활성화되지 못할 것입니다.

송영태의 목소리가 다시 들려온다.

비공개 지도부의 맹점은 학원 내부의 조직 건설과 방향을 그야말로 소그룹 단위에서 유도하려고 했던 점입니다. 학생회가 학생대중을 이끄는 일상적 정치투쟁을 수행해야 한다면, 사회 속에서 투쟁의 이념과 목표를 극명하게 드러내는 선진적인 전위의 조직과 활동이 그만큼 더 필요하게 될 것입니다. 따라서 저는 이 자리에서 그러한 임무를 수행할 수 있는 조직의 구성을 제안합니다. 상반기의 운동선상에서 드러난 바와 마찬가지로 민주화투쟁을 강도 높은 정치적 투쟁으로 치고나갈 수 있는 조직과 노학연대투쟁을 전개할 조직을 상설기구로 끌어내와야 할 것입니다.

다시 나직하고 느린 말투의 목소리가 들려온다.

지도부를 자처하면서 학생회의 조종과 내부적 문제에만 매달려온 결과 민족적이고 전사회적인 문제에 대해서는 아무런 정치투쟁도 수행하지 못하고 울타리 안을 벗어나지도 못하였습니다. 모범적이고 과감한 희생이 없는 비합법적 지도부란 누가 누구에게 부여한 것입니까. 이제까지의 비공개 지도부 시스템을 비판하면서 새로이 시작할 수밖에 없습니다.

쉰 듯한 여성의 목소리.

조직은 투쟁을 통해서 태어나고 단련됩니다. 이제까지의 소극성과 분파성을 극복하고 연대틀을 새로 짜야 할 것입니다. 그뿐만 아니라 투쟁의 단기적 대상을 정하여 그때그때마다 연합하고 분담해서 수행해야 합니다. 반독재 민주화투쟁을 일상화해서 견인할 준비위원회에서 위원회로 그리고 연합으로 발전시켜나갈 것을 제안합니다.

그 다음에도 토론과 회의는 끝없이 이어졌지만 나는 까무룩하게 잠들어 있었나보다. 내 방의 유리문이 드르륵 하고 열리는 소리에 눈을 떴으니까. 송이 아까처럼 문턱에 걸터앉으면서 말을 걸었다.

떠메 가도 모르겠구나. 봄두 아닌데 왜 그렇게 축 늘어져서 그래.

아, 몰라. 피로가 쌓였었나봐. 한잠 자구 나니 개운한데.

이리 좀 나와봐.

나는 불이 훤히 켜진 화실로 나왔다. 모두들 돌아가고 없는데 천장의 형광등은 모조리 켜져 있었다. 나는 수강생들이 없을 때면 그런 기분나쁜 불빛이 싫어서 부지런히 끄고는 식탁 위의 백열등과 오디오 앞에 있는 스탠드만 켜놓는다. 다른 날처럼 얼른 형광등부터 껐다. 화실 안은 지저분하긴 했지만 그런대로 좀 가라앉은 것처럼 보였다. 송영태의 담뱃갑에서 한개비를 꺼내어 재떨이를 찾는데 제법 깨끗하게 비워져 있었다. 그러고 보니 누군가 식탁 위도 치우고 간이의자들도 접어서 구석에 가지런히 세워놓았다. 나는 담배에 불을 붙이면서 말했다.

제법이다. 청소까지 했잖아.

민폐를 끼치면 안되니까.

즈이가 무슨 독립군이라고 민폐라네.

그 녀석들이야 잔뜩 어질러놓고 사라졌지. 우리가 치웠다.

우리라니……?

응, 곧 올 거야.

호랑이도 어떻다더니 바깥계단을 올라오는 발걸음 소리가 들려왔다. 여자였다. 뒷굽을 박듯이 힘을 주어 걸어올라오는 소리가 들렸다. 문이 열리고 칸막이의 통로로 누군가 들어왔다. 이쪽은 밝고 응접실 공간은 불이 꺼져 있어서 처음에는 실루엣만 보였다. 청바지에 긴팔 셔츠 차림이었고 머리는 단발을 했지만 분명히 여자였다. 그네는 한 팔에 안고 들어온 비닐봉지를 우리 앞의 식탁 위에 얹어놓고는 젖은 머리를 손가락으로 털어냈다.

뭐야, 밖에 비 오니?

송영태의 물음에 그네가 여전히 머리를 털어내면서 말했다.

가을비가 추적추적.

나는 말없이 일어나 방안의 서랍장에서 새 수건 한장을 꺼내 그네에게 내밀어주었다. 그네는 웃는 얼굴을 지어 보이며 수건을 받았다.

이거 민폐가 심한데요. 고맙심더.

뭐야, 이치들은 말투까지 서로 닮는 걸까. 그네가 싹싹하게 고개를 까딱 해 보이며 내게 말을 걸었다.

최미경입니더. 지는예 송선배으 새카만 후배라예.

살결이 가무잡잡하고 얼굴이 동그랗고 눈썹이 짙은데 눈은 크고 까맣고 장난스럽게 반짝인다. 어딘가 태평양이나 남방 어느 곳 처녀 같다. 나는 그네가 이 집 주인인 나를 잘 알고 있을 것 같아서 미소로 응답했다. 그 대신에 송영태를 향하여 그네의 노고를 치하해주었다.

청소를 해주신 범인이 여기 최형인 모양이지?

예, 지가 건성건성 꽁초 줍고 마 빗자루질만 하고 재떨이 비우고 안 했습니꺼. 저 그라구요, 냄비에 물 쫌 올레놓을라카는데요?

뭐 차 마시게?

아니라예, 사실은 저녁을 걸렀거든예. 그래서 라면 좀 끓일라꼬 하는데……

나는 그제야 생각이 나서 비닐봉지를 들추고 안을 들여다보았다. 달걀 두어개, 마른안주 몇봉, 소주 사홉들이 두병에 종이컵 서너개, 매운 라면이…… 다섯개. 그네가 비닐봉지를 탁 채뜨려갔다. 나는 좀 멋쩍어져서 그네에게 말했다.

내가 끓여줄까요?

마 괘안타면 지가 해볼라꼬요. 자취에 도가 터서 라면으 가장 맛있는 순간 포착을 절묘하게 잡아내는 솜씨라예. 영태형 몇번을 원해?

난 일번두 감지덕지야.

자아, 일번은 그냥 맹물 넣고 끓이는 라면, 이번은 라면에 계란을 넣고요. 그라고 삼번은 파를 송송 썰어넣는 거라예.

송영태는 아까부터 최미경에게 말을 시키는 게 재미있어 죽겠는지 히죽이 웃으며 그네의 다음 말을 기다리고 앉았는 눈치였다.

그럼 그 담은 뭐야, 계속해야지.

헷갈리게 하지 마이소. 다음이 아니라 특번이락꼬요. 네에, 약간의 신김치를 송송 썰어넣습니데이.

젠장할, 침 고이네. 리론이 아니라 료리를 얼른 해와야지.

내가 일어서려 하니까 송영태가 팔을 잡으며 눈짓을 해 보였다.

놔둬봐.

냉장고에서 김치 꺼내주려구……

아까 다 파악하는 거 같던데?

언제?

윤희 잠자는 사이에.

세상에, 거침없기란 송보다 더하구나. 나는 어쨌든 그 아이 행동거지가 시원시원하고 선머슴같이 쾌활하고 솔직해서 처음부터 호감이 갔다. 최미경이 부엌공간에서 서성대는 사이에 나는 송에게 물었다.

지금이 몇시야?

어, 열두시 다 됐는걸.

잰 집두 없나? 부모님이 야단 안 쳐?

서울엔 없지. 부산 애니까.

도대체 요즘 애들은 나일 알 수가 없어. 여고생이나 재수생 같기두 하구. 옷 갈아입히면 아줌마로 변하기두 하니 말야.

재 몇학년이더라…… 어이 최미경, 너 몇학년이냐?

삼학년. 일년 재수했심더.

너 법대 맞지?

남사시럽게 그건 왜 들쳐내고 그라능교.

아무래도 내가 도와줘야 할 것 같아서 일어나 그릇도 꺼내고 김치며 마늘쫑이며 밑반찬도 꺼냈다. 우리는 식탁 앞에 둘러앉았다. 그네가 배식을 자청했다. 나는 얌전하게 빈 그릇을 들고 그네를 바라보았다.

사실은 나두 좀 출출한 판이었어.

야참에 쐬주라…… 이거 죽여주는구먼. 밖엔 가을비가 내린대.

라면을 퍼서 차례로 놓아주며 미경은 노래하듯이 말했다.

먼저 한잔씩 비우고, 가을비를 위하여!

우리는 소주잔을 쳐들었다가 단숨에 털어넣었다. 미경이 벌떡 일어나더니 창가로 가서 언제나 늘어져 있던 두꺼운 커튼을 들치고 일년에 몇번 열지 않는 창문을 열기 시작했다. 알루미늄이 삐걱거리는 소리를 내면서도 창문은 기적처럼 활짝 열렸다. 저 봐, 빗소리가 들린다. 그리고 도심지의 썩은 바람이지만 신선하게 씻기운 바람이 불어 들어왔다. 미경은 그런 바람처럼 젊었다.

역시 발상이 좋았어.

나는 진심으로 감탄해서 말했다. 그동안 정말 스스로 창문 꼭꼭 닫고 조명 불빛에만 의지해서 이 안에 갇혀 있었다. 발상을 바꾸면 세상이 변한다더니. 홈통을 타고 끊임없이 노래하는 듯 흘러내리는 빗소리와 빌딩의 마른 콘크리트 벽을 적시고 불어오는 비의 냄새 때문에 기적이라도 일어난 것 같았다. 저 봐, 천장에 붙박여 있던 형광등도 바람에 흔들리고 언제나 굳어진 채 일정한 명암만을 드러내고 몇년씩 같은 자리에 놓여 있던 석고상에 나뭇가지의 거칠게 흔들리는 그림자가 어른거리면서 전혀 다른 형상으로 변하고 있잖아. 미경이가 라면 그릇을 치우면서 말했다.

언니, 나 여기서 자고 가도 됩니꺼?

응? 뭣 땜에……

집이 없으니까.

송영태가 옆에서 거들었다.

참 그렇지, 앤 남의 문간방 얻어서 자취하는데 열두시만 넘으면 아줌마가 칼같이 문 걸어잠그고 잔대.

나는 하는 수 없이 넘어가주는 척했다.

그래애? 오늘만이야. 자주 그러면 안돼.

자주 오고 싶은 예감이 드는데예.

송영태가 또 끼여들었다.

얘가 한형이 마음에 들었대.

공연히 그러지들 마라. 느이들 나 포섭할려구 그러는 거 모를 줄 알았니?

진작에 포섭된 게 아니고예? 저두 오선배 얘긴 많이 들었심더.

나는 갑자기 짜증이 났다.

뭐야아, 그딴 소리가 어딨어? 오니 아니 내 앞에서 허튼 소리 하지 말어. 야 송가야, 니가 입 싸게 놀렸어?

송영태나 최미경도 내 돌변한 태도에 당황한 모양이었다. 송이 연신 손을 내저으면서 재빠르게 설명했다.

아냐, 그건 오해야 윤희씨. 유신 때부터 지금까지 변혁운동의 모델들을 검토하다 보면 오선배 사건은 언제나 빠짐없이 거론이 되구 있어. 다만 여기서 모임을 가지게 되면서 윤희씨 얘기가 덧붙여진 거야.

제가 잘못했심더. 그렇다꼬 저희가 좋아하는 선배님들을 뒷전에서 비양거리고 할 사람들은 아니라예. 그 반댑니더. 언니, 화 풀으소 고마.

나는 소주를 벌컥 들이켜고는 잠시 침묵을 지켰다. 송영태가 술이 깨버렸는지 말짱한 얼굴로 나를 바라보다가 말을 꺼냈다.

한형, 노여움을 풀어. 모두가 당하는 고통을 두고 냉소할 사람은 우리들 중에 아무도 없어. 미경이 후배가 가볍게 얘길 꺼낸 건 잘못이지만 이제 시작이라 워낙 니편 내편이 분명해서 그래. 서툴고 덜 익은 것두 이쁘잖아.

됐어…… 니들이 뭘 안다구 그래.

하고 대꾸하면서 나는 풀이 죽었다.

송영태가 말을 이었다.

우습게도 복학하자마자 대학원에 진학을 했지. 하지만 지금은 수료를 하게 될지 의문이야. 지금은 아무도 자유스럽지 않아. 무엇을 하든 어떻게 살든 모든 게 연결되어 있어. 나중에 세상이 변하고 나면 우리 세대의 삶들은 까마득하게 잊혀질지두 몰라. 하지만 지금은 이렇게 작은 힘들을 서로 보태고 더 크게 만들어서 사회적 변화를 이끌어내야 해.

송영태씨, 너나 잘해. 나는 내 할 일을 할 거야. 그런 의미에서 나는 자유가 좋아. 참견하려구 하지 말어.

송이 두 손바닥을 쳐들어 내 말을 막으려는 시늉을 해 보였다.

아아, 그래 잘 알겠어. 윤희씬 좋은 그림을 그려.

점점…… 좋은 그림이 어딨니 임마. 그냥 그림이지. 너 앞으로 조심해.

뭘 조심할까요, 마님?

자기 안에서 부족한 걸 메꾸려구 서두르지 마라. 그럼 무리하게 돼. 특히 넌 쓰잘데없이 아는 게 많구, 부잣집 아들이니까 명심해야 할 거야.

최미경이 식탁을 가볍게 톡 두드리며 종알거렸다.

그건 말이 되네.

한형, 이젠 화가 좀 풀리셨수?

나는 부드러운 목소리로 대꾸해주었다.

이젠 돌아가지 그래. 바깥에 택시 많아. 미경씨와 나는 어차피 밤을 샐 거니까.

아이구, 살았다. 난 일어설게.

송영태가 홀가분하다는 시늉으로 두 팔을 번쩍 쳐들어 보이더니 최미경의 등을 두드려주었다.

이 문디 가시나야, 아침에 해장까지 아예 신세를 져라. 확실하게 개겨야 인상에 남지.

아직도 비는 같은 흐름으로 줄기차게 내리고 있었다. 가을장만가. 아마 이 비가 걷히면 날씨는 제법 쌀랑해지겠지. 영태가 가고 난 뒤에 나는 문을 잠그고 화실로 돌아왔다. 그리고 최미경을 좀 풀어주고 싶어졌다.

술 더 할래? 위스키 남은 거 있는데……

전 됐심더. 언니 더 할라꼬요?

아니, 따끈한 커피 한잔은 어때?

좋지예. 아까는 무서워 혼났어예. 진땀이 확 나든데.

내가 커피잔을 들고 돌아오니 미경은 엘피판을 고르고 있었다. 그네는 조심스럽게 판을 얹었다. 나는 잔 두 개를 식탁 위에 얹고는 다시 창문을 닫았다. 그 위에 커튼을 쳤다.

바람이 안 좋습니꺼?

그게 아니라, 아침에 소음이 심할 거야. 빛두 싫구.

우리는 잔을 두 손에 감싸쥐고 마주앉아 있었다. 내가 불쑥 그네에게 먼저 물었다.

법대에선 뭘 배우는데?

제도를 어떻게 지켜가야 하는가를 배웁니더. 내 뜻은 아니고 아부지가 우겨서 그렇게 된 거라예. 우리 아부진 말단에서 과장까지 올라간 공무원이라예. 말도 한마디 없고예. 안돼, 하면 그걸로 끝입니더. 카프카처럼 음산합니더. 지가 맏딸인데예…… 큰 탈이 났심더.

송형하구는 어떻게 알았어?

우리 동아리에 가끔씩 와서 토론을 지도했는데예, 이번 여름에 공장에 같이 갔다 왔거든예.

공장에?

지는예 안에서 보조일을 했고, 형은 발송부라 한달 동안 잡역으로 짐만 날랐어예.

둘이서만?

언제예, 스무명도 넘게 갔는데 우연히 같은 데로 배치가 안됐십니꺼.

어떻게 들어갔어?

노학연대 한다꼬 선배들이 진작에 들어가 있심더. 기독교 선교기관도 있고예.

그 친구 피서 갔다온 줄 알았더니.

피서두 했어예. 형은 일 끝나고 해운대 놀러 왔습디더. 부산 집으로 전화 와서 내가 나갔거든예. 회에 갈비에 냉면에 실컷 얻어묵었어예. 형은 할 건 다 합니더.

그렇겠지……

지는예 부미방이 터졌을 때 그 선배들이 미친 사람들인 줄 알았어예.

뭐가 터졌다구?

부산서 미문화원 방화사건이 안 일어났습니꺼.

아, 그랬어. 대단한 사람들이었어. 내가 아는 이도 있었구.

꼭 흐르는 물맨치로 뒤를 잇는다 아입니꺼.

이젠 우리 눈 좀 붙일까? 들어가서 자자.

자리를 깔고 미경이와 나는 나란히 누웠다. 불을 끄고 누웠는데 미경이가 곁에서 부스럭거렸다.

언니, 자요?

아니, 왜 잠이 안 와?

언니한테 가끔 와도 됩니꺼?

그래, 전화하구 와.

사실은 저 이번 학기에 등록 안했어예.

집에 의논 없이?

학교 때리치아버릴라꼬요.

나는 더이상 말을 하고 싶지 않았다. 그러지는 말라든가, 저질러버리라든가 하는 어떠한 말도 부질없게 생각되어서였다. 나는 잠깐 정희를 생각했고 그네의 신랑을 떠올렸다. 세상에는 모두 그런 선남선녀들이 사는데. 조금 있다가 돌아누우니 미경의 고른 숨소리가 들려왔다. 밖에서 새어들어온 불빛으로 어느 결에 방안이 부옇게 밝아 있었다. 베개 뒤로 흐트러진 그네의 계집아이 같은 머리카락을 바라보았다. 나는 잠든 미경의 가슴 아래로 내려온 이불을 끌어올려주었다.

내가 잠에서 깨어난 것은 언제나의 생활습관대로 열두시가 다 되어서였다. 커튼을 쳤지만 방안은 이미 환했고 옆자리는 비어 있었다. 이부자리는 잘 개켜져서 윗목에 놓여 있었다. 내가 화실로 나오니 싱크대에 쌓아두었던 설거짓감들은 모두 사라졌고 전기밥솥에는 불이 들어와 있었다. 깨끗이 치워진 식탁 위에 편지가 놓여 있었다. 편지를 펴보니 큼직큼직하고 줄이 고른 글씨가 눈에 들어왔다.

한윤희 언니께

먼저 일어나서 언니를 기다리다 곤히 주무셔서 깨워드리지 못하고 갑니다. 어제는 어리광만 부린 것 같아서 아침이 되니 부끄러웠어요. 비는 그쳤습니다. 언제든 무슨 대사건이 일어나든 아침의 햇볕에 당당히 견딜 수 있는 정서를 유지해야겠다고 마음을 먹었어요.

그리고, 기다리는 동안에 심심해서 언니의 스케치북들을 몰래 훔쳐보았습니다. 영태형이 무식하게 시건방을 떨었다는 느낌을 받았습니다.

일어나시면 해장을 하시도록 요 아래 내려가서 콩나물 사다가 멸치 넣고 맛있는 국을 얼큰하게 끓여놓았습니다. 물론 끓이고 나서 제가 먼저 한그릇 실례를 했지요. 밥도 해놓았어요.

밑반찬은 있는데 그래두 비린 반찬 생각이 나서 꽁치깡통 사다가 간장하고 풋고추 넣고 조렸어요. 아점을 맛있게 드세요.

저는 잊어버릴 만하면 나타나겠습니다. 끝으로 비밀 하나를 누설하자면 최미경의 별명은 콩자반이에요.

일주일쯤 지나서 시월 초엔가 송영태가 불쑥 나를 찾아왔다. 나는 작업중이어서 그와 한가하게 농담이나 나눌 처지가 아니었다. 모처럼 개어놓은 물감을 말리기가 싫었다. 나는 응접실에서 화실 안으로 기웃이 넘겨다보는 그에게 콧등으로 말을 던졌다.

나 지금 바빠.

응, 나 여기서 뭣 좀 끼적거리다가 갈게.

나는 대답 않고 붓질만 했다. 색을 바꾸며 붓을 빨려고 일어서는데 전화벨 소리가 들렸다. 내가 그쪽을 돌아보니까 영태가 얼른 수화기를 집어들었다.

아마 내 전활 거야. 여…… 여보세요? 네 맞습니다. 접니다. 그 주소루 갖다주세요. 물론 일시불입니다. 네에, 삼십분 뒤에요? 기다리죠.

나는 궁금한 생각이 들어서 응접실의 입구로 가까이 갔다.

무슨 전화니? 짜장면을 시키는 것 같진 않구.

뭔가 주문했지.

글쎄 그게 뭐냐니까……?

허허, 기다려봐.

나는 다시 화판 앞으로 돌아가서 일을 시작했는데 어쩐지 송가가 오고 나서는 붓이 손에서 자꾸 맴돌기만 했다. 층계에서 인기척이 나더니 문이 열리고 두 남자가 무슨 작은 냉장고 같은 것을 포장한 채로 맞들고 들어왔다. 남자들은 회색의 점퍼와 같은 작업복을 아래위로 입고 있었다. 가슴에 무슨 회사 마크를 찍은 것이 아마도 유니폼인 듯했다. 나는 어리둥절해서 그들에게 물었다.

이게 뭐예요?

네, 복사기 주문하신 겁니다.

복사기요?

전동타자기두 가져왔는데요. 이거 어디다 설치할 겁니까?

하는데 뒷전에 섰던 송영태가 앞으로 나서며 화실 안쪽 구석자리로 성큼성큼 걸어들어갔다. 냉장고가 있는 바로 옆자리에 작은 탁자가 놓였고 그 위에는 내가 대바구니를 놓고 마른 꽃이며 갈대며 열매 달린 감나무 가지 등속을 담아두었다. 그는 서슴없이 대바구니를 얹은 채로 탁자를 한쪽으로 치우면서 말하는 것이었다.

여기다 놓으쇼.

한 남자는 아마 타자기를 가지러 내려갔는지 보이질 않았고 다른 남자가 포장을 뜯었다. 송영태도 그를 거들었다. 두 사람은 냉장고의 코드를 뽑아 준비해온 다른 콘센트를 꽂고 복사기와 냉장고의 전원을 함께 연결했다. 나는 나설 때가 아니다 싶어 그저 팔짱을 끼고 우두커니 서서 그들의 하는 꼴을 지켜보기만 했다. 다른 남자가 역시 포장한 타자기를 두 팔에 안고 와서 작업대 위에 내려놓았다. 영태가 수표로 계산하고 그들은 영수증을 써주고.

설명서는 여기 있습다. 사용법 시범을 잠깐 보여드릴까요?

아니, 사용해봐서 알구 있어요. 됐습니다.

예에, 그러면 무슨 문제가 생기면 연락 주십쇼. 즉시 달려와서 처리해드리죠.

두 남자가 나간 뒤에야 나는 송영태에게 침착하게 물었다. 되도록이면 화를 내지 않으려고 자제하면서.

이거 계획적이지?

뭐가……

그럼 아니냐? 어쩌면, 전기코드 있는 자리에, 놓을 자리까지 다 봐두었잖아.

유, 윤희 사실은 말야, 그게……

난 한윤희야. 유씨가 아니라구. 나 뭐 다칠까봐 쫄아서 이러는 건 아니다. 최소한 이 공간의 임자인 나에게 미리 허락은 받았어야지.

이건 다 한형 거라구. 내가 빌려 쓸 참이야.

내가 이까짓 게 무슨 필요가 있어? 그림 복사할 일 있니?

요새 원서값이 얼마나 비싸다구 그래. 좋잖아, 논문이며 리포트도 복사하고.

나는 아예 화를 내지 않기로 했다.

그래그래, 내가 졌다. 손들었어. 느이들 불온문서 만들려구 하는 거 내가 다 알아. 어쩌겠니…… 그 대신 너 말야, 집세 반반 물기야.

좀 억울한데.

나두 보험료를 받아야지.

송영태는 끙끙대며 전동타자기의 포장을 뜯어내고 전원을 연결시켰다. 그리고 테이프를 끼우고 나서 두 손을 몇번 맞비볐다.

자아, 인제 시운전을 한번 해볼까.

그는 상의 안주머니에서 원고를 꺼내어 타자기 옆에 펼쳐놓더니 두 손가락을 젓가락처럼 곤두세워 한 글자씩 찍어나가기 시작했다. 나는 그의 어깨 너머로 원고를 들여다보았다. 횃불? 촌스럽기는. 고작 생각해내는 것이 들불, 봉화, 불꽃, 이스끄라의 변형이잖아.

그래가지구 언제 그걸 다 찍니?

나는 한 자 찍고 원고에 코를 갖다대고 들여다보고 또 한 자를 찍어나가는 송영태의 꼴이 답답해서 원고를 잽싸게 집어올렸다.

어어, 왜 그래. 한걸음씩 나아가면 되지.

저리 비켜, 내가 쳐줄 테니까.

그를 밀어내고 전동타자기 앞에 앉자마자 나는 요술공주처럼 좌르르 쳐나가기 시작했다. 문장의 끝까지 도달하면 땡 차르르 하는 경쾌한 소리와 함께 롤러가 저절로 움직여 첫줄에 가서 멈추었다. 나는 저절로 기분이 풀려서 한마디 했다.

기계 좋다!

야아, 타자는 또 언제 배웠지?

나 학교선생 한 거 모르지? 교안 작성이네 교육청 보고서네 공문이

네 학부모님께 공지사항, 그딴 거 내가 다 쳤다는 사실.

나는 기계를 따라가면서 문장을 더듬다가 두 손가락을 자판 위에서 멈추었다.

이게 도대체 무슨 소리야? 일관된 투쟁방향에서 돌발적인 제 계기를 포괄 운용하는 능동적 자세보다는 우연적 계기를 확대 과장함으로써 상황에 매몰되는 맹목성을 보였다.

말 그대로야. 소탐대실했다는 뜻이라고.

이건 누구를 위해서 뭣 때문에 작성한 거야?

동지들을 비판하기 위해서지.

느이들끼리?

그래서 더욱 중요하다구. 먼저 바른 노선을 세워야 흔들림없는 투쟁을 할 수 있겠지.

이거 계속해서 내보낼 작정이구나.

시사적 변화가 있는 중요한 전기마다 비판적 의견을 내려구 해.

나는 자리에서 일어났다.

니가 찍어라, 응?

잘하다가 왜 그래.

버릇 들일까봐 그런다.

기왕 시작한 건데…… 끝까지 쳐주면 어때?

나는 못 들은 척하고 비켜나 다른 자리로 가서 앉았다. 송영태가 다시 두꺼운 안경알을 원고에 대고 몇자 읽고는 외다리 타법으로 찍어 나갔다.

안녕!

하는 소리가 들리면서 그날따라 치마를 입은 최미경이 들어서는 게 보였다. 나는 쓴웃음을 지으며 말했다.

그러면 그렇지. 나는 재가 왜 안 나타나나 궁금했잖아.

언니, 오햅니더. 지는예 아무 약속도 안했심더. 언니 보고 싶어서 왔어예.

송영태가 살았다는 듯이 미경에게 물었다.

야, 너 타자 칠 줄 아냐?

나도 형 정도의 실력이라예.

영태가 끙끙거리며 한참을 쳤지만 절반밖에 해내지 못하고 작업을 그쳤다.

도저히 안되겠는데. 내가 치기에는 분량이 너무 많아.

나는 할 수 없이 그를 밀쳐내고 다시 타자기 앞에 앉았다.

그러니까 다음부터 글은 간단간단하게 요점만 간추려서 쓰란 말야.

내가 재빠른 솜씨로 타자를 쳐나가자 미경이 옆에서 탄성을 질렀다.

우와, 언니 솜씨가 굉장하네예.

'횃불' 일호는 한시간여 만에 다 끝났고 송영태는 원본을 추려 복사기 앞에 가서는 혼자 설명서를 들여다보면서 꿈지럭대더니 한부씩 제작해내기 시작했다. 미경이 복사본을 받아서 페이지 순서대로 호치키스로 찍어서 제본을 했다. 팜플렛의 꼴이 유인물과는 비교도 안되게 훌륭해 보였다.

작업이 모두 끝난 뒤에 영태는 준비해왔던 보스턴백에다 팜플렛을 쑤셔넣었다. 모두 백여부쯤 되었을까.

자아, 나는 먼저 간다.

그는 인사를 받을 겨를도 없이 화실에서 나갔다. 최미경은 백에서 준비해온 김밥을 꺼내어 식탁 위에 펼쳐놓았다.

점심을 아직 안했어예. 요 건너 시장에서 샀는데 맛이 어떨지 모르겠네.

별명이 콩자반이라면서?

미경이는 호탕하게 머리를 뒤로 젖히면서 웃어댔다.

얼굴이 까맣다꼬 안 그라능교. 첨에는 평범하게 깜둥이라고 했다가 콩자반이라고 부릅디더.

나는 그 별명이 미경이의 생김새뿐만 아니라 그 야무지고 똘똘한 행동거지에 걸맞는다고 생각했다. 내가 그네에게 물었다.

저 팜플렛을 계속해서 만들 작정이니?

어떻게 아셔요?

지금 일호라니까. 이호, 삼호, 계속할 거 아냐?

글쎄, 한 십호까지 무사하게 제작을 했으면 싶은데예.

저 정도 부수라면 대중 상대는 아닌 것 같은데.

언제예, 각 대학 동아리 단위로 배포할 겁니더. 현재의 민투위 단계에서 전국적인 투쟁연합으로 갈 작정이니까요.

나는 저절로 픽 하고 웃음이 새어나왔다.

이젠 목까지 깊숙이 빠져버렸구나.

그게 무슨 말입니꺼?

안 그러니? 느이들 여기서 계속 제작할 작정 아냐. 그러구 내가 타자두 쳐줘야 할 거구.

그래도 최미경은 제작하지 않겠다는 소리는 빼고 말했다.

저도 지금 연습중인데예 타자 치는 속도가 늘고 있어예.

내가 미경에게 궁금하던 점을 물었다.

송형은 어디 약속이 있는 모양이던데 넌 같이 안 다녀?

송선배하고 지는 그룹이 다릅니더.

어떻게 다른데?

송선배는 민투위에 속해 있고예 지는 노학연대 쪽이 아닙니꺼.

아, 그래서 미경이가 학교를 때려치운다고 그랬구나. 그럼 어디 공장에라두 들어갈 거야?

미경은 까맣고 큰 눈을 감았다가 뜨면서 그렇다는 시늉을 해 보였고 내가 조심스럽게 말을 꺼냈다.

내 생각에는 미경이가 잘 알고 능률적으로 일을 잘 처리할 수 있는 데가 역시 학교일 텐데, 공장에 가면 그들에게 무슨 큰 도움이 될까.

지금은예 공장에 들어가 있는 선배들하고 학교 사이를 잇는 역할만 하고 있어예. 하지만 취직자리를 알아보고 있는데예 노동일꾼으로 시작할 참이라예. 우선 그들의 눈으로 세상을 보기 위해서는 먼저 노동자가 될라꼬요. 한 일이년 죽어라꼬 일만 해볼 참입니더.

대단하구나……

하면서 나는 말을 흐렸다.

시월 중순쯤이었을까, 송영태가 여느 때와는 달리 말쑥한 양복에 넥타이까지 맨 차림으로 불쑥 화실에 나타났다. 그는 늘상 들고 다니던 채권장수 같은 헌털뱅이 가죽가방도 들지 않았고 팜플렛을 쑤셔넣던 보스턴백도 가지고 있지 않았다.

너 웬일이니, 어디 선 보러 가냐?

말 마라. 요샌 토론하구 다니느라구 혓바늘이 돋을 지경이다.

여기 와선 조용해주기 바래.

우리는 노선투쟁을 시작했어. 설득하다 안되면 밀어붙이면서 지나가야지.

응, 근데 요새 미경이가 뜨음하던데…… 보다 안 보니까 궁금하네.

걔 부천 가 있어. 일터를 잡았지.

어머, 그러면서 고것이 아무 소리 없이 사라지다니.

지금 일 배우느라 정신없을 거야. 아마 내주쯤이면 휴일에 들를지두 모르겠군.

그는 자리에 앉지도 않고 공연히 화실 안을 서성대면서 시계를 들여다보았다. 나는 의자를 밀어주며 그에게 말했다.

앉지 그래. 내가 불안하니까.

한형, 저녁 먹었냐?

아니 왜, 사줄려구 그래?

내 파트너루 모실려구. 너 일식 좋아하니, 회 사줄게.

괜찮지.

그를 따라나서면서도 나는 송가의 속셈이 따로 있으리라고 생각했다. 무엇보다도 그의 차림새가 어쩐지 튀는 게 아닌가. 거기서 멀지 않은 번화가의 뒷골목에 있는 일식집으로 들어갔다. 아래층은 스시바와 식탁이 놓인 홀이었고 두 테이블인가 손님들이 앉아 있었는데 바 쪽에서 뭔가 먹고 있던 두 사람이 고개를 돌려 우리가 들어서는 모습을 보고 있었다. 나무계단으로 해서 이층에 오르니 복도를 따라서 양쪽에 창호지 미닫이문이 달린 방들이 잇달아 있었다. 예약된 방에 들어가자 그는 상의를 벗어 걸지도 않고 약간은 긴장된 모습으로 앉았다. 내가 그의 맞은편에 앉으려고 방석을 펴는데 영태가 말했다.

내 옆에 앉어.

술 따라달라구? 난 앞에 앉아서도 니 잔 받을 수 있어.

여기 좀 앉어.

나는 농담을 주고받는 분위기가 아니라는 걸 곧 눈치채고 그러면 그렇지, 하는 생각이 들었다.

누가 오는 모양이지?

아가씨가 주문을 받으러 들어왔고 그가 사람이 더 올 거라고 말했다. 아가씨가 물었다.

몇분이 더 오시는데요?

두 사람이오. 우선 맥주나 세 병쯤 갖다주세요.

맥주가 들어올 무렵 해서 다른 남자 웨이터가 역시 말쑥한 양복차림인 젊은이 두 사람을 방으로 안내했다. 앞에 섰던 사람이 안을 기웃이 들여다보고 나서 뒤에다 대고 말했다.

송형 여기 있는데.

이거 자주 만납니다.

영태가 인사조로 말했고 그들은 들어서면서 나를 날카로운 시선으로 살폈다. 송영태는 열린 문 너머로 내다보면서 말했다.

일행이 더 있는 거 아뇨?

네, 아래층에…… 후배들이 안전점검을 하러 삼십분 전에 와 있었어요.

영태가 나를 돌아보고 나서 말했다.

여긴 내 보호잔데…… 누님뻘 되우.

이럴 줄 알았지만 나는 별로 화를 내지는 않았다. 사람이 놀라거나 노여워하는 단계가 있다면 그맘때쯤에는 나는 적어도 허물을 서너 번은 벗었을 터였으니까. 그 대신에 좀 유들유들하게 받았다.

병정놀이에 불려온 느낌인데 사실 난 저녁을 먹으러 왔으니까, 편히들 하세요.

두 젊은이는 누구, 하는 입 모양을 지으며 영태에게 고개를 내미는 것 같았다. 영태가 말했다.

이분은 화가요. 저어 로터리 뒷길에서 화실을 하시는.

젊은이 중 하나가 고개를 꾸벅해 보였다.

아아, 난 또…… 몰라뵀습니다. 저번에 거기 간 적이 있습니다.

하고 나서 그가 나란히 앉은 일행에게 작고 낮은 소리로 말했다.

그 왜, 오현우 선배라구……

짧은 머리에 눈매가 서툴게 날카로운 젊은이가 고개를 숙여 보였다. 눈매가 서툴다는 건 눈썹에 힘을 주었기 때문일 거다. 그러니 미간에 주름이 패어 있잖아. 아가씨가 다시 오고 주문을 받고 음식이 들어올 때까지 그들은 별로 말이 없었다. 화실에 온 적이 있다는 치가 입이 좀 심심했던지 나에게 말을 걸었다.

어떤 그림을 그리십니까?

뭐라고 대답을 해줄까 하다가 그냥 귀찮은 듯이 말해버렸다.

사과나 꽃병 같은 건 안 그리지요.

그럼, 뭘 그리시는데요?

아무것두 안 그려요. 그림쟁이는 매일 무엇을 그리지는 않아요.

아니 그래두……

나는 그를 혼낼 생각은 없었지만 그가 먼저 실없이 말을 건넸으므로 약은 조금 올려줄 작정이었다.

내가 이번엔 좀 물읍시다. 형씨 아버진 뭘 하시는데?

예? 그게 무슨 상관이죠?

송영태는 빙긋이 웃으면서 그를 지켜보고 있었고 눈썹에 힘준 아이는 전보다 더 힘을 주고 나를 노려보고 있었다. 나는 송영태에게 얼굴을 돌리고 그에게 말을 건네는 것처럼 느긋하게 말을 꺼냈다.

송형, 학생이지? 등록금이나 용돈을 누가 주지? 학생은 생업이 없으니까 배경을 곰곰이 따져보는 것두 중요하지 않나?

눈썹이 나에게 조용히 말했다.

물론 우리는 현재 모두 쁘띠입니다.

나는 그의 말을 무시하고 다른 데로 넘어갔다.

이런 일이 다 세상공부라구 소박하게 생각하면 돼요. 나는 그림을 그리고 싶어하는 사람이지 어떤 그림을 그려야 할지 규정하는 사람은 아니에요.

그들은 내 말을 되새기는지 잠깐 침묵을 지키고 있었는데 다행히 음식이 들어왔다. 송영태가 그들의 잔에 맥주를 따랐고 나에게도 따르면서 말했다.

미안해. 이 두 사람 다 잠수함이야. 남자들끼리 쑥덕거리면 남들 보기에두 안 좋구 해서……

나두 알구 왔어. 회나 실컷 사라, 응? 전복도 좀 시켜. 많이들 드세요.

내가 처음보다 훨씬 상냥하게 나오자 그들은 마음이 놓이는 얼굴들이었다. 영태가 말했다.

민투위 구성은 이제부터 시작입니다. 전국화를 해야만 하니까요. 아마 다음주면 끝날 것 같은데 결성은 아무래도 다음달 초가 될 것 같구요. 그래서 이 조직의 객관화작업이 동시에 이루어져야 할 텐데 투위 안에 작전을 수행할 수 있는 행동조직을 구성해야만 할 겁니다.

눈썹이 말했다.

행동조직이라면 투쟁의 전면에 노출될 텐데 아무래도 투위 지도부나 집행부는 뒤로 숨어야 되겠군요.

그렇죠. 노출되는 행동조직 안에서도 지원조와 공격조를 나누어야 하겠지요. 아마도 공격조는 전원 체포 구속될 겁니다. 지원조에서도 운나쁜 사람들은 검거될 거요.

인원은 얼마쯤으로 잡고 있습니까?

한 학교에서 정예로 오십여명 차출하고 그중에서 공격조를 십여명씩 선발하고 나서 나머지는 지원조나 시위대로 편성하면 될 겁니다.

송영태가 눈썹에게 술을 따르더니 고개를 숙이고 잠시 기다렸다. 눈썹은 술을 반쯤 마시고는 송에게 물었다.

그런데 우릴 만나자구 한 게 무슨 일 때문입니까?

시위 주동한 도바리들 가운데서 투사들을 좀 선발해주시오. 그리고 이번 일은 조형이 총지휘를 맡아주었으면 합니다.

그게 모두의 의견인가요?

반대와 찬성이 있어서 만장일치는 아녔어요.

찬성은…… 어떤 의견이죠?

조형은 이미 지난 학기의 투쟁에서 검거된 모든 사람들의 진술조서에 주동자로 나왔고 다른 동아리들에 해를 끼칠 요소가 거의 없다는 것, 그리고 경험이 많다는 것, 군대를 갔다 왔기 때문에 다시 끌려가 사회와 단절된 채로 녹화사업에 시달리지는 않을 거라는 점 등등 많은 유익한 의견들이 있었어요.

송선배는 어떻게 생각합니까?

나도 물론 찬성 쪽이었어요.

반대는……?

기왕에 잠수함을 타구 있으니까 노출하지 말고 비합 쪽이나 노학연투 쪽에서 지하사업을 하기가 용이하다는 것. 복학생이니까 오히려 뒤에 남아서 학생회 후배들을 지도해야 한다는 것. 그밖에 몇몇 비슷한 의견들이 있었지요.

눈썹은 위로 얼굴을 들고 잠시 고민에 빠진 것 같은 얼굴이더니 다시 눈가에 힘을 주고 물었다.

송선배, 솔직하게 얘기해주시죠. 내가 선도투를 하고 빵에 들어갈 이유를 말예요.

좋소, 조형은 지금 뚜렷하게 운동에 기여할 역할이 없어요. 너무 알려졌을 뿐만 아니라 잠수함으로서도 유용한 점이 없습니다. 지금 형이 찬동하고 참여한 투위는 구성 선포와 동시에 곧장 행동으로 들어가야 하는데, 사실 이번 일은 본격적인 싸움이 아니라 선전선동을 주안점으로 하는 사업이거든요. 조형이 운동의 거름이 되겠다 생각하고 치고 나가면 조직은 성과를 거둡니다.

그렇다면…… 해야죠 뭐.

눈썹이 대답하자마자 송영태가 상 위로 손을 내밀었고 그들은 악수했다. 눈썹의 일행이며 내 화실의 모임에 왔었다는 젊은이가 그들 손에 자기 손도 얹었다.

나두 조선배하구 같이할 거요.

나는 어쩐지 그들에게 아까보다 훨씬 더 미안해졌다. 그래서 혼자서 맥주만 소리없이 마시고 앉아 있었다. 그들과 헤어져 영태가 나를 화실로 데려다주느라고 함께 길을 건너 걸어왔는데 나는 그에게 얼른 말해버렸다.

나두 뭔가…… 도와줄게.

송영태는 두꺼운 안경 너머로 나를 바라보았다. 그는 이 번화가에서 마치 얌전한 월급쟁이처럼 보였다.

우린 벌써 시작했잖아.

나는 화들짝 놀라서 그에게 되물었다.

뭘 말야, 뭘 시작했는데?

한형은 벌써 선전부에서 일하구 있지 않았나?

나는 큰 소리는 아니었지만 분개해서 중얼거렸다.

이런 순, 나쁜 놈들 같으니!

18

그 무렵에 나는 무엇을 하고 있었는지 가물가물하다. 담벽 안의 미물들과 정을 나누고 그리고 스스로 가슴속에서 지워버리면서 차츰 옷장만한 공간에 길들어갔다. 내 원칙은 무엇이었던가. 일하는 사람들이 자기 삶의 주인이 되는 세상을 향하여 똑바로 걸어가겠다고 다짐했지. 나는 이제 겨우 그 길의 초입에 한발을 내디뎠을 뿐이라고 생각했다. 세상에 내가 없는 동안은 저 세상은 나의 것이 아니었다. 그렇지만 내가 여기서 견디는 일도 조금은 보탬이 될지도 몰랐다.

단식투쟁을 했던 일들이 생각난다. 한 서른번쯤 했을까. 사일구니 오일팔이니 해방절이니 무슨 국보법 철폐니 무슨 양심수 처우개선이니 하면서 해마다 제철이 되면 행사 삼아서 하던 단식은 길어봐야 사나흘 또는 일주일이 고작이었다. 그래도 그런 단식은 요란하고 표나지. 단식을 통고하고 준비된 성명서를 읽고 밖으로 향한 화장실 창살에 매달려서 표어처럼 단어마디가 딱딱 끝나는 문장으로 샤우팅을 하고 투쟁가를 부르고. 목이 가라앉고 침이 마르면 식기를 가져다 창틀에 요란하게 부딪치면서 이쪽이 비상사태임을 전 사동에 알리고 마지막으로 감방의 철문을 발로 차기 시작한다. 발뒤꿈치로 내지르다가 아프고 힘에 부치면 빗자루나 양동이로 두드리기도 한다.

그도 아니면 식구통을 열고 입만을 내밀어 전 복도가 울리도록 연설을 하고. 복도를 달려오는 구둣발 소리가 요란해지면 젓가락을 들고 눈을 찌르겠다며 방어를 하고 오물을 준비했다가 뿌리기도 하고 매트리스를 들고 열리는 문을 막아서기도 하는 것이다. 드디어 대여섯명의 교도관들이 달려들어 나를 복도 밖으로 끌어내어 팔을 꺾어 뒷수정을 채우고 포승으로 팔을 묶고 입에는 나무재갈에 가죽끈이 달린 방성구를 채운다. 입안 가득히 나뭇조각이 들어와 박히면 혀가 짓눌리고 침은 질질 흘러서 턱밑을 적신다. 그 모양대로 끌려가 징벌방의 먹방에 갇힌다. 일반수들은 움쭉달싹 못하도록 한평도 못되는 비좁은 공간 안에 예닐곱명 정도를 쑤셔넣지만 그래도 정치범이라고 혼자 처박아놓는다. 다리에는 가죽띠에 쇠사슬이 달린 족쇄를 채워둔다. 컴컴한 방의 어둠에 익숙해지면 희미하게 문 아래쪽에 식구통이 보이는데 꼭 난로 화구만하고 그것도 바깥쪽으로 문이 달려 있어서 밥을 넣어줄 때말고는 굳게 잠겨 있다. 방 안쪽에 변기구멍이 보이고 위의 벽은 두꺼운 시멘트로 처발라져 있고 거의 꼭대기쯤에 두어 뼘 크기의 환기구가 뚫려 있다. 시간이 가는 것은 좁은 환기구 사이로 새어들어온 햇빛의 경사와 각도의 변화며 빛의 뚜렷함과 희박함으로 짐작을 한다. 이러한 급변한 상황을 인식하고 방안과 바깥복도와 환기구 너머의 사동 앞 공간을 파악하는 데 두어 시간이 걸린다. 이맘때가 되면 입안의 방성구 때문에 상의 앞섶은 흘러내린 침으로 거의 흥건하게 젖어 있고 미칠 지경이 되어버린다. 말이 무슨 들끓는 죽처럼 가슴과 목구멍에 꽉차올라서 뚜껑을 열지 않으면 곧 터져버릴 것만 같다. 아무리 크게 소리를 지르려 해도 이, 이, 이 하는 쥐어짜낸 듯한 소리가 혀뿌리 끝에까지 도달했다가 목구멍 너머로 맥없이 삼켜져 사라진다. 한나절이 지난 다음에 철문 위쪽에서 철컥, 하는 쇳소리가 들리면서 시찰구가 열리고 지시를 받은 징벌방 담당의 두 눈이 나타난다. 징벌자의 눈이 아직도 증오와 분노에 차 있으면 시찰구는 매정하게 다시 닫히지만 그들이 열어볼 만한 때에는 거의가 옆으로 늘어져서 기진맥진해 있다. 문이 열리고 복도의 자유로운 바람이 불어들어온다. 담당은 사무적으로 냉정하게 묻는다.

시끄럽게 하지 않는다면 방성구를 풀어주지. 조용하겠나?

징벌자가 고개를 끄덕인다. 그만두라고 하지 않아도 제발 제발 하는 모양으로 수없이 고개를 끄덕인다. 신의 손이 방성구의 가죽끈을 풀어준다. 수인은 입을 크게 벌리고 몇번이나 큰숨을 내쉬고 자유로워진 혓바닥으로 아래위 이빨이며 입술을 핥아본다. 철문이 다시 닫힌다. 이제는 묶인 두 다리를 굽혀 무릎을 세우고 두 팔은 뒤로 묶인 채로 벽에 기대어앉는다. 이상하기도 해라, 내 방도 이것과 비슷한 크기이건만 창 하나가 없음으로 해서 세계는 완전히 쪼그라들어 있다. 나는 어둠 가운데 짓눌리는 것만 같다. 아무 생각도 나지 않는다. 조사를 받던 저 지하실의 방음처리가 된 하얀 방에서처럼 모든 과거는 백지상태이며 현재의 내가 매우 객관적으로 함께 존재한다. 손가락 끝으로 수갑이 닿은 부분을 꼭 눌러보면 아픔이 더욱 또렷해진다. 등어느 모퉁이의 가려움도 오랫동안 뒤틀린 어깨에 뻣뻣하게 쥐가 나는 것도 숨이 코와 입으로 들락거리는 사실까지도 너무나 또렷한 고통이다. 꼼짝도 할 수 없고 누울 수도 엎드릴 수도 없는 현재의 상태를 벗어나기 위한 처리를 하려고 미세한 동작으로부터 시작해본다. 이런 동작만이 시간을 벗어나게 해준다. 먼저 두 손이 조금은 놓여나야만 한다. 대개의 전과경력이 있는 일반수들은 징벌방 안에서 먼저 못이라든가 무슨 철사 나부랭이라든가를 찾아낸다. 없으면 며칠이고 틈을 엿보다가 소지에게 부탁해서 꼭 손에 넣고야 만다. 아니면 관구사무실이나 조사실에 오가는 사이에 앞수정으로 바꾸게 해달라고 타협안을 내기도 하고 수갑을 잠시라도 풀어달라고 사정을 한다. 수갑을 고쳐 채울 때가 그 기회인 셈인데 이 순간에 한쪽 팔목을 엇비스듬하게 치켜올려 공간을 만든다. 그러고는 방에 돌아와 마른 손을 비누에 잔뜩 문지르고 나서 손가락을 죽 펴고 옴츠려서 수갑으로부터 빼낸다. 다가오는 발걸음 소리가 들리면 얼른 자유로웠던 손을 끼우고 얌전히 앉아 있는다.

나는 일반수와 달리 타협할 여지가 없으므로 마루에 붙어서 기어다니며 손바닥으로 이리저리 쓸어본다. 구석이나 모퉁이에 판자가 조금이라도 들뜨거나 움직이는 곳이 있으면 그곳을 계속해서 발을 바꿔가며 눌러댄다. 한시간쯤 그러고 나면 손가락 끝에 못의 대가리가 조금 튀어나온 것을 알게 된다. 뒤로 비스듬히 누운 채로 못을 손톱 끝으로 잡고 힘을 주어 빼내려고 기를 쓴다. 어떤 경우에는 쉽게 뽑히기도 하고 아니면 하루 종일 걸리기도 한다. 그래도 시간은 흐르게 마련이고 마루 판자의 못 하나를 뽑는 일이 역사를 바꾸는 일보다 더욱 중요한 사업이 되어버린다. 아, 드디어 못이 뽑혔다! 이 작은 쇠붙이야말로 짐승으로부터 사고하고 일하는 인간으로 나를 바꿔줄 열쇠인 것이다.

저녁때가 되었나보다. 환기구멍으로 비껴 들던 빛이 차츰 옮겨서 벽의 왼쪽으로 가다가 차츰 짧아져 환기구 부근으로 올라가며 더욱 가늘게 된 다음에 환기구의 왼쪽 모퉁이에 조금 묻은 얼룩처럼 변했다가 깨끗이 사라진다. 그맘때에 복도 저편에서 구수한 된장냄새와 더불어 식사를 실은 손수레의 쇠바퀴 소리가 들리기 시작한다. 아직도 뒷수정은 풀리지 않았다. 아마도 한 사나흘 뒤에 관구실에서 부르기 전까지는 풀어주지 않을 것이다. 열쇠소리가 들리고 나서 식구통 대신 아예 철문이 활짝 열린다. 담당이 익숙한 손짓으로 문 바로 앞에 밥과 국과 찬의 하얀 플라스틱 그릇이 세 개 얹힌 쟁반을 들여놓아준다. 그리고 그는 이죽거린다.

개밥 처먹어.

단식중이라면 발길로 그대로 복도를 향하여 차던지고 겨울투쟁중에는 체온을 유지하기 위해서라도 굴욕을 참고 먹어야 한다. 뒤로 두 손과 팔을 묶인 채로 무릎을 꿇고 쟁반 위로 상반신을 숙여서 입으로 더듬어 밥알을 밥그릇에서 떼어낸다. 코와 턱에 음식이 붙어올라온다. 그러나 몇번 먹고 나서 요령이 생기면 밥을 한쪽 모퉁이에서부터 혀로 찍어 몰아주면서 이빨로 집어올린다. 그 다음에 봉긋이 솟은 다른 모퉁이의 밥을 물어낸다. 국은 이빨로 그릇을 물고 지그시 힘을 준 다음에 고개를 약간 위로 올려 세심하게 내용물의 높이를 가늠하면서 잇사이로 흘려넣으면서 빤다. 반찬은 혀로 젖혀 앞니 끝으로 물어올린다. 결국은 턱과 옷 앞섶을 적시면서도 다 먹게 되어 있다. 음식물로 어지러워진 입언저리는 고개를 돌려 어깻죽지에 문질러 닦아낸다. 다시 문이 열리고 쟁반이 나가고 비어 있는 그릇을 보고 담당은 그가 잘 적응하고 있음을 확인하게 된다. 만약 단식을 계속하고 있다면 그들은 강제급식 할 준비를 할 것이다. 의무실 근무의 담당이 간병을 앞세우고 다른 교도관 몇사람과 함께 문을 열고 달려든다. 멀건 죽을 고무용기에 담아 호스를 입안에 처넣고 연신 용기를 주물러 죽이 목구멍 속으로 넘어가는 걸 확인한다. 위 투시경을 목구멍 너머로 넣을 때처럼 숨이 막히고 코로 죽이 넘치고 하는 고통은 그래도 낫다. 다른 것보다도 마치 강간을 당하는 것 같은 굴욕감과 수치감 때문에 항의 단식중이던 수형자는 눈물을 흘리며 운다. 그는 문이 닫히자마자 토하고 또 토하지만 목젖에 닿은 밥 알갱이들의 매끈한 감촉과 혀끝에 남아 있는 구수한 맛을 잊지 못한다. 일단 그의 몸안에서 경계선이 무너진 것이다.

징벌 먹방은 거기 갇힌 자에게서 인간다움의 상징인 사고의 자유로움까지 앗아가버린다. 도무지 무슨 생각 따위가 없기 때문이다. 무엇인가 목적을 정하고 거기에 몰두해야만 그는 자신이 살아 있는 육신을 갖고 있다고 확신하게 된다. 그렇지, 나에게는 도구가 있었지. 수갑을 열어야 한다. 마루틈에 간직해두었던 못을 더듬어 집어올린다. 두 팔을 뒤로 돌려 손목끼리 수갑을 채우고 그 위에 포승을 조여서 묶고 두 팔뚝까지 묶어두었기 때문에 팔이 저리다 못해 감각이 없고 손가락들도 무뎌져 있다. 우선 못을 쥔 손가락들을 계속해서 움직이며 그 간격과 미세한 움직임, 이를테면 원이라든가 직선이라든가 가위표라든가 아래위 옆을 확인하면서 오랫동안 꼼지락대는 동작을 익힌다. 그러고는 더듬어서 다른 쪽 손목의 열쇠구멍 속에 집어넣고 안의 정교한 구조들을 더듬으며 익혀나간다. 뭔가 걸리는 것을 확인하고 수십번이나 돌리고 쑤시고 당기면서 방향은 어딘지 힘은 얼마나 가해야 하는지 느낌으로 경험들을 정리하고 쌓아나가면서 반복하고 또다시 시작한다. 손가락들은 점점 더 정교하고 세심한 조작에 익숙해지고 동작을 계속하면서도 눈을 감고 다른 생각을 좇는다.

너른 들판에는 보리가 자라나 바람에 물결치듯 출렁이고 있다. 들판 맞은편 언덕 위에는 소나무들이 구부정하게 서 있는 작은 솔밭 언덕이 보이고 내가 걸어가고 있는 이 길은 휘어져돌아 언덕 옆으로 해서 멀리 보이는 개천의 다리를 건너 산 뒤편으로 구부러져 있다. 길 양편에 드높은 버드나무들이 줄지어 섰는데 가지가 출렁거리고 나뭇잎들이 바람에 나부껴 반짝이는 배를 드러낼 때마다 나무들의 깔깔대는 웃음소리가 들리는 것만 같다. 내가 걷고 있지만 발이 울퉁불퉁한 땅바닥의 돌이나 바위에 닿는 느낌은 들지 않는다. 흙길이 알맞게 축축해서 푹신하고 말랑거리는 감촉이 발바닥을 간질일 정도이다. 나는 꿈에서처럼 소리없는 동작으로 미끄러지듯이 길을 간다.

찰카닥, 하고 투명한 쇳소리가 들리면서 톱날 달린 수갑의 걸쇠가 위로 쳐들린다. 나는 손을 살그머니 빼어낸다. 이번에는 위에 묶인 포승을 풀어낼 차례다. 손가락들은 저희끼리 꼼지락대면서 줄의 고리와 매듭을 확인해나간다. 옭매인 매듭은 작은 돌멩이처럼 단단하고 요지부동이다. 처음에는 매듭을 더듬어보고 손가락 끝으로 꼬집듯이 힘을 주어보기도 한다. 손가락이 자꾸만 미끄러진다. 얼마 뒤에야 매듭이 아니라 그 아래 포승의 줄을 위로 어떻게든 쑤셔넣어야 한다고 생각한다. 위로 밀어올리려고 이리저리 비틀며 힘을 쓰다보면 어느새 매듭이 조금 헐거워진 느낌이 온다. 한손으로는 줄을 밀어올리고 다른 한손은 매듭을 잡아뽑는다. 거의 움직이지 않던 매듭이 빽빽하게 그리고 미끄럽게 술술 뽑혀올라온다. 매듭은 여러번 거듭 매어져 있지만 처음 것을 풀고 나면 대개는 다른 것들도 헐거워져 있다. 줄이 길기도 해라. 손목의 안과 밖으로 미로처럼 휘감긴 줄을 그 끝이 지나갈 때까지 계속해서 당긴다. 첫 매듭을 풀기까지 한시간쯤 걸린 뒤에 다시 다른 매듭과 줄을 손목에서 풀어내는 데 한시간이 더 걸린다. 두 손을 휘감은 줄은 헐거워져서 손목에 힘을 주어 당겼다가 늦추었다가 하다보면 구멍을 남기고 손목만 빠져나온다. 포승의 남은 줄은 두 팔뚝에 달려 있는 채로 나는 기진맥진해서 뒤로 벌렁 드러눕는다. 그리고 두 손을 쥐었다 폈다 해보고 가려웠던 콧등도 긁어보며 누워서 휴식을 즐긴다. 환기구 틈새로 들어온 달빛이 긴 마름모꼴의 희붐한 빛이 되어 뻥끼통의 시멘트 벽 위에 얼룩처럼 찍혀 있다.

어느새 잠들었던 모양인가. 기상 전 야근자들이 교대하기 전에 도는 마지막 순찰시간이 되었다. 아래층에서 철문 열리는 소리가 들리고 근무중 이상 무! 하는 담당의 작은 목소리가 절도있게 들려온다.

나는 눈을 번쩍 뜨고 얼른 풀어둔 수갑과 포승줄을 궁둥이 아래 밀어 넣고 팔을 돌려서 등뒤로 감추고 잠든 시늉을 한다. 구둣발 소리는 참으로 더디게 천천히 다가오는 것만 같다. 발걸음 소리가 방문 앞에서 멎더니 시찰구 열리는 소리가 찰카닥, 하고 들린다. 나는 똑바로 드러누운 채로 실눈을 뜨고 시찰구를 바라본다. 순시하는 당직자의 모자가 스쳐가는 게 보인다. 발걸음 소리가 다시 멀어진다.

그맘때 나는 완전히 잠이 깨어 다시 수갑을 찬다. 다만 한쪽 손목에만 정식으로 차고 다른 손목은 채우지 않고 구멍을 남기고 있던 포승에 손목을 집어넣고 자유로운 한손으로 매듭도 만들고 조이기도 해서 처음과 비슷하게 매어둔다. 그리고 마지막으로 헐겁고 둥글게 잠가둔 한쪽의 수갑에 손을 오므려서 집어넣는다. 이제는 언제든 그 구멍에서 한쪽 손을 빼내어 자유롭게 될 수가 있다. 그리고 나에게는 못도 있잖은가. 못은 내가 빼어냈던 그 모퉁이의 널판자에 다시 얌전하게 박혀 있다. 내가 언제든 마음먹기만 하면 자유로워질 수 있다는 것을 겪어서 알고 있는 나는 이미 승리자와 같다. 먹방의 어둠과 비좁은 시멘트의 벽도 나를 더이상 압박하지 못한다. 언제나 감방에서는 처음이 어려웠다. 누구에게나 그렇지만 일주일쯤 지나면 아무리 나쁜 상황도 익숙해지고 그럭저럭 지낼 만하게 된다. 하지만 상담이라도 한다고 관구실이나 보안과에 끌려나가게 되어 밝은 햇빛 아래로 걸어가게 되면 그 후유증은 오래 남는다. 우선 징벌 사동에서 마당으로 나서자마자 두 눈을 뜰 수가 없다. 눈을 감으면 눈꺼풀 아래 노란빛이 가득 차고 현기증으로 어지러워지면서 비칠거리게 된다. 담당도 그런 꼴을 뻔히 알고 있어서 등을 밀든가 재촉하지 않고 기다리면서 냉소한다.

홍콩 가는 맛이 어때? 두달만 거기서 푹 썩어라, 모범수가 되어서 나올 테니깐.

눈을 뜨고 다시 걸으면 하얀 빛들이 차츰 퇴색하는 것처럼 어두워졌다가 정상으로 돌아온다. 그리고 돌아올 때쯤에는 담장 위의 나무며 하늘이며 하얗게 칠한 시멘트 담장까지도 그 선명하고 찬란한 색깔 때문에 어둠속에서 천연색 슬라이드 사진이 비친 것처럼 아름답다. 그리고 징벌 사동의 먹방으로 돌아가기가 끔찍해진다. 그렇지만 다시 끌려와 어둠 가운데 첫날처럼 고립되어 등뒤에서 철문이 요란하게 닫히고 나면 그 절망은 가졌던 모든 것을 잃어버린 사람의 꼴이 되어버린다. 먹방의 징벌에는 몇단계가 있다. 처음에는 적응하려고 짐승처럼 몸부림치는 열흘쯤의 기간이 있고, 외출을 하고 나서 돌아와 자신의 상황이 최악이라는 것을 다시금 확인하는 기간이 있으며, 이 정체와 권태의 기간을 지나면 관리하는 쪽에서 수정이나 포승을 풀어주며 달래고 조건을 내세우는데 대개는 잘못을 시인하는 자술서나 반성문이다. 징벌자는 억울하기도 하고 아직은 증오심 때문에 그쪽과 합의할 마음이 없으므로 뻗대는 기간이 있고, 관리자는 다시 징벌의 상황을 처음으로 돌리거나 상담과 산책의 시간을 길게 주어 회유한다. 양쪽이 맞부딪치면 수인은 머리가 돌거나 더욱 형편이 나쁜 곳으로 이감을 뜨게 된다. 어쨌든 그는 순화되고야 만다. 장기수의 겸손한 눈빛 안에는 그러한 모든 나날들이 녹아 있다.

일반수들은 틈만 있으면 왈왈구찌가 되어보려고 꿈틀거린다. 담당의 약점을 잡기도 하고 포악을 떨기도 하고 사사건건 트집을 잡아 간부들을 귀찮게 만든다. 징벌방에서 제대로 길들여지지 않고 나오는 자들은 한 육개월쯤을 거듭 드나들면서 속을 썩인다. 그중에서 가장 잘 먹히는 짓이 자해인데 바늘에서부터 손톱깎이나 못이나 유리나 아무튼 무엇이든 삼켜버리기도 하고 깡통으로 만든 칼로 배를 긋기도 하고 심지어는 세상 꼴을 보기가 싫다고 바늘 실로 멀쩡한 두 눈을 꿰매어버리기도 한다. 어떤 녀석은 말대꾸하지 말랬다고 피를 철철 흘리면서 입을 꿰매기도 한다. 이러고 나면 대개의 담당들은 손을 들고 적당히 편하게 풀어준다. 그런 왈왈구찌들의 전성기는 초창기라면 어림도 없는 노릇이라 대번에 박살이 나서 이감을 뜨거나 순회를 시켜버리지만 대개 만기가 일이년쯤 남아 있을 적이면 귀찮아도 모른 척해준다. 더구나 두발허가증까지 받고 나면 이제는 기고만장이다. 편해봤자 작업에서 좀 손쉬운 부서나 열외 정도에 건더기가 좀더 많은 식사에 조금 인원이 적은 널찍한 방에서 자는 것이 고작이다.

징역은 먼저 교도소가 바뀌면 다시 시작이고 방이 바뀌어도 다시 시작이며, 아무리 평화스럽고 합리적으로 운영되어 좋은 징역이었다 할지라도 사람이 바뀌면 어제의 조건은 사라지고 처음으로 돌아간다.

정치범은 바깥의 사회적 사건이나 정치적 명분 때문에 옥내 투쟁을 하기도 하지만 옥내 처우문제를 들고 나올 때에도 자신의 조건 때문이 아니라 동료 재소자들 수형생활의 개선을 위해서 싸워야 한다는 원칙이 있다. 밖에서는 먼지처럼 하찮고 아주 작은 일이 여기서는 목숨을 걸 일이 되어버린다. 일주일에 한번씩 나오는 돼지고기의 정량이 모자란다든가 소장의 사과를 받아야 한다든가 하는 일로 수십일씩 굶어야 한다. 자기가 가진 것이라곤 몸뚱이밖에 없기 때문에 그 육신을 걸고 싸운다.

나는 길게는 이십이일에서 짧게는 일주일까지 단식을 했다. 단식에 대한 요령은 수십년간의 경험을 통해서 정치범들 사이에 전해지고 있었다. 이를테면 겨울단식은 체력소모가 심하니까 되도록 큰 성과가 없다면 짧게 하거나 날이 풀릴 때까지 미룬다거나, 단식 시작을 통고하기 전에 예비절식을 하라든가, 복식은 그야말로 건강을 걸고 세심하게 주의를 해서 하라든가 여러가지 원칙들이 있었다. 단식은 대개 주초에 통고하게 마련이다. 사흘이 지나야 상부에 보고하기 때문인데 적어도 목요일이나 금요일쯤에는 상대방의 반응이나 타협안이 제시

되기 때문이고, 주말과 휴일을 넘기고 새로운 주의 초가 되면 벌써 위로부터의 질책이 내려와 있기 때문이다.

그해 혹독한 겨울날 나는 단식을 시작했다. 책과 서신 검열문제 때문이었다. 나는 그 전주부터 소금을 준비하고 방에 있던 식기며 구입 음식물들을 모두 식구통 바깥으로 내놓았다. 컵에다 소금을 조금 타서 마시고는 그 다음부터는 지하수라는 냉수만 받아놓고 마셨다. 하루이틀은 금방 가버린다. 먼저 속을 빨리 비워야 금단현상이 덜하니까 저녁에는 미지근한 물을 받아두었다가 비닐에 채워서 준비한 빨대를 꽂아 고무줄로 동여서 관장기를 만들어 뒤로 물을 잔뜩 집어넣는다. 그러고 누워 있으면 기분이 이상해지고 배가 꿀럭거리기 시작한다. 정 참지 못할 정도가 될 때까지 꼼짝 않고 있다가 뼁끼통에 가서 쭈그리면 한없이 나온다. 그렇게 서너 차례 하고 나면 뱃속이 훨씬 편해지고 먹고 싶다는 욕구도 점점 사라진다. 하루나 이틀 정도까지는 감옥에서의 일상이 못 견딜 정도로 지루하고 길게 느껴진다. 문제는 사흘에서 나흘로 넘어가는 단계가 가장 힘들다는 것이다. 옛말에 사흘 굶고 남의 집 담을 뛰어넘지 않는 놈 없다더니 사흘째의 저녁때쯤이 되면 온갖 생각과 감각이 먹는 데로만 집중되어서 책을 들어도 잘 읽히지가 않는다. 특히 식사시간이 되어 먼데서부터 식통이 실린 손수레의 삐걱이는 바퀴소리가 들릴 때부터 청각과 후각은 예민해지기 시작한다. 아니 취장에서 증기로 찌는 구수한 밥냄새가 너무도 생생하게 전해온다. 된장국 냄새는 물론이고 그날 무슨 반찬이 나오는지도 냄새로 미루어 짐작할 수 있을 정도다.

드디어 손수레가 우리 사동의 복도에 이르러 딸그락거리는 식기소리가 들리고 배식을 받느라고 각방이 웅성거리기 시작하면 일부러 식구통을 꼭 닫아놓고 돌아앉아 있는다. 옆방에서 웃음소리와 먹는 소리가 들리기 시작한다. 그건 아마도 어릴 적에 겪은 아팠던 날의 기억과 같다. 독감이나 배탈이 나서 학교도 못 가고 자리에 누워 있노라면 저녁식탁은 저 건너 마루에 차려지고, 나만 빼놓은 모든 식구들이 둘러앉아 나하고는 아무런 상관도 없이 그날 바깥세상에서 일어났던 일들이며 차려진 음식 이야기를 저희끼리 나누면서 입맛을 다시고 꿀꺽이며 마시고 그릇을 수저로 부딪치며 따로 살아간다. 식구통이 벌컥 열리고 소지가 무심하게 묻는다.

배식이오!

그만둬라.

왜, 어디 아파요?

그만두라니까.

사정없이 식구통이 닫힌다. 손수레의 바퀴소리가 삐걱이며 멀어져간다. 소금은 아침 나절에 조금 먹어두었으니까 점심때처럼 일점오리터짜리 음료수병에 담아두었던 물을 사발에 부어서 입안에서 씹듯이 굴리면서 천천히 마신다. 모두 세 사발쯤 마시고 나면 허기가 서서히 사라진다.

머리맡의 형광등은 낡을 대로 낡아서 양쪽 모서리에 검은 흔적이 번져 있고 보통 때에는 들리지도 않았던 지잉, 하는 소리가 점점 커져간다. 깊은 밤중에 잠을 못 이루어 뒤척이다 보면 금속성의 소리가 아예 머릿골 속에서 긴 파장을 그으며 지나가는 것만 같다. 낮이나 밤이나 켜 있는 형광등의 부연 빛이 소리로 변하여 대뇌를 점령해버린다. 몸은 차츰 사라지고 의식만 명료하게 번뜩인다. 이것이 그 사흘에서 나흘까지의 하얀 백지장 같은 경계선이다. 닷새 그리고 일주일로 접어들면서 육체의 들끓는 요구사항들은 단순하게 걸러지고 가라앉기 시작한다. 배설물도 끊기고 나중에는 하얀 물이 조금 나오다가 만다. 이맘때에는 모든 음식물의 냄새가 역해진다. 몸에서는 야릇하게 간장을 조리는 듯한 비릿비릿하고 콤콤한 젓갈냄새가 나고 속옷이며 이부자리에도 깊숙이 밴다.

꿈을 꾼다. 그 시절에는 왜 그렇게 넓고 푸른 풀밭이며 나무들이 보이던지. 먹방에서의 꿈처럼 나는 들길을 걷거나 아니면 그 위를 구름이나 바람처럼 스쳐 지나가고 있다. 보름이 지나면 누워 있는 게 아늑해지고 으슬으슬 추워지는데 약간의 오한마저도 비를 흠뻑 맞고 집에 돌아와 이불을 쓰고 누워 있을 때처럼 아늑한 쾌감이 생겨난다. 날이 갈수록 잠이 적어진다. 밤에도 간간이 깨어나 몇시간이 지났는지 모르게 우두커니 앉아 밤을 지새운다. 그리고 노년처럼 추억이 많아진다. 잠자리 위에 그냥 멀거니 앉아서 과거의 오솔길로 파고들어간다.

어느날에는 어린 아우가 찾아온다. 옛날 내가 열한살 먹었을 무렵의 여름방학이 느닷없이 생각난다. 샛강으로 고기를 잡으러 가려고 동네 개구쟁이들과 고추장이며 냄비며 그릇을 챙겨들고 삼태기 메고 막 떠나려는데 네댓살배기 아우가 자꾸만 따라온다. 아우를 돌보지 않으면 엄마에게 혼찌검이 나지만 금지구역이던 샛강에 갔다는 비밀을 지켜야 하는데 꼬마는 미덥지가 않다. 나는 아우를 떼어놓고 중도에서 달음박질을 친다. 멀리 달아나서 돌아보면 아우는 흙먼지 바닥에서 사지로 헹가래를 치면서 울고 있다. 정신없이 강변에서 고기잡이를 하면서 놀다 돌아올 즈음하여 나는 저녁노을을 보면서 그제야 아우의 울음소리를 기억한다. 아! 가엾은 어린 아우. 언젠가는 시장통 극장에 서부영화가 들어와서 몰래 구경을 가려는데 아우가 따라온다. 떼어놓으면 탄로가 나니까 하는 수 없이 손목을 잡고 시장통으로 나간다. 영화관의 어둠속에서 아우가 킹킹거리며 보채고 나는 옆자리의 어른한테서 눈깔사탕도 얻어먹이고 사이다도 한모금 마시게 하고. 아우는 사이다를 젓 빨듯이 오물거리며 먹고. 그래도 킹킹거리면 이제는 더이상 짜증을 참지 못하고 손목을 질질 끌어다 매표구 앞에까지 데리고 나가서 집에 가라고 쫓아버린다. 아우는 눈물 범벅이 되어 엉

엉 울면서 시장통의 인파 사이로 사라진다. 어둑어둑 저물녘에 영화가 다 끝나고 아까 그 장소, 매표구 앞에 서면 갑자기 인파 사이로 묻혀버리던 아우의 작은 몸과 울음소리가 가슴을 저리게 한다. 아우의 울음소리는 지금도 너무 선명하다. 집에 돌아가보면 아우는 얼굴에 괭이를 그린 채로 방의 안쪽 구석에 등을 돌리고 잠들어 있다. 잠든 아우의 쪼그린 오금과 발목이 통통하다. 그런데 언제나 필름은 잠든 아우의 얼굴에서 끊기고.

남도의 끝을 달리고 있는 기차가 찾아오기도 한다. 기적소리가 길게 끌다가 철교를 건너는 바퀴의 굉음에 소리의 꼬리가 잘린다. 내 귓가에는 덜커덩 텅, 덜커덩 텅, 덜커덩 텅, 타카닥 탁, 타카닥 탁, 하며 소리가 바뀌는 대목도 선명하게 남아 있다. 철교를 건너자마자 다리에서 땅의 침목으로 올라오면서 쇠바퀴가 레일에 걸리는 소리도 변한다. 그 소리의 고즈넉한 변화는 마치 죽음처럼 돌연 찾아온 것만 같다. 화물차를 개조한 객차의 천장은 턱없이 높고 양쪽에 놓은 나무의자들도 자리가 널찍했고 휑한 가운데통로에는 앞과 뒤편에 갈탄을 때는 무쇠난로가 있다. 함석연통이 차창을 통해서 밖으로 비죽이 내밀어져 있다. 평야지대를 지나며 많은 간이역에서 장을 보고 돌아가는 촌사람들이 타고 내린다. 닭이 꼬꼬댁 하면서 나래를 퍼덕거리고 낯선 사투리가 떠들썩하며 개털모자와 물들인 군복 야전점퍼에 하얗게 앉은 눈을 털면서 그들은 차에 오른다. 난로 위에서 고구마나 오징어를 굽는 냄새가 나고 장꾼은 소주잔을 돌리기도 한다. 나도 한잔 얻어 마신다. 차창 밖 들판에는 함박눈이 푸지게도 내린다. 작은 간이역도 빼놓지 않고 느릿느릿 기어가는 기차는 기적소리만은 우렁차다. 눈발에 섞여 스며든 석탄냄새가 매캐하고 방금 올라와 난로에 바짝 접근해 불을 쬐는 노인의 몸에서는 소똥냄새와 삭은 짚의 냄새가 풍긴다. 가고 또 가도 작은 마을과 얼어붙은 시내와 나지막한 언덕들은 끝나지 않고 나무마다 새까맣게 무슨 헝겊 쪼가리처럼 까마귀들이 날아 오르내린다. 종점에 가까이 갈수록 사람들은 줄어들고 파장된 장터 주막과 비슷하게 빈 의자와 어지러운 승객들의 흔적만 남아 있다. 철교가 연이어 나오기 시작하면 하구는 차츰 넓어져 강 건너편은 아득한 저녁안개에 휩싸여 있다. 눈은 그치지 않았지만 가늘어져서 색만 하얄 뿐 봄날의 송홧가루가 날리는 것처럼 보인다. 아직 해가 다 저물지는 않은 모양인데 기차는 어둑어둑하고 간이역의 출구 앞에는 노란 백열등이 켜져 있다. 누군가 보따리를 안고 나만 남은 객차로 오른다. 그는 이미 불이 꺼졌을 성싶은 뒤편 난롯가에 털썩 주저앉는다. 머리에는 담요 쪼가리를 찢어 여자들 스카프 매듯이 두르고 어디서 얻어 입었는지 낡은 국방색의 헐렁한 군대 누비코트를 그냥 어깨에 걸쳤다. 그가 내 쪽을 여러번 힐끔거리며 보는데 눈만 빛났던 것 같다. 얼굴은 어두워서인지 아니면 새까매서인지 잘 모르겠다. 그는 어디로 갈까. 이제는 육지가 끝나버린 항구인데 그는 어디로 향하고 있는 걸까. 도시로 나갔던 이가 거지가 되어서 피로하고 지친 몸을 이끌고 저 자란 마을로 돌아가는 걸까. 주위가 완전히 어두워져서야 그가 내게 말을 붙인다. 담배 있으시면 한개비 달라고. 나는 부스럭부스럭 호주머니에서 찌그러진 백양 담배를 꺼내어 그에게로 다가간다. 그에게 내민다. 검게 더러워진 헝겊 사이로 담배를 집는 두 손가락만 나와 있다. 코도 뭉그러지고 눈썹도 없다. 애 잡아먹는 문둥이다. 그가 나를 말없이 쳐다본다. 나는 그에게 성냥을 켜서 불을 붙여준다. 그가 말없이 고개를 끄떡해 보인다. 그의 단단한 침묵에 나는 마음이 놓인다. 나는 그에게서 좀 떨어져서 창가의 빈자리에 가서 두 다리를 뻗고 앉는다. 기차는 바다가 보이는 하구를 따라서 천천히 항구를 향하여 들어서고 있다. 담배를 다 태운 그는 나직하게 거의 들리지 않을 목소리로 노래를 흥얼거리고 있다. 그게 무슨 노래였더라. 울밑에 선 봉선화의 곡조가 아니었는지 가물가물하다.

밤은 길기도 해라. 두어 시간쯤 잠들었다가 야간순시자의 구둣발 소리에 잠이 깼나보다. 다시 형광등 소리가 들려오기 시작한다. 정신은 말짱하여 마치 촛불을 들여다보고 있는 것 같아서 일렁이는 불꽃과 타들어가는 심지가 똑똑히 보이면서도 생각은 자기 안으로 깊숙이 들어가는 듯하다. 형광등 소리는 주위가 조용할수록 커지면서 의식은 가물가물해진다. 어째서 속이 비면 지나간 일들은 더욱 또렷해지는 걸까. 세끼를 먹는 일은 확실히 현재 그 자체이며 세상에 속한 일이 틀림없다. 끼니를 끊자 현재에서도 떠나는 모양인지. 뇌세포 속에 담뱃진이나 때처럼 끼어 있던 오래된 기억들이 맑은 물에 풀리듯 서서히 녹아 전신에 퍼져간다. 그런데 그 많던 기억 중에서 내가 하찮게 잘못을 저지른 일들만이 더욱 명료하게 떠오른다.

돌쇠 생각이 난다. 그리고 메리도, 또 이름은 잊었지만 검정 털의 강아지도 그리고 몇마리인가 개들이 더 있었다. 제일 처음이 메리의 기억이다. 메리는 어머니가 길 건너 달영이네 집에서 얻어온 잡종개였다. 이제 와 생각해보면 회색과 흰색의 털이 섞여 있는 걸로 보아 스피츠 같은 작은 개와 셰퍼드처럼 큰 개가 어울려 낳은 개처럼 생각된다. 메리는 영리하다. 어려서부터 사람의 말을 잘 알아들었고 특히 밥을 주는 어머니의 말귀를 제일 잘 알아들었다. 비 오는 날 아침에 암내가 났던 메리가 저보다 몸집이 두어 배는 되어 보이는 누렁이와 꿀붙어 있다. 나는 학교에 가다가 골목길에서 동네 꼬마들에게 둘러싸인 개 두마리를 보게 된다. 누렁이는 아이들에게 둘러싸였어도 제법 늠름하게 버티면서 이를 드러내고 으르렁거리며 꽁무니에 메리를 질질 끌고 간다. 메리는 이제 처음이라 끌려갈 때마다 구슬프게 깽깽댄다. 털은 청승맞게 다 젖고 귀는 겁을 먹었는지 뒤로 바짝 숙이고 네 다리를 버르적거린다. 내가 부끄러움도 잊고 앞에 다가섰는데도 메리는 얼이 빠졌는지 눈길도 주지 않는다. 아이들은 돌을 던지고 두 개의 붙어버린 꽁무니를 작대기로 내리쳐 갈라보기도 한다. 가겟집 아줌마가 뜨거운 물을 한대야 들고 나와 욕설을 해대면서 개들에게 끼얹는다. 그때에 두마리가 일시에 떨어져버리고 누렁이는 저만치 내빼서 아직도 성이 잔뜩 오른 길고 빨간 그것을 부지런히 핥는다. 메리는 제자리에 주저앉은 채로 움직이지도 못하고 깽깽대고 있다. 아이들이 흩어지자마자 나는 그들이 버리고 간 작대기를 집어들어 메리를 힘껏 후려치기 시작한다. 나는 그 조그만 암캐에게 오만 정이 다 떨어져버렸던 것이다. 메리는 뒷다리를 허우적거리며 꽁무니를 땅에 끌듯이 하면서 기어서 집 쪽으로 달아난다. 나는 학교 가던 길을 바꾸어 메리를 좇아 집으로 달려들어온다. 메리는 부엌 안에 있는 봉당 위의 찬마루 아래 처박힌다. 나는 분이 아직 안 풀려서 작대기로 마루 아래를 쑤셔댄다. 메리는 처음엔 구슬프게 울부짖다가 이를 드러내고 앙칼지게 으르렁거린다. 작대기를 버리고 욕설을 퍼붓다가 들여다보니 메리는 희미하게 꼬리를 흔들어 보인다. 그것은 우리 식구와 한 칠팔년을 같이 살게 된다. 나중엔 험한 피부병에 걸려서 누가 끓인 팥물을 끼얹으라고 알려준 덕에 궁둥이께가 화상으로 허옇게 벗겨진 채로 시난고난 앓다가 남에게 끌려간다. 온돌을 고치러 왔던 미장이가 개의 꼬락서니를 보고 명이 얼마 남지 않은 것 같은데 자기나 달라고 기르던 개는 쥔이 처리하지 못한다고 하여 어머니가 내주었다는데 처음에는 반항하며 끌려가지 않으려고 해서 애를 먹였다고 한다. 하는 수 없이 어머니가 개의 머리를 쓰다듬으며 그랬다지. 얘야, 니가 몹쓸 병이 걸려서 보내는 거야. 거기 가서 병이 나으면 다시 집으로 돌아오너라. 타일렀더니 메리는 새끼줄에 목이 매인 채로 몇번씩이나 집 쪽을 돌아다보며 미장이 아저씨에게 끌려갔다는 것이다.

검은 털의 강아지는 내가 일학기 말에 일등을 해서 어머니에게 약속을 지키라고 떼를 쓰고 얻게 된다. 통신표가 나오자마자 개를 사내놓으라고 떼를 썼는데 어머니가 매를 들고 달려나오면 멀찍이 뛰었다가 다시 돌아와 울고불고 발버둥치고 하여 성화에 못 견딘 어머니가 내 손목을 잡고 영등포시장 닭전에 가서 강아지를 사준다. 한 닷새쯤 살았을까. 나는 강아지를 못살게 군다. 가져오자마자 수돗가에 데려가서 찬물로 목욕을 시키고 찐 고구마를 잔뜩 먹이고 했더니 어른들 말로 밑구녕이 쭉 빠지는 치명적인 병에 걸린다. 나는 강아지의 이름도 채 못 지었지. 나가 놀다가 돌아와보니 뒷마당 판자담 아래 뻣뻣하게 죽어 있다. 어찌나 화가 나는지 그놈을 신문지에 둘둘 말아가지고 둑 너머 샛강에 갖다버린다. 자운영이 가득 핀 둑의 중간쯤에까지 내려가 휙 던졌더니 풍덩, 하는 물소리가 나고 잔잔하던 저녁 강에 파문이 널리 퍼져나간다. 그런데 지금도 생각나는 건 신문지 따로 강아지의 주검 따로 물위에 떠올라서 앞서거니 뒤서거니 천천히 흘러내려가던 꼴이다.

아무것도 먹지 않은 지 보름이 되어가면 이틀이 멀다 하고 의무실에서 혈압을 재러 온다. 물론 혈압은 전보다 훨씬 떨어져 있다. 물맛이 유별나게 좋아진다. 수염이 길게 자라고 피부도 꺼칠해 보이지만 눈 속은 맑고 빛나 보인다. 관구주임들이 번갈아 드나들며 사과를 놓고 가기도 하고 어떤 사람은 보온병에 된장국을 끓여서 냄새를 맡도록 하기도 한다. 나는 오후에 폐방시간이 가까울 무렵에 관구실로 찾아가 그들에게 고스란히 돌려준다. 그들은 강제급식을 하겠다고 으름장을 놓고 나는 그렇게 하면 고문행위로 고발하겠다며 맞선다. 십팔일째나 이십일째가 되면 분명히 완전한 관철은 아니지만 엇비슷한 타협안이 나온다. 그러나 여기까지가 마지막 고비다. 그들이 이쪽의 안을 완전히 받아들이도록 하려면 단식은 쓰러질 때까지 끝나지 않으리라는 태도를 보여주어야만 한다. 이 마지막 고개는 참으로 길고 지루한 비탈길임에 틀림없다. 한 이삼일만 더 버티면 된다는 조급함이 아랫배에서 안달이 되어 올라오기 때문이다. 갑자기 시간이 정지해버린다. 낮은 길고 밤은 밝아오지 않는다.

추위 때문에 체력의 소모가 심해져서 시멘트 벽 안의 냉기에 노출된 귀나 손이나 발가락에 동상이 오기도 한다. 처음에는 감각이 없이 저리고 가려워진다. 양말을 벗고 발가락을 만져보면 차갑게 굳어 있다. 두 손을 맞비비고 발가락들을 오랫동안 주무른다. 귀를 위아래로 수없이 쓰다듬는다. 솜이 이리저리 뭉쳐진 관급 이불을 덮고 그 안에 담요를 꿰매어 자루가 되도록 만든 침낭 속에 온몸을 웅크리고 자고 일어나면 몸이 뻣뻣하게 굳어서 풀리질 않는다. 일어나서 허기를 무릅쓰고 철문 앞에 서서 제자리뛰기를 한시간쯤 해야만 사지가 부드럽게 돌아간다. 드디어 요구사항이 관철되었다. 삼주가 넘게 버티고 나서 이제부터는 자신과의 싸움이 시작된다. 단식의 가장 어려운 마지막 관문인 복식이 시작될 참이다. 하루에 두 차례씩 의무실 보고전에 의거하여 취장 소지가 묽게 쑨 미음을 날라다준다. 배춧잎이 두어 가닥 떠 있는 된장국도 들어온다. 미음의 쌀냄새와 된장내는 향기롭기도 하여라. 이제 지나간 기억들은 모두 사라지고 현재만 남아 있다. 그것도 모든 음식물의 냄새와 맛으로만 가득 채워진다. 먹고 싶은 것들을 순서대로 종이에 써보고 그 요리법을 자기식대로 차례차례 머릿속으로 실행해나간다. 나는 이제 세상 속으로 돌아왔다. 본단식이 삼주 이상 걸렸으니 적어도 열흘 이상은 복식을 준비해야 할 것이다.

수인들도 그러고 교도관들도 말하지만 징역에선 먹는 것이 절반 이상 아니 팔십 퍼센트 이상을 차지할 정도로 중요하다. 취장에서 다달이 식단을 짜서 가격과 정량을 공고하도록 정치범들이 싸워서 얻어냈지만 제대로 지켜지는 경우는 드물었다. 종이에 찍힌 차림표는 그럴듯해 보였지만 워낙 수인 일인당 부식비가 형편없고 조리하는 이들도 모두 같은 재소자들이라 겉모양부터 메뉴와는 비슷하지도 않다. 찌개나 국이나 조림이나 건더기만 다를 뿐 거의 똑같다. 건더기는 적고 국물만 잔뜩 들어 있다. 이를테면 생선조림이라고 해놓고 부서진 가시뿐인데 국물만이 가득히 식기에 담겨 들어온다. 왈왈이들은 취장에 당부해서 따로 생선토막들을 건져다가 양념을 덧붙여서 제대로의 조림을 해먹는다.

교무과 도서실에서 많이 빌려다 보는 건 여성지의 부록으로 나온 요리책들인데 나도 초창기 징역 때 많이 빌려다 읽었다.

돌솥비빔밥을 지어 먹어볼거나. 당근을 채 썰어 참기름과 소금으로 간하여 볶아주고, 콩나물을 데쳐서 참기름 소금 깨소금으로 양념하고, 쇠고기도 채 썰어 갖은양념으로 무쳐 볶아내고, 애호박은 반달 모양으로 저며 썰어 참기름 소금으로 간하여 볶아준다. 냄비에 기름을 두르고 다진 고기를 볶다가 고추장과 물과 설탕을 넣어 함께 볶아서 자작하게 조려지면 마지막으로 잣을 섞어 고추장볶음을 만든다. 돌솥에 밥을 담고 준비한 당근, 쇠고기, 애호박 볶음과 콩나물무침을 얹고 달걀을 깨뜨려 얹는다. 돌솥을 불 위에 얹어 밥이 뜨거워질 때까지 두었다가 내려서 볶은 고추장을 넣어 비벼먹는다.

요리책을 그냥 무턱대고 읽다보면 박탈감이 더욱 심해진다. 나는 추위 때문에 이불을 코끝에까지 올려덮고 눈을 감고는 나의 요리를 시작하곤 했다. 입맛은 온통 추억거리로 가득 찬다. 먼저는 가족, 그리고 내 발로 떠돌아다녔던 세상의 여러 마을과 길목들, 그리고 만난 사람들이 떠오른다.

콩나물밥은 된장국과 함께 먹어야 맛이 있었지. 돌아가신 아버지가 휴일에 즐기던 음식이다. 일요일 점심 무렵이면 아버지는 처음 그러는 것처럼 오늘은 콩나물밥이나 먹었으면 좋겠구나, 하고 중얼거린다.

그래 콩나물밥을 해먹자. 전쟁 직후라 작은 시루에 광목을 펴고 콩을 그득히 담아 부엌에서 뒷마당으로 나가는 좁은 통로에 있던 찬광 아래 어두운 공간에 놓아두고 콩나물을 길러 먹었다. 어머니가 덮어 놓은 짙은 색 보자기를 열고 물을 주던 모습이 생각난다. 그 콩나물이 떡잎이 되어 올라와 새끼손가락만한 크기로 통통해지면 가장 여리고 싱싱한 때여서 얼른 뜯는다. 여릴 때에는 실뿌리도 그리 길지 않고 노란 대가리도 고소하고 여물다. 콩나물의 꽁지를 손톱 끝으로 떼어낼 때에는 나도 어머니와 함께 따스한 부뚜막에 앉아 바가지와 양푼을 놓고 뿌리를 끊어내어서 분리하여둔다. 한편으론 냄비에 물을 담아 팔팔 끓이고 머리와 내장을 뺀 중멸치를 한줌 넣어 국물을 마련한다. 나중에 형편이 나아져서는 기름기 없는 사태 쇠고기로 국물을 내기도 했는데. 그리고 따로 고기를 조금 남겼다가 참기름과 갖은양념에 볶아두기도 했다. 하여튼 쌀을 솥 안에 안칠 적에는 쌀 한켜 콩나물 한켜씩 차례로 안치고 고기가 있을 젠 고기도 넣고 맛을 낸 국물로 그냥 밥을 지을 때보다는 좀 모자라게 밥물을 부어 안친다. 그리고 콩나물밥에 함께 넣어 비벼먹을 양념장을 준비한다. 청장에 참기름을 넣고, 파를 잘게 썰어넣고, 고춧가루 약간, 마늘 다진 것 약간, 후춧가루 조금 뿌리고, 통깨 조금을 뿌려둔다.

이제는 밥과 같이 먹을 된장국 차례다. 콩나물밥에는 어쩐지 조개를 넣어 끓인 된장국이 꼭 알맞다. 재첩이 당시에는 너무도 흔해서 밤섬이나 양말산 너머 한강에만 나가도 아이들이 한 소쿠리씩 잡을 수가 있었지. 당인리 맞은편 고운 모래가 깔린 강변에 나가면 두 손가락으로 더듬든가 아니면 발가락으로 고물고물 움직이며 걷기만 해도 어른 손톱만한 예쁜 조개가 한줌씩 나왔다. 재첩은 가져오자마자 소금물에 넣어 해감을 낸 뒤에 끓는 물에 한번 넣었다가 물을 버리고 재벌로 폭 끓인다.

조개가 입을 열고 국물이 뽀얗게 나오면 된장도 겉이 아닌 속의 누렇고 부드러운 것으로 퍼내어 체에 걸러 국에 풀어주고 작고 모나게 썰어둔 두부 조금과 파를 넣으면 된다. 맨 나중에 쑥갓을 여린 놈으로 몇줄기 넣으면 향내가 난다. 콩나물밥을 풀 때에는 주걱으로 잘 섞어주는데 위에서 흩뿌리듯 해서 그릇에 담아야지 아니면 멀쩍하게 눌려서 맛이 없어진다. 양념장을 숟가락 끝에다 조금씩 떠서 귀퉁이부터 한 두어 숟갈 분량만큼 비벼가면서 먹어야 한다.

이젠 수제비를 먹어볼까나. 전쟁 직후는 수제비도 많이 먹던 무렵이었다. 악수표 밀가루라고 하여 방패 모양의 미국 깃발에 나오는 별과 줄무늬 표지 아래 악수하는 두 사람의 손이 찍힌 하얀 포대가 동사무소나 시장에 흘러나와 있었다. 시골에 피란 나가 있을 때에는 절구에다 빻은 검은 통밀이 조금씩 생겨서 어머니가 소금 넣고 반죽해서 손으로 한줌 꾹 쥐어서는 무쇠솥에다 쪄서 개떡을 만들어주었다. 반죽할 때 떼어낸 통밀조각을 씹으면 껌처럼 쫀득쫀득하여 조선껌이라고 그랬다. 시커먼 개떡에는 어머니의 손자국이 무슨 연장의 손잡이처럼 오목하게 남아 있곤 했다. 거기다 검은 콩이라도 드문드문 박아주면 설에 먹던 시루떡 같았다. 그러니 하얀 서양 밀가루는 반죽을 하여도 너무나 고와서 손을 대어 떼어내기가 아까울 정도였다. 그때에 어머니가 해주던 수제비는 그냥 왕멸치 몇마리 맹물에 넣고 끓여서 간장으로 맛을 내고 반죽을 뚝뚝 뜯어넣은 것이 고작이었다. 겨울에 김장김치가 있으면 김치나 잘게 썰어넣고 함께 끓였다.

고등학교 때인가 이제는 진작에 죽은 광길이네 시골에 갔던 일이 생각난다. 그때에는 기차도 몇십리 밖에 닿는 산골마을이라서 구불구불한 강변 오솔길을 따라 한나절을 걸어들어가야 했다. 그때도 겨울이었다. 강이랄 것도 없는 폭 좁은 내가 얼어붙어 있었고 마른 풀과 나무에는 잔설이 덮여 있었다. 그 집에서 첫 저녁을 먹었지. 전기도 들어오지 않던 동네라 광길이 할아버지가 보통 때는 쓰지도 않던 유리 호야가 달린 남폿불을 밝혔다. 그 저녁밥 때에 내가 기억하는 건 무밥과 청국장이다. 한자로 목숨수와 복복 자가 푸르게 찍힌 옛날 사기 밥그릇에 고봉으로 담은 무밥은 고실고실한 맛은 없어도 구수했다. 밥을 지을 때 무를 굵게 채 썰어 쌀과 함께 안쳐서 지었는데 툭 터진 보리알도 섞여 있고 밥맛은 달다. 김장김치며 무와 푸른 고추가 떠 있는 동치미며 된장 고추장에 박아 익힌 깻잎, 오이 고추 고춧잎 무말랭이 등속의 푸성귀와 가죽나무 잎에 찹쌀풀 발라 들기름에 튀긴 튀각이며 파래절임, 미역 더덕 땡감장아찌 같은 도회지에선 보지도 못하던 밑반찬들이 상에 차례로 올라왔다. 그중에서도 청국장은 찐득하게 발효중인 콩이 섞여 있는데다 냄새까지 오래 신은 양말에서 나는 것처럼 지독하여 첫 숟갈을 뜨기가 어려웠지만 한번 떠먹고 나면 그 깊은 맛에 다시 먹고 싶어졌다.

새벽에 광길이네 할아버지가 일어나 툇마루 앞에서 콜록이며 기침을 여러번 하고 나서 가래를 뱉는 소리가 들릴 제 우리도 깨어났다. 주위는 아직도 사방이 캄캄한 새벽인데 언제 일어났는지 그애 큰엄마가 솔가지로 아궁이에 불을 때어서 굴뚝에서 올라온 매캐한 냄새가 마당 주변에 가득 차 있다. 쌩하니 추운 날인데도 연기냄새만 맡아도 어쩐지 따뜻한 느낌이 들었다. 광길이와 나는 투박하게 생긴 군용 손전등을 들고 여름에나 쓰는 매미채를 찾아내어 뒷마당을 건너가 대숲으로 들어갔다. 이제 막 깨어나기 시작한 참새들이 어둠속에서 제각기 울부짖는 소리로 귀가 멍멍할 정도였다. 내가 손전등을 먼저 대나무 가지 사이로 겨냥하고 나서 단추를 누르면 불이 갑자기 켜지고 놀라서 꼼짝도 못하는 참새들이 풍년든 과수원의 열매들처럼 가지에 다닥다닥 매달려 있었다. 매미채로 참새들을 훑어내리면 두세 마리씩 잡혔는데 그제야 알아챈 참새들이 퍼덕이며 망 안에서 요동을 쳤다. 그렇게 새벽 나절에 잠깐 수고를 하고 나면 수십마리의 참새를 잡을 수 있었다. 우리는 옆구리에 찬 자루에다 참새를 쓸어넣고 쇠솥에 안친 밥이 한참 뜸들어 구수한 냄새가 가득한 부엌에 들어가 아궁이 앞에 나란히 쭈그려앉았다. 아궁이 안에는 불꽃이 사그라들어 벌겋게 숯이 된 솔가지들이 있었고 그 위에 참새를 통째로 던져넣어 굽는다. 소금을 뿌려 구운 연한 참새고기를 뜯던 생각이 난다.

복식도 끝나고 전과 같은 감옥의 일상으로 돌아온다. 식욕은 여전히 왕성하고 아무리 제때 식사를 하여도 뭔가 모자란 듯한 허기는 가시질 않는다. 감옥에서는 징역중에 가장 혹독한 달인 정월 한달을 추위와 굶주림에 견뎌야 했기 때문에 본능적으로 자신이 위험하다는 생각이 드는 것이다. 풍선에서 바람이 빠져나가듯 몸무게도 칠팔 킬로나 한꺼번에 줄어들었다. 곧 구정이 다가오고 이맘때쯤이면 그나마 짜디짠 김장김치도 다 떨어져갈 무렵이다. 정치범 사동의 소지는 내 식구라서 가을부터 우리는 겨울준비를 해두었다. 내가 배당받았던 사동 앞의 길쭉한 텃밭에 가을부터 배추를 길렀고 십이월 초에 거두었는데 속이 차고 잎이 큼직한 탐스러운 배추를 수십포기 확보했다. 소지와 나는 배추를 신문지에 하나씩 정성들여 싸서는 매점에서 나오는 플라스틱 음료수박스에 차곡차곡 쌓아서 계단 밑 사동 창고 안에 갈무리하였다. 사동 창고에서 우리는 하루 두끼의 식사를 함께 했는데 저녁때엔 폐방을 하고 나서 각자의 방에서 식사를 했다. 갈무리했던 배추를 싱싱한 푸성귀가 나오는 삼월 초까지 먹어야만 하였다. 신문지에 배추를 싸서 언제나 어두운 계단 밑에 놓아두면 겨우내 싱싱했다. 우리는 배추를 한끼에 한포기씩 먹어치웠다. 먼저 겉잎들을 벗겨내고 속만 남겨서 관급 고추장에 참기름을 두어 비벼서 장을 만들고 쌈을 싸서 먹었다. 쌉싸름하고 고소한 풀냄새가 입맛을 돋우었다. 하루이틀은 맛있게 먹어대지만 며칠이 지나면 배추를 보기만 해도 풀냄새가 입안에 가득 차는 것만 같았다. 그래도 겨우내 떨어진 체력을 키우려면 상자 안에 가득 찬 배추를 먹어치워야만 하였다. 이대로 우물쭈물 겨울을 넘기고 나면 비타민 부족으로 잇몸이 들뜨고 나중에는 이가 몇대씩 빠질 것이다. 출소하는 선배들은 겨울의 비타민 부족을 경험한 이들이었는데 일단 석방되고 나면 자고 일어나서 흔들리는 이를 혀끝으로 지그시 누르다보면 한두 대씩 빠진다고들 하였다. 배추의 노란 속잎에 밥을 놓고 장을 쳐서 크게 한움큼 싸서는 우적우적 씹어먹었다. 무슨 건더기라도 있으면 얼마나 맛이 좋아질까.

그래도 소지 아이와 다투어가며 눈길도 맞추면서 젓가락이 엇갈리기도 하며 점심 한끼라도 밥을 함께 먹을 수 있는 건 나 같은 독방 수감자에게는 다행한 식사시간이었다. 저녁 끼니는 폐방하고 나서 배식이 이루어졌기 때문에 독거수는 혼자서 밥을 먹어야만 했다. 나는 배식시간이 오면 깨끗하게 간수해두었던 하얀 플라스틱 밥그릇, 국그릇, 찬식기, 그리고 목공부 수인들에게 부탁해서 만든 길고 매끈한 나무젓가락과 숟가락을 신문지 위에 놓고 식구통 앞에 앉아 기다린다. 손수레가 다가오고 식구통이 열리고 김나는 밥과 국과 반찬이 들어온다. 더이상 들어올 것은 없는데도 나는 진작 식구통을 닫지 못하고 잠시 더 기다려보다가 밥을 먹는다. 벽을 향하여 앉아 한 숟가락을 듬뿍 떠서 입안에 처넣고 아무 생각도 없이 우물우물 씹는다. 벽에 씌어진 요란한 낙서들도 눈에 들어오지 않고 그저 무심할 뿐. 그래도 식사시간이라고 교무과 당직이 음악방송을 틀어준다. 그냥 무성의하게 자기 책상 위에 있는 낡은 카세트를 꽂아놓기 때문에 어떤 때에는 내리 사흘 동안 똑같은 노래나 음악만 나온다. 그래도 누구 하나 불평하는 이가 없다. 잘 들리지 않기 때문이다. 각방에서 나직하게 웅성대는 소리와 음식을 먹는 소리가 간간이 들려온다. 무슨 경건한 예배라도 보는 것 같은 숙연한 느낌이 아니던가.

언젠가는 눈이 내리는 날이었는데 미지근한 국에 밥을 말아먹다가 어쩐지 울컥, 하더니 눈물이 새어나왔다. 내가 무엇을 보았을까. 내 앞의 시멘트 벽 위에는 종교단체에서 나눠준 열두달짜리 달력이 붙어 있다. 양떼를 거느린 예수가 머리에는 동그란 광채를 달고서 기다란 지팡이를 짚고 언덕 위에 서 있는 그림 아래편에 이렇게 씌어 있다.

여호와는 나의 목자시니 내가 부족함이 없으리로다. 그가 나를 푸른 풀밭에 누이시며 쉴 만한 물가으로 나를 인도하시는도다.

내가 울컥했던 건 글이나 그림이 아니라 달력에 무수히 그어진 가위표 때문이었을 게다. 지난 일년 동안의 열두달 날짜마다 빈틈없이 엑스표가 그어져 있었고 또 이번 연말에 미리 받은 비슷한 새 달력은 아직 표시가 되어 있지 않았다. 아무 표시도 하지 않은 저 공백의 날짜들과 이미 표를 하고 지나가버린 작년의 날들이 여기서는 전혀 의미도 없는 시간인 것만 같았다. 내가 지켜온 것은 과연 무엇이었을까. 국 속의 작은 건더기나 정량이 지켜지지 않은 고깃점 하나, 그리고 운동시간을 늘리는 일, 서신검열을 완화하거나 금지된 책을 공식적 절차 없이 반출입하는 일, 폭행한 교도관을 징계하라고 간부들에게 항의하는 일, 기념일마다 항의의 행사를 벌이는 일 따위의 최소한으로 자신을 유지하는 행위들에 지나지 않았다. 이런 짓으로 얻어낸 작은 성과들마저 계절이 지나면 사람이 바뀌면서 곧 제자리로 돌아갔다.

19

그해 초겨울부터 이듬해인 팔십오년 오월 무렵까지.

송영태는 먼저 계획했던 대로 그의 동료들과 더불어 십일월 중순에 집권당 당사로의 돌입을 감행했다. 종로 쪽과 인사동 입구를 지원조가 봉쇄하여 시간을 버는 동안에 공격조는 복잡한 골목 틈틈이 박혀 있다가 당사 안으로 뛰어들어가 점거해버렸다. 그들은 모두 쇠파이프며 각목 따위로 무장하고 있었고 간단하게 옥상까지 점령했다. 송영태는 인근의 이층 전통찻집에 앉아 있었기 때문에 검거되지도 않았고 이후에 수배자 명단에서도 빠졌다. 그래도 겨울 동안 그는 내 화실에 가끔 나타났다. 팜플렛의 복사와 인쇄도 꾸준하게 진행하고 있었는데 나는 이 일에 차츰 흥미가 생겨나서 그가 없을 때에는 밤늦게까지 혼자서 타자도 치고 복사도 하고 제본까지도 해냈다.

어쨌든 늦은 학업이었지만 성실하게 마치고 싶었고 이제 두 학기나, 늦어도 세 학기만 더하면 일단은 첫번째의 목표는 달성하는 셈이었다. 그래, 내 생각은 은결이와 함께 독립된 인생을 사는 것이었지.
새학기가 시작되었고 그전처럼 가끔씩 지도교수를 만나러 가거나 돌아오면 실기생들을 가르치며 봄도 잊고 지냈다. 삼월 중순쯤이던가, 송영태가 늦은 밤에 찾아왔다. 나는 언제나 그랬듯이 빈 화실 안쪽 식탁 앞에서 찻잔을 놓고 멍하니 늘어져 있었다.

너 학교에서도 안 보이더라.

응, 그렇게 됐어.

하면서 송영태는 화실 안을 두리번거렸다.

저것들을 옮겨야 할 텐데……

그래? 아이구, 잘됐다. 내가 이젠 두 다리 쭈욱 뻗구 살겠구나.

다리 뻗는 거 좋아하구 있네. 누구 맘대루.

나는 두 팔을 휘저어 보이면서 좀 과장해서 말했다.

난 인제 해방이로구나! 마수에서 놓여났으니까.

계단 쪽에서 여러 사람의 구둣발 소리가 들리더니 문이 열리고 응접실에서 화실로 들어서는 통로에 젊은이 세 사람이 들어섰다. 하나는 영태처럼 코트를 입은 키 큰 아이였고 다른 두 사람은 가죽점퍼와 반코트 차림이었다. 그들은 내 쪽은 거들떠보지도 않고 송이 시키는 대로 안으로 들어가 복사기를 마주 들고 옮기기 시작했다. 수동인쇄기와 전동타자기도 들어냈다. 나는 송영태에게 물었다.

어디루 갈 거야?

같이 가보면 알아.

누가 느이들 따라간대?

그랬더니 그는 두 손을 마주잡고 기도라도 드리는 듯 간절한 목소리를 꾸며서 조르는 것이었다.

한형, 제발 이번 한번만 도와주라. 이 세상에서 내가 기댈 곳은 한형밖에는 없다구.

아니…… 이젠 끝, 끝이야.

한윤희, 중요한 일이라 그래. 다른 사람 물색할 시간두 없구. 그대는 보안두 검증이 된 셈이잖아.

나는 이번에도 마음이 흔들려버리고 말았다.

또 무슨 대형사고가 벌어지겠구나?

송영태는 좀 긴장하면 말을 더듬으며 얼버무렸다.

에에 그, 그러니까…… 태, 태풍이 휘몰아칠 거야.

내가 왜 거기에 휩쓸려야 하니?

이번에 그, 그야말로 마지막 마무리를 해주라.

나는 일어나서 말없이 코트를 걸치는 것으로 응답을 해주었다. 길에는 일톤짜리 트럭이 짐을 싣고 기다리고 있었고 한사람은 운전석 옆에, 다른 애들은 승용차에 타고 있었다. 우리가 올라타자 차가 출발했다. 그 무렵에 개발이 늦던 시 중심가에 비온 뒤 죽순 돋아나듯 생겨나기 시작한 오피스텔에 도착했고 우리는 엘리베이터에 짐을 싣고 십일층까지 올라갔다. 책상과 의자와 소파에 주방이며 화장실까지 달린 번듯한 공간이었다. 나는 여기저기 돌아보다가 송에게 물었다.

이거 몇평짜리니?

열다섯 평이라는데 실평수는 아마 한 아홉 평쯤 될 거야.

그래두 쓸 만하겠는데.

아직 다 입주하지 않았어. 조용해서 좋잖아?

짐을 제자리에 다 옮겨놓고 전원도 모두 넣고 나서 키 큰 젊은이가 송에게 물었다.

송선배, 뭐 더 시킬 일 있어요?

아니 됐다. 느이들 수고 많았어. 가보지 그래.

젊은이들이 내게는 역시 말도 걸지 않고 고개만 까딱해 보이고는 조용히 물러갔다. 영태는 시계를 들여다보았다.

벌써 열시네. 이 양반 또 늦는 거 봐.

누가 오기루 했어? 그럼 나는 갈게.

어어, 무슨 소리야. 도와주기루 해놓구선.

낯선 사람 있는 데서 내가 뭘 하란 말이니?

바깥복도에서 인기척이 들렸고 송영태가 고개를 기울이고 잠시 서 있었다. 복도를 걸어오는 발걸음 소리가 또렷하게 들려오기 시작했다. 송이 문을 열고 복도에 나가서 외쳤다.

선배님, 여깁니다.

벌써 와 있었구나.

하는 소리와 함께 두 사람은 안으로 들어섰다. 허름한 회색 양복에 노타이 차림인 삼십대쯤 되어 보이는 남자가 서 있었다. 그는 서류봉투를 옆구리에 끼고 있었다. 면도를 하지 못해서 듬성듬성한 수염이 코 밑과 턱 아래 보였지만 얼굴은 단정해 보였다.

한형, 인사해. 우리 선밴데 해직기자셔.

삼십대는 어른인 체하는 기색으로 악수를 청했다.

안녕하세요. 수고 많습니다.

나는 그에게 손을 잡힌 채로 그냥 입속으로 아 네에, 하고 말았다. 송이 그에게 물었다.

김선배, 가져오셨죠?

응, 간신히 찾아냈어. 자료는 여러가지야. 당시 현장에서 취재했던 것들도 있지만 그보다는 최근까지 목격자들과 투쟁 당사자들의 경험담을 모아놓은 것들을 구했어.

어디 보십시다.

송이 다급하게 그에게서 한묶음의 자료와 원고뭉치들을 받아 내게도 일부분을 떼어주며 책상 앞에 가서 앉았다. 나도 그의 맞은편 의자에 앉았다. 김씨는 우리가 원고를 살피는 동안 혼자 소파에 앉아 담배를 피우기 시작했다.

좀 썰렁한데 이거. 여긴 밤에 스팀 안 들어오나?

아, 그렇군요. 갖다놨는데……

송영태가 책상 아래에서 형광등 전구처럼 생긴 전열기가 두 개 달린 난로를 꺼내어 전원에 꽂았다. 김씨가 말했다.

여러 사람의 합작인 셈인데 우선 날짜별로 내가 표시를 해놨어.

음, 여기 빨간 볼펜으루 써놓은 게 그건가요?

그럴 거야.

한형, 우리 작업을 좀 쉽게 하자. 우선 번호순대로 추리고 그것부터 정리하자구. 김선배는 에피소드 중에서 특기할 만한 사실들을 순서대로 표시해주세요. 팜플렛에 다 반영할 수는 없으니까.

그래 항쟁의 날짜 순서대로 사실을 전달하면 될 거야. 지금 따로 작업하는 사람들이 나중에 책으로 묶어내게 될 테니까.

우리는 열두시가 다 되어서야 대충의 줄거리를 잡을 수가 있었다. 나는 영태에게서 원고를 넘겨받아 전동타자로 찍어나가기 시작했다. 아까 읽었는데도 학살과 항쟁의 진상은 내 손끝에서 한층 구체적으로 살아 숨쉬기 시작했다.

일곱시가 다 되어 갑자기 유동 쪽에서부터 수많은 차량이 일제히 헤드라이트를 켜고 경적을 울리면서 돌진해오고 있었다. 선두에는 짐을 가득 실은 대한통운 소속 십이톤 대형트럭과 고속버스, 시외버스 열한대가 잇따랐고, 그 뒤로는 이백여대의 영업용 택시가 금남로를 가득 메운 채 뒤를 따랐다. 트럭 위에는 이십여명의 청년들이 올라서서 태극기를 흔들었으며 버스 속에는 각목을 든 청년들, 아가씨들도 타고 있었다. 차량 행렬은 어마어마한 분노의 파도처럼 밀려왔다. 그들의 눈빛, 그들의 연대감, 그들의 헌신적인 결의야말로 오월항쟁의 정점이었으며 이 해일은 이십일 밤부터 이튿날 새벽 동이 틀 때까지 온 시가지를 휩쓸었다.

나는 이번에 발행할 팜플렛의 가장 감동적인 부분이 될 오월 이십일 화요일 밤 자동차 부대의 등장에 대하여 타자를 찍어나갔다.

무등경기장 앞에 택시들이 모여들기 시작했는데 그중에는 머리에 붕대를 감은 기사들도 보였다. 오후 여섯시까지 모인 택시는 이백여 대가 넘었다. 운전기사들은 차를 질서정연하게 모아놓고 지금까지 시내 곳곳에서 목격했던 잔학상과 동료 기사들이 당한 부상과 죽음에 대하여 소식을 나누고 공수부대의 만행을 성토하면서 저지선의 돌파에 앞장서자고 결의했다. 그들은 수건으로 머리를 질끈 동여매고 각자 차에 올라타서 고속도로로 통하는 길을 따라 금남로를 향하여 전진하기 시작했다. 그들의 행렬이 금남로에 이르자 어찌할 바를 모르고 저지선 앞에서 대치중이던 시민들은 환호성을 지르며 감격의 눈물을 흘렸다. 곧 그들은 손에 손마다 쇠파이프, 각목, 화염병, 곡괭이, 식칼, 낫 등속을 들고 돌멩이를 던지며 차량을 따라 엄호하며 돌격했다. 갑자기 돌변한 사태에 놀란 계엄군은 엄청난 양의 최루탄을 쏘아대고 페퍼포그차로 전력을 다해 가스를 뿜어댔다. 마치 모든 시위 군중들을 질식사시켜버리려는 듯 쏘아대는 강력한 가스탄이 앞으로 진격하는 차량들의 유리창문을 부수며 차 안에 떨어졌다. 어지러움과 질식상태를 견디지 못한 운전기사들은 계엄군과 겨우 이십여 미터를 남겨두고 멈추었다. 차를 멈춘 운전기사들은 방향감각을 잃고서 연기 속에서 사방을 헤맸다. 그들은 눈물을 흘리고 기침을 하고 구역질을 하면서 비틀거렸다. 이 틈을 타고 계엄군이 앞으로 돌진하여 곤봉으로 기사들의 머리를 타격하면서 운전기사 한사람에 서넛이 달려들어

패고 짓밟고 나서 연행해갔다. 뒷줄의 기사들은 재빨리 운전석에서 뛰어내려 피신했지만 수십명이 연행되어갔다. 차량을 엄호하던 시민들도 길 옆이나 부서진 차의 틈바구니에 숨어서 돌을 날렸다. 계엄군은 특공대답게 돌을 무릅쓰고 뛰쳐나왔다. 밀려든 차량들은 앞에서 저지를 당하는 바람에 서로 부딪치며 대혼잡을 이루고 있었다. 수백대의 차량들은 거의 유리창들이 깨어져버렸으며 계엄군 쪽에서는 앞등의 불빛 때문에 눈을 뜰 수가 없고 전방을 살필 수가 없었으므로 곤봉이나 총 개머리판으로 모든 차량의 앞등을 깨부수며 전진했고 시민들은 끈질기게 투석을 하면서 뒤로 물러났다. 계엄군은 가까스로 시민들을 차량시위 대열의 끝까지 밀어붙였다.

잠깐, 거기 끼워넣을 자료가 여기 있는데요……

뒤에서 나의 작업을 지켜보던 김선배가 말했다. 나는 대답 대신 일손을 멈추고 잠깐 기다렸다. 그가 신문 스크랩을 복사해두었던 듯한 자료를 작업원고 위로 내밀었다.

오월 이십이일자 기삽니다. 검열에서 삭제된 부분이오.

나는 이 맞춤한 기사를 위의 목격담 아래에 연이어 찍어나갔다.

잠시 후 자욱한 최루탄 속에 버스를 앞세운 시위대는 군인들과 육박전을 벌여 전일방송 부근의 금남로에는 비명과 함성이 끊이지 않았다. 이십여분간 계속된 이 충돌이 끝나자 시동이 걸린 수십대의 버스, 트럭, 택시 사이에는 머리가 깨어지거나 어깨가 내려앉아 피투성이가 된 채 실신한 부상자들이 곳곳에 즐비했다. 안내양 차림의 이십대 처녀 두 사람은 운전사 차림의 머리가 깨어진 삼십대 청년을 부둥켜안고 통곡을 했고, 쓰러진 환자를 이송하며 '환자가 위독하니 앰뷸런스를 빨리 보내라'는 목멘 소리가 유혈극의 참상을 말해주었다.

이거 분량으로 보아 이틀 밤은 새워야 하겠는데…… 오늘 날샐 때까지 절반 하고 나서 조금 눈 붙이고 오후부터 계속하지.

송영태가 원고를 정리하면서 말했다. 김선배는 벌써 피로해졌는지 연신 하품을 해대며 눈을 비볐다.

난 슬슬 가봐야겠군. 인제 내 할 일은 없잖아.

그러세요. 모두들 고마워할 겁니다.

고맙긴, 묵은 자료를 털어내게 되어서 홀가분해. 수고들 허슈.

그가 나간 뒤에도 송영태와 나는 날이 훤하게 샐 때까지 일을 계속했다. 내가 어느 대목이든 완결된 곳을 넘겨주면 송영태는 수십장씩 복사를 해나갔다.

모두 합해서 이십 페이지가 넘으면 안돼. 학생들이 순식간에 읽어치우고 열받아야 하거든. 공단에도 보급을 할 작정이야. 우리가 한 백여부 제작해내면 뒤이어서 재생산들을 해낼 테니까.

송영태가 복사한 것들을 추리고 매수를 헤아려보고 말했다.

오늘 고만 하지. 꼭 절반이야.

벌써 그렇게 됐어? 어머, 날이 샜잖아……

내가 데려다줄게. 가다가 시장통에 가서 국밥 한그릇씩 비우고.

애개, 밤새 노동 착취하구 겨우 국밥이야?

이거 왜 이래. 지금 미경이는 사발면이나 먹을 텐데.

참, 고것 요즈음 통 안 보이더라. 발길 끊는 건 나두 좋은데 가면 간다, 오면 온다, 무슨 기별이라두 있어야 할 것 아냐. 괘씸한 것들 같으니.

걔 지금 정신없을 거야. 슬슬 연락이 올 때가 됐는데. 자, 나가자.

우리는 불을 끄고 문단속도 실하게 해놓고 나서 오피스텔에서 나왔다. 복도는 어두웠고 엘리베이터 앞에만 불이 켜져 있었다. 방에 둘이 있을 적에는 스스럼이 없던 영태가 좁은 승강기 안에 단둘이 서 있게 되니까 갑자기 입을 꾹 다물고 고개를 숙여 제 발밑으로만 눈길을 떨구고 있었다. 나는 어쩐지 공기가 좀 부자연스러워서 그에게 일부러 농을 걸었다.

뭐야, 기도하니?

송영태는 두꺼운 안경알 속에서 나를 슬쩍 건너다보면서 멋쩍게 씩 웃었다.

으응? 아니…… 그냥.

택시를 타고 내 화실 부근의 네거리에서 내려 두 사람이 다 잘 아는 시장통의 해장국집으로 갔다. 트럭운전사나 시장사람들 아니면 밤새 술을 푼 인근 대학의 학생들이 그맘때에 늘 북적거렸는데 그래도 여섯시가 다 되어서인지 손님들이 한차례 빠져나간 듯싶었다. 우리는 주방이 가까운 맨 안쪽 구석자리에 가서 앉았다. 이 집 차림표래야 돼지 머릿고기와 순대가 가득 든 순대국밥과 뼈다귀와 우거지를 넣은 해장국이 전부다. 영태가 수저를 내 앞에 놓아주며 물었다.

난 순대국이고 한형은 뭐할래?

나는 가끔씩 털 붙은 비곗덩이가 숟가락에 올라오는 게 딱 질색이어서 한마디 했다.

다른 거.

영태가 아줌마에게 느릿느릿 주문을 했다.

에에, 그러니까…… 순대국 하나하구요, 해장국 하나에, 소주 한병 주시구요. 순대국에는 다대기 좀 많이 넣어주세요.

음식이 나올 때까지 그는 엘리베이터 안에서처럼 아무 말이 없었다. 나는 영태가 피곤해서 그러는 줄 알았지 무슨 낌새가 달라졌다거나 하는 생각은 들지 않았다. 그리고 그에게 어떻게 남다른 느낌이나 인상을 받을 수가 있었을까. 국밥이 나왔고 반주할 소주도 잔과 같이 올라왔다. 영태가 묵묵히 내 앞에 잔을 딱 놓고 나서 술병을 기울이려고 했다. 나는 손바닥으로 잔을 덮으며 말했다.

싫어, 가서 그냥 잘래.

딱 한잔만 해. 나 혼자 마실 테니까.

하는 수 없이 나는 잔을 받았고 그도 제 잔에 술을 따르더니 내게는 들라는 시늉도 없이 한번에 벌컥 하고 털어넣었다. 나는 한모금씩 천천히 마시다가 내려놓고 해장국 국물을 떠넣었다. 영태는 순대국 건더기들을 먹성좋게 퍼먹기 시작했다. 그리고 간간이 뚝배기에 입을 대고 요란하게 후루룩 소리를 내면서 국물을 마시고 또 한편으로는 술을 자작하여 단숨에 마시고를 되풀이했다. 요란하게 잘 먹는구나. 나는 밤참 체질이 아니어서인지 입안이 깔깔하고 밥알이 넘어가지 않아 국물만 숟가락으로 떠 마셨다. 영태가 먼저 식사를 끝내고 수저를 놓았다. 그는 병 바닥에 남아 있던 소주를 마지막 방울까지 짜내듯 따라서 앞에 놓고는 이번에는 한모금씩 아끼면서 마시고 잔을 내려놓고는 했다. 내가 수저를 놓고 보리차까지 마시자 영태가 담배를 내밀어주고 라이터에 불을 켜서 붙여주기까지 했다. 그는 자기도 한대 피워 물었다. 그는 잔에 반쯤 남아 있던 소주를 물끄러미 들여다보더니 아끼던 놀음이 이제 막 끝났다는 것처럼 탁, 하고 입속에 털어넣었다. 저게 왜 저러지. 영태가 이번에는 나를 뚫어지게 마주보고 있더니 입을 열었다.

한형, 날 어떻게 생각해?

보통 때 같으면 초전박살이라고 아예 그런 분위기를 잡지도 못하게 우악스런 욕이나 농담으로 입을 막았을 텐데 아까부터 그의 얼굴이 너무 진지해서 차마 그러지를 못했다. 그냥 잔잔하게 웃는 표정을 짓자. 나는 공연히 차림표가 붙은 더러운 벽을 올려다보며 되물었다.

그래 어떻게 생각할 거 같니?

그랬더니 이 녀석이 갑자기 탁자를 세게 두드렸다.
내가 먼저 물었잖아?
허, 기가 막혀서 이젠 성질까지 부리네 하는 얼굴로 쳇, 하는 입시늉을 하면서 나는 고개를 돌리고 딴청을 해 보였다.
너 고거 먹고 벌써 취했니?
우리가 만난 지 일년 거의 되어가지……
혼자서 입속으로 중얼중얼하더니 송영태가 불쑥 말했다.
나, 한형한테 정들었다.
점점 유행가조루 나올 거야? 것보다 한형 소리 좀 뺄 수 없어?
너 좋아한다.
나는 아무 말도 할 수 없었다. 그에게 아무런 감정도 없다고는 말할 수 없었다. 정말 그 친구라도 없었으면 진학하고 나서 얼마나 생소하고 심드렁한 시간이 되었을까를 생각했다. 나는 일부러 어긋나게 말해버렸다.
인마, 나두 널 좋아해. 하지만 너하구 그 이상은 절대루 안할 거니까 두 눈에 라이트 꺼라 응?
나 먼저 간다.
하더니 영태는 벌떡 일어나 계산하고 국밥집 밖으로 휭하니 나가버렸다. 나는 잠깐 더 앉아서 남은 담배를 다 피웠다. 꽁초를 사기접시에 비벼끄고 밖으로 나왔더니 시장통에는 벌써 좌판이 벌여지고 있었다.
나는 내 화실로 돌아갔다. 불꺼진 내 공간으로 들어섰다. 커튼 사이로 희미하게 새어들어온 빛 아래 마치 살아 있는 것들이 숨죽여 엎드리고 있는 듯한 가구와 사물들을 바라보며 나는 갑자기 나 혼자서만 죽은 자처럼 느껴졌다. 재떨이며 구겨진 빈 담뱃갑이며 커피잔이 댕그마니 놓여 있는 책상과 그 앞과 주위에 사람이 앉았던 형태 그대로 조금씩 돌려져 있거나 뒤로 빼낸 의자들은 그 위의 허공에 보이지 않는 시간을 얹고 있었다. 나는 의자에 앉았다. 그리고 두 팔을 책상 위에 올려놓아본다. 정확하게 오른손이 찻잔의 귀에 가서 닿았다. 찻잔을 들어 냄새를 맡아보면 화장품 냄새가 난다. 잔 위에 내가 입술을 대었던 흔적이 불그레하게 남아 있을 것이다. 나는 박명 속에 우두커니 앉아 있었다. 어디 불탄 자리나 폐허가 된 마을 가운데 혼자 앉아 있는 것 같았다.

어느 결에 잠이 들었던 걸까. 의자에 앉은 채로 책상 위에 두 팔을 올리고 그 위에다 머리를 파묻고 잠들었다. 대낮의 햇빛이 짙은 포도주색의 커튼을 발갛게 밝히고는 틈으로 새어들어와 내 머리 위에 곧장 떨어져내리고 있었다. 나는 그저 커튼자락을 여미려고 일어났다. 두 가닥을 잡아 꽁꽁 여며놓고는 그제야 방으로 들어가 누울 생각이 났다.

날이 저물어 다시 주위는 어두워졌고 나는 어슴푸레 잠이 깨어 이불 속에 가만히 누워 있었다. 몸살이 온 것 같았다. 목이 아프고 열이 나고 온몸이 얻어맞은 것 같았다. 시원한 물이라도 한잔 마시고 싶었지만 자리에서 일어나 방 밖으로 나가서 싱크대 옆의 냉장고를 열어야만 한다. 아무런 느낌도 없이 눈물이 스멀스멀 나오더니 눈꼬리를 지나 관자놀이를 타고 귓바퀴로 흘러내렸다. 은결이 생각이 났다. 보고 싶어 집에 들어갈까도 생각했지만 현관에서 나오면서 마루에 세워놓고 돌아서는 광경이 먼저 떠올라서 지겨워졌다. 또 문득 빨래들이 울긋불긋 널려 있던 하얀 건물의 검은 창문들이 생각났다. 그의 짤막한 몇줄짜리 엽서도 생각이 났다. 밖의 먼 어둠속에서 바라보면 자기도 하나의 별이 될 거라구? 별은 무슨 별, 망막도 동공도 사라져버린 검은 구멍일 뿐이야. 그래, 나중에 베를린 장벽도 무너지고 한참 지나서 부다페스트 가로 모퉁이의 선술집에서 누군가 이야기했지. 별을 제발 쫓아버리라는 시가 아니었을까.

나는 다시 열에 떠 있는 채로 까무룩하고 졸았던 듯싶다. 현우씨의 꿈을 꾸었다. 그는 어둠속의 내 방안에 들어와 벽에 기대어앉아 나를 바라보고 있었다. 나는 모로 누운 채 눈을 가늘게 뜨고 그를 바라보았고 어찌된 일인지 몸을 움직일 수가 없었다. 그는 빙긋이 웃고 있었다. 언제 왔어요? 그는 대답하지 않았다. 방안은 어느 틈에 다시 갈뫼의 그 방으로 바뀌었다. 그가 기대고 앉은 벽 위로 창호지 바른 들창문이 보였다. 그리고 앉은뱅이책상과 촛불도 보였다. 내 옆에는 작고 네모진 은결이의 자리가 깔려 있었고 이제 갓난아가는 물처럼 가녀린 손을 이불자락 밖으로 빠끔히 내밀고 잠들어 있었다. 그는 맞은편에 앉아서 나직하게 노래를 흥얼거리고. 무슨 노래인지는 생각나지 않았다. 다시 방안은 그의 비좁은 옥방으로 바뀌었다. 아, 이런 데서 사는구나. 내가 본 것은 저만치에 무슨 구멍처럼 뻥 뚫린 옥창뿐이었다. 웬일인지 은결이까지 이곳에 따라들어와 있다. 그가 내 바로 옆에 누워서 두 다리를 구부리고 그 위에 은결이를 태우고는 연신 중얼거렸다. 말 탄 양반 끄떡, 소 탄 양반 끄떡, 할 적마다 아이가 까르르 까르르 웃음을 터뜨린다. 그는 은결이를 내게 넘겨주더니 슬그머니 일어선다. 어디 가요, 잠깐 기다려요, 하며 일어나 그의 바짓가랑이라도 잡으려 하지만 몸을 꼼짝할 수가 없다. 은결이가 기어서 제 아버지에게 다가간다. 문만 남아 있고 그는 자취도 없이 사라졌다. 은결이도 없어지고 앙앙대는 울음소리만 귓바퀴에 가득 찬다. 나는 아이를 찾으려고 몸을 뒤척이며 두리번거린다.

눈을 떴다. 전화벨 소리가 길게 울리고 있었다. 나도 모르게 일어나 앉았다. 온몸이 땀으로 젖었다. 젖은 머리카락이 이마에 달라붙어 있었다. 나는 흥건한 턱밑과 목을 손등으로 닦아내며 유리문을 밀고 화실 쪽으로 내려선다. 그제야 몹시 목이 마르면서도 누워서 버티던 생각이 났다. 그래 전화를 받아야지. 나는 화실 탁자 위에서 요란하고 길게 울고 있는 구식 수동전화기 쪽으로 다가갔다.

여보세요……

아 나야, 웬일이야 전화를 여러번 걸었는데 받지두 않구.

나는 가슴이 두근거리고 불안하던 마음이 가시며 맥이 빠졌다. 송영태의 어눌한 목소리가 들려서 마음이 놓이기도 했지만 새로울 것은 아무것도 없었기 때문이다.

지금 몇신 줄 알아?

몇시야?

열한시가 넘었다구. 데리러 갈까 하다가 전화두 안되지, 그래서 혼자 일하구 있었어.

응, 그랬구나. 난 좀 쉬어야겠어.

목소리가 좀 이상한데. 한형 어디 아픈 거야?

그저 그래. 몸살인가봐.

어, 큰 탈 났네. 약 사다줄까?

별거 아냐. 집에 들어갈 작정이야.

그게 좋겠다. 새벽에라두 들를까?

아니, 지금 일어서려던 참이야. 나중에 봐.

몸조리 잘해라. 또 연락할게.

송영태의 목소리가 수화기 저 너머로 사라졌다. 왜 그런지 들고 있던 수화기 속의 저 깊은 데서 지잉 하는 전자음 소리가 공허하게 들려왔다. 그리고 나는 오랫동안 영태를 만날 수 없게 된다. 정말 집에 들어가볼까. 나는 뜨거운 녹차가 마시고 싶어져서 가스불 위에 주전자를 올려놓으며 혼자 생각했다. 늙은 엄마에게 혼자 사는 것의 청승을 보여주기가 싫다고 마음을 고쳐먹었다. 은결이에게 감기몸살을 옮겨주기도 싫었고. 나는 불을 끄고 다시 어둠속에 몸을 뉘었다.

나는 앓고 일어났다. 아니 앓았다기보다는 뭔가 마음과 몸에 남아 있던 이십대의 독들이 염색물이 맑은 물에 씻겨 빠져나가듯 달아나 버린 것 같았다. 나는 꼼짝도 않고 몇끼니 먹지도 않고 절망도 하지 않고 그냥 벗어놓은 옷가지같이 구겨져 있었다. 일어나 거리로 나가니 꽃이 만발한 나른한 봄날이었다. 이미 목련은 흉하게 떨어져 누런 몰골을 시신처럼 늘어뜨리고 있었다. 동네 공동목욕탕에서 우두커니 샤워꼭지 앞에 서서 거울 속에 비친 내 나신을 바라보았다. 아이의 흔적이 허리에 남은 듯도 싶고. 그리고 물을 끼얹고 슬슬 비누질을 하고 또 비처럼 쏟아지는 샤워 물줄기를 맞고. 아줌마를 불러서 때를 밀었다. 체격이 남자 같은 때밀이 여자는 나에게 방향을 바꾸라고 가끔씩 옆구리나 궁둥이를 슬쩍 치고는 했다. 나는 그네의 작업이 모두 끝난 다음에도 그냥 비닐평상 위에 멍하니 누워 있었다.

그날, 저녁에 밥을 지어 혼자 화실 식탁에서 먹었다. 물에 말아서 갈치조림하고 김치하고 어머니가 보내온 밑반찬 두어 가지를 늘어놓고서 그리고 다른 집에서 하는 짓과 똑같이 텔레비전까지 켜두었다. 물에 만 밥이 잘도 넘어간다. 화면에 뭔가 나타났다. 아니, 저게 뭐야. 기자가 밖에서 떠들고 있었다. 광주에서의 미국의 책임을 묻겠다며 젊은이들이 미국문화원에 돌입했다고 한다. 화면에 그들이 보인다. 머리에 띠를 두르고 준비한 플래카드와 지금 막 쓴 듯한 구호를 창문 쪽에 내밀고 흔들었다. 그들이 뿌리는 유인물이 나뭇잎처럼 나부껴 떨어졌다. 미국이 광주학살에 책임을 져야 한다는 소리는 학교의 대자보에서는 늘 보던 소리였다. 화면 안에서 나는 영태와 함께 화실을 드나들던 몇몇 얼굴들을 알아보았다. 팜플렛을 만들던 그때가 벌써 시작이었는데.

영태는 어디론가 사라졌다. 내가 그런 사실을 알게 된 것은 그로부터 보름이나 지난 뒤였다. 전에도 한참이나 연락이 끊겼던 적이 있지만 학교에 나가면 대개는 누군가가 영태의 근황을 알려주었으므로 어디쯤에서 돌아다니고 있는지를 파악할 수가 있었다. 그런데 이번에는 학내에도 쉴새없이 시위가 계속되고 있어서 모두들 송아무개가 어디로 새어버렸는지 아랑곳하지 않았다. 마포 어름을 지나다가 버스 안에서 내가 영태와 함께 찾아갔던 오피스텔 빌딩을 보고는 차에서 내렸다. 십일층이었을 거야. 짐작대로 복도를 돌아서 찾아간 문앞에는 '번역실'이라고 써서 스카치테이프로 붙인 작은 종이쪽지가 보였다. 망설이다가 노크를 해보았다. 문이 열리는데 바로 그날 밤에 본 적이 있던 김선배였다. 그가 나와 얼굴이 마주치자 문을 활짝 열어주었다. 어쩐지 방안은 전보다 더욱 좁아진 것처럼 보였다.

어서 오시오.

그는 내가 먼저 들어서기를 기다리는 시늉을 했다. 전에 보았던 것과는 다르게 사무기기들이 배치되어 있었고 책상이 두 개 더 늘어나고 응접세트는 치워졌다. 아마도 김의 자리는 맨 안쪽 창문을 등진 자리일 테고 왼쪽 벽가에 붙여놓은 책상 앞에는 다른 사람이 엎드려서 뭔가 끼적이고 있었다. 김선배가 자기 자리로 들어가서 앉기 전에 옆에 놓인 접의자를 가리켰다.

이리 앉으세요.

우리는 문을 향하고 나란히 앉은 셈이다. 나는 낯선 사람을 건너다보고 나서 그저 아무렇지도 않게 말했다.

변했네요……

예? 아아, 그렇게 됐습니다. 얼결에 덤터기 써버렸어요.

하더니 김은 책상 위로 고개를 숙이고 앉아 있던 사람에게 말을 걸었다.

정형, 인사하지. 이쪽은 영태 친구 되는 분인데.

그는 말없이 목례를 해 보였다. 김선배가 터놓고 말을 시작했다.

송가 녀석이 자취를 감춰버리는 바람에 여길 떠맡게 되었어요. 그냥 집세만 날릴 수도 없구 해서 우리들 밥벌이 터로 만들었지. 번갈아 일거릴 가지구 나와서 푼돈을 벌구 있어요.

송형에게 무슨 일이 있는 거예요?

아, 모르고 계시던가? 그 친구 수배중이오. 미문화원 농성 이후로 뒤에서 뛰던 친구들까지 몽땅 사라졌소.

아무렴 연락할 길은 없겠지, 열나게 찾아볼 생각도 없으니까, 하고 나는 생각했다. 그가 서랍을 열더니 봉투 하나를 꺼냈다. 경조사에도 돈봉투로 쓰는 우체국 표준 싸이즈의 그것이 아니라 주제넘게 붉고 푸른 줄이 쳐진 항공봉투였다.

튀기 바로 전날 여기서 보았어요. 지금쯤 꽁꽁 숨었을걸. 그 광주 팜플렛이 전국의 대학과 노동현장으로 퍼져나갔거든. 책도 지하에서 나와버렸구요. 지난 겨울부터 차례로 진행된 프로그램이었으니까.

나는 송영태의 편지인 듯싶은 봉투를 백에 넣고 일어서려는 기색을 보였는데 김선배가 말했다.

너무 걱정은 말아요. 송가는 그래봬도 원래 도련님이니까 어디 경치 좋은 데서 독서나 하구 있을 거요.

별로 놀라지는 않았다. 나는 차를 타지 않고 천천히 걷기 시작했다. 이제 막 왕성하게 짙어가고 있는 가로수의 신록이며 한낮이라 인적이 많지 않은 거리이며 걷기에 괜찮았다.

새로 지은 은행건물 모퉁이에 아크릴 간판이 보여서 들어서니 미끄러운 대리석 계단은 지하로 내려가고 있었다. 겉과는 달리 안은 옛날식 그대로의 다방이어서 조금 당황했다. 하지만 마음은 놓였다. 오히려 어중간하게 멋을 부렸더라면 불편했을 텐데. 역시 복덕방 아저씨 같은 노인들 두엇뿐이고 실내는 턱없이 넓었다. 어항과 플라스틱 화초와 포도가 장식되어 있었고 아무도 보지 않는 텔레비전에서는 홍콩 무협영화가 비디오로 상영중이었다. 나는 벽가에 있는 구석자리로 가서 앉았다. 차를 시키고 나이먹은 레지가 찻잔을 갖다 내려놓기까지 참을성있게 기다리고 나서야 백에서 편지를 꺼냈다. 뭐라고 허튼 소리를 했는지 보아야겠어.

한형에게
아프다던 날 보고 올걸 하는 생각이 듭니다.

나는 첫머리를 읽다 말고 혼자 웃었다. 아주 고전적으로 나오시는구나. 아니 무엇보다도 편지를 남길 생각을 하다니 동경유학생 투가 아닌가. 늙은 우리 아버지도 근사하게 설익은 감 이야기나 비치구 말던걸.

그러나 그날 아침까지 차편으로 지방에 물건을 넘겨주어야 했기 때문에 화실로 찾아갈 수가 없었소. 며칠 동안 무리를 했으니 아마 몸살감기가 들었겠지. 우리를 찾기 시작한 모양이오. 다른 사람들보다도 나는 아는 게 많아서 깊이 잠수해야 합니다. 전화는 가장 위험하니까 아예 걸지도 않을 생각이오. 또 내가 거기 자주 갔던 걸 아는 사람도 많으니까 앞으로 얼마 동안이 될지는 모르지만 못 만나게 되었어요.

다시 말하지만 나는 오선배를 존경합니다. 내 따위는 현우 형님에 비하면 아직도 배회하는 중간에 지나지 않아요. 별은 못 보고 이제 겨우 지평선을 희미하게 발견했다고나 하겠지요. 나는 선배의 예쁜 딸을 한형과 더불어 키우는 상상도 해봤습니다. 정희씨가 아니라 박형에게서 들어 처음부터 알고 있었어요. 지난 몇달 동안 우리는 손발이 아주 잘 맞지 않았습니까. 어느 결에 우리는 동지가 되어버렸던 겁니다. 나는 지금 진지하게 말하고 있습니다.

정말, 진지한 거 지긋지긋하게 좋아하는구나. 나는 자네에게 아무런 느낌도 없었어. 자네가 더 잘 알잖아. 한데 이것만은 분명했다. 자네를 대할 적에 그 누구보다도 편안했다는 것. 오히려 오랍동생 같았을 거야. 나도 자네의 순박한 기질을 좋아해. 안타깝게도 사람이나 자연이나 아무튼 아름다움이라든가 정서라든가 아니면 감수성이라든가 하는 따위에 대해서는 내가 산수를 못하는 것처럼 자네가 아주 조금씩 못 미치는 게 약간 답답했어. 그깟 것이 무슨 대수랴마는. 그래두 어쩐지 섭섭하잖아.

흔해빠진 말이라 입에 담기는 싫지만 어쨌든 나는 한형과 함께 있으면 늘 신명이 났습니다. 그날 국밥집에서 연극대사 외우기보다 더 어렵게 표현을 했건만 그건 아주 먼지 알갱이만큼 작은 부분에 지나지 않아요. 나는 물밑에 잠겨서 이제부터 한동안 숨도 참고 입도 다물고 눈까지 감고 자신의 고독과 싸워야 하오. 그리고 이런 생각도 해보아요. 오선배가 세상에 나오기 전까지는 다시는 이런 말을 입밖에 내어서는 안된다구요. 나는 늘 한형 근처에 가까이 있을 거요. 나중에 자유롭게 만나게 되어도 이런 얘기는 없을 겁니다.

개인전을 하게 된다면 관람객이 거의 없는 아침 개장시간에라도 살짝 가서 한형 솜씨의 흔적을 바라보게 될 텐데요. 오선배가 나오시게 되면 나는 더 떳떳해질지도 몰라요. 이런 우리들의 작은 소망이 이루어지기 위해서라도 저들을 뒤집어엎어야 합니다. 바람불고 벼락치고 캄캄하던 끔찍한 밤도 동이 트면 기적처럼 밝아오듯이 혁명의 순간은 올 것입니다.

혁명, 그 다음엔 뭘 할 거지? 무인지경의 산맥이나 들판이 있고 달

구지와 나귀가 겨우 지나다니는 거친 길이 있는 두메산골이거나 소총 아니면 겨우 기관총 정도가 살상무기이던 시절의 서부영화 같은 장면에서나 가능한 일일 거야. 자동소총을 메고 탄띠를 두른 니카라과의 여전사 사진을 보았던 기억이 났다.

정규군의 막강한 군사 퍼레이드가 광장을 휩쓸고 지나간다. 부두에 하역되고 있는 산더미 같은 무기들. 하늘을 가르고 편대 비행을 하는 초음속 돌파 전투기들. 레이더와 함정과 항공모함의 불야성. 유리와 강철의 탑처럼 하늘로 치솟은 도심지의 빌딩들. 산업시찰을 돌고 있는 깨끗한 작업복 차림의 높은 사람들 일행이 기계의 옆으로 느릿느릿 움직여가고 있다.

어깨동무를 하고 거리를 질주하다 위협사격에 쓰러지는 그런 순진무구한 장면말고 행정부 청사를 접수한 혁명위원회가 스스로의 의결기구를 무장으로 지키는 장면 따위는 이젠 없다. 아마 점점 그런 가능성은 사라져가리라. 끊임없는 토론과 언제나 처음부터 다시 시작해야 하는 설득과 뜨뜻미지근한 합의와 지루한 기다림 끝에 약간의 진전이 있거나 그것마저 시간이 지나면서 왜곡될 거야. 그래 기껏 조합이 아니면 선거를 하게 되겠지. 엉망으로 헝클어진 실타래의 시초를 찾을 수도 없이 방금 놓쳐버린 실 끝이라도 잡게 되면 다행일 거야. 이 실 끝을 붙잡고 씨름하다 보면 모두 어슷비슷해질걸. 다시는 출발점을 향하여 돌이킬 수도 없이. 제도를 부숴버리는 동안에 그것을 부수는 제도가 만들어지겠지. 누구나 언제든 투쟁하는 전사로 남아 있지는 않는다. 혁명위원회도 퇴근을 하고 집으로 돌아간다. 아내는 아이를 낳거나 식량배급이 늦는다고 투덜대고 좀 일찍 들어올 수 없냐고 바가지를 긁고 생활비가 거덜이 났다고 하소연하고. 식구들은 모두들 끊임없이 먹어대고 마셔대고 싸우다가 성교도 하고 잠들고 아침에 일어나 새옷으로 갈아입고 출근하고 다시 토론해야 한다. 그가 출발했던 땅에서 이제는 아득한 미래로 날아간 하늘 사이에는 무한 천공이 입을 벌리고 있다. 혁명이라고. 그건 정지된 섬광이야. 오현우처럼 유폐되거나 그의 아우들같이 바리케이드 앞에서 연발사격에 쓰러지지 않는 한 그는 출퇴근하는 토론자로 기진맥진 살아가게 될 테니까. 그렇지만, 아무리 그렇다 할지라도 혁명이란 얼마나 아름다운가. 마른 침을 꿀꺽 삼키며 환멸에 치를 떨게 된다 할지라도 피부를 찌르는 듯한 전율로 나는 살아 있다고 중얼거리게 하는 사업.

나는 송영태의 편지를 잘게 찢기 시작했다. 찢어서 손아귀에 쥐니까 꼭 한움큼밖에 되지 않았다. 내가 느이들 틈에 끼기는커녕 근처에라두 가나봐라. 나는 정희보다 더 단순하고 조용하게 내 일을 좋아하면서 살아갈 작정을 했다. 학교에서 최루탄가스 때문에 눈물을 흘려도 그때뿐. 교정의 나무들처럼 잎사귀나 몇점 떨어뜨리고 조용히 아무 느낌 없이 서 있을 거다.

20

내가 석방된 지 이십여일이 지나갔다. 그리고 갈뫼에서 사박오일을 보냈다. 나는 윤희가 남겨둔 노트며 낡은 화첩들이며 편지묶음들을 읽으면서 밤이 깊을 때까지 잠들지 못했다. 거기에는 내가 잃어버린 바깥세상의 인생이 있었다. 처음 며칠 동안 격앙되었던 감정들은 지금 조금씩 무디어져가고 있다. 울컥하면서 명치를 치받던 느낌은 슬픔이나 억울함 같은 구체적인 것이 아니었고 마치 피부의 감촉 같은 것이었다. 무감동하게 바짝 마른 황야의 돌처럼 굳어 있던 마음속으로 촉촉한 물기가 번져오는 느낌이었다. 여름날 석양녘에 낮잠을 자고 깨어난 것과도 같이 사람들이든 산과 들의 풍경이든 너무도 선명하고 새롭고 뚜렷해서 낯설게 보이기까지 했다. 나는 거울 속에서나 자신을 볼 수밖에 없으므로 나의 두 눈은 화면 이쪽의 렌즈에 지나지 않고 세상은 나와는 아무 관련도 없이 저 바깥쪽에서 흘러가고 있었다. 연기 같은 혼령이 너울너울 떠다니며 남겨진 자신의 껍질인 육신도 내려다보고, 소통할 수 없는 가족이나 다정한 사람들과 이웃들을 아무런 판단도 없이 그저 보고 있는 것처럼. 감기약을 많이 먹고 신경이 바늘끝마냥 곤두서서 손가락도 간간이 떨리고 아랫배에 불안하고 초조한 안달이 실린 것같이 잠시도 몸을 한곳에 붙이기가 두려운 느낌. 자신의 숨소리까지 무엇을 집는 손동작 하나까지 세세히 의식이 되는 몸과 마음의 분리 따위가 지난 며칠 동안 계속되었다.

갈뫼에 와서 윤희의 숨결과 접하면서 나는 상대방을 얻게 되었다. 상대를 통해서 나는 여기 구체적으로 존재한다. 독방에 처박혀 있던 것은 오현우가 아닌 천사백사십사번으로서, 악조건 속에서 살아남을 생명력을 유지하기 위해서는 과거의 생각과 행동을 사람의 존엄성으로 고수해야 한다는 자의식만 있었다. 나는 이제 상대를 통하여 세속의 길로 돌아오는 중이다. 감옥에 있던 때가 바깥 시간으로 보면 바로 얼마 전인데도 아득하게 수십년 전의 일처럼 생각되었다. 십팔년은 순간처럼 기억되었다. 밀짚모자의 테로 묶인 옛날 영화필름같이 똑같은 장면들이 토막토막 끊겨서 기억되었다. 그리고 그것은 마치 유년 시절의 꿈을 되살려내는 것과도 같았다. 나는 요술눈썹을 달게 된 고대 중국사람처럼 세상에서 벌어지고 있는 여러가지 욕망의 부질없음과 무상함을 지금 보고 있다.

다른 날처럼 아침을 먹고 집 마당을 벗어나 겨울을 보낸 마른 풀 사이로 파릇파릇 새 풀이 돋아나기 시작한 오솔길을 내려와 아랫집으로 갔다. 나는 간밤에 몇가지 생각을 했다. 서울에 올라가면 이제 늦었지만 일거리를 찾아야 한다는 것이며 정희의 딸이 되어 있을 은결이를 만나야 한다는 것이며 그 아이에 대하여 뭔가 구체적으로 알고 싶다는 생각들이었다.

어서 오시오, 아침은 자셨소?

마루에 나와 앉았던 순천댁이 말했다. 나는 운동복 차림이 아니라 처음 올 때처럼 외출복을 입고 있어서 그네는 곧 다시 물었다.

어찌…… 어디 나가시는갑소?

예, 읍내 나가서 볼일 좀 보려구요.

오메, 잘되았네. 우리도 시방 뭘 살 것이 있는디.

제게 적어주십시오.

이잉 그려, 쪼깨 기다리쇼 잉.

그네가 종이쪽지와 볼펜을 들고 마루로 나왔고 나는 머뭇거리다가 말했다.

그런데요…… 정희씨 전화번호를 알고 계시지요?

잉? 머라고 그렸소?

한선생 동생 되는 이 말입니다.

아아, 난 또 머라고. 그니 이름이 한정희제…… 아매 어딘가 있을 거여. 찾아봐야 쓰겄구만.

방으로 들어가 한참이나 있다가 순천댁은 가계부로 보이는 두꺼운 노트를 들고 나왔다. 그네는 노트의 뒤편에 적힌 여러개의 번호 중에서 한곳을 손가락으로 찍어 보여주었다.

이놈이 동상 되는 이 집이고 그 아래 놈이 병원이랍디다. 여그 오기 메칠 전에는 꼭꼭 전화를 하든디.

뭐 적을 것 좀 없습니까?

볼펜은 있고오, 그 공책 한구텡이 찢어불제.

나는 전화번호를 적어서 그야말로 노트의 귀퉁이를 찢어냈다. 순천댁이 말했다.

일루 들어오소. 생각난 김에 시방 얼릉 전화해보랑게.

아뇨, 나중에 하지요. 읍내 나가서 사올 물건이나 적어주세요.

잉, 그라지라. 우리 막냉이가 물건 하러 나가는디 광주꺼지 나간께 저녁답에사 올 것이오.

그네가 곰곰이 생각하다가 적고 하는 바람에 십분 넘게 걸렸다.

헌디 무얼 타고 나갈라오. 여그는 차도 안 댕기는디.

다릿목까지 걸어나가서 버스를 타면 되겠지요. 올 때는 짐두 있구 하니까 택시를 탈 거구요.

핑 댕게오소. 동상분헌티 아그들 덱고 한번 내레오라고 허시오. 우리도 은결이 보고잡어 그러요. 나가 받아내서 그란지 볼수록 정이 가더라고.

나는 아랫집에서 나와 과수원 사잇길을 따라 내려갔다. 토담찻집은 한적해 보였다. 주말에만 좀 붐비고 무싯날에는 손님이 별로 없는 듯했다. 오전인데도 벌써 갈뫼가든에서는 시끄러운 음악이 들려오고 있었다. 식당이 서너 군데밖에 안되었지만 요란한 간판들 때문에 갈뫼는 도회지가 다 된 꼴이었다.

순천댁의 안방에 들어가 당장 전화를 하고 싶었지만 내가 참은 것은 뭐라고 말을 꺼내야 할지 아직 생각해두지 않았기 때문이다. 그리고 무엇보다도 남들이 곁에서 사연을 들을 게 못마땅했다. 수화기 저편에서 들려올 은결이의 목소리를 생각하고 나는 가슴이 두근거리기 시작했다. 그애의 나이는 내 투옥기간과 같은 열여덟살이다. 그것이 밖에서 학교에 들어가고 졸업하고 생일을 맞이하던 일들이 감옥의 나에게 알려졌더라면 견디기가 훨씬 수월했을까.

거기서 만났던 선배들의 경우에는 인생의 모든 일이 그렇듯이 명암이 있었다. 몇년 단위로 가족을 통하여 들어온 아이들의 사진에서 보면 사람은 대나무가 자라는 것처럼 마디를 이루면서 성장한다. 친혈육끼리는 어떨지 모르지만 곁에서 다른 사람들이 보면 마디는 일종의 상실로 보이기만 한다. 아버지를 빼앗긴 어린아이의 모습은 어쩐지 애처롭겠지만 그건 당사자들 생각이고 다른 이가 보면 그 모습은 아버지 자신의 옛날 행복했던 모습처럼 보이기만 한다. 그는 저 사진 뒤의 어느 나무 밑 그늘이나 사진을 찍는 이쪽 화면 앞에 숨어 있을 것만 같다. 그는 사진 속의 아이를 통하여 지난 세상 가운데 정지되어 있었다. 그런데 점점 아이가 자라 십대 소년이 되어 사진 속에 나타난다. 우리는 이미 그 소년의 얼굴 속에서 세상은 고해라는 사실을 알아보게 된다. 아직은 그림자에 지나지 않지만 청년이 되었을 때 한 사나이의 이마에 그려진 세속적인 고뇌의 흔적을 뚜렷히 알아볼 수가 있었다. 어떤 면으로는 투옥된 장기수 자신이 세파를 헤쳐가고 있는 가족들의 얼굴보다 맑았다. 나는 혈육의 정에 시달리는 선배들을 많이 보았다. 그들이 깊은 밤에 변소 창문 앞에 나와 서서 숨죽여 우는 소리를 듣기도 했다. 아침 운동시간에 얼굴을 마주치면 말짱했지만 나는 그가 사동 빈터를 하염없이 걸으며 가끔씩 푸르게 펼쳐진 하늘을 한참이나 올려다보고 있는 모습을 훔쳐보고는 했다. 그럼에도 불구하고 나에게 은결이가 있다는 사실을 알았더라면 마음고생으로 간혹 시달리는 한이 있더라도 얼마나 풍요했을 건가. 마음이 물결처럼 파동치는 나날을 두려워할 게 아니다. 원래 사는 일이 그렇지 않았던가.

읍내는 내가 며칠 전에 이곳으로 올 적에 보았던 것과는 다르게 훨씬 커 보였다. 아파트도 들어서 있었고 중심가는 승용차로 가득 차 있었다. 여전히 다방은 많아서 비좁은 골목을 사이에 두고도 앞집 옆집하는 식으로 붙어 있을 지경이었다. 나는 간판으로 내부를 짐작해보면서 될 수 있으면 한적하고 친절한 집이 어디일까를 가늠했다. '낙원'다방이 보였다. 이름으로도 그렇고 일본식의 나지막한 이층집 모양도 그래서 아마 읍내의 초창기부터 있었던 집이 아닐까 생각했다. 가만있어봐, 내가 언젠가 윤희와 같이 다리쉼 하러 들어갔던 곳이 아닌가. 나는 이층으로 오르는 비좁고 가파른 계단을 올라갔다. 전에는 삐걱이는 소리가 나던 낡은 나무계단이었을 것이다. 지금은 카펫을 씌워서 그 아래 예전 계단이 있는지 알 수가 없었다. 문을 열고 들어서면서 옛날의 그 집이 맞다는 생각이 들었다. 실내는 조잡한 합판으로 가려져 있었지만 화장실 들어가는 출입구가 낯이 익었다. 그 옆에 작은 원형 창문이 그대로 있었다. 전에는 그 아래 분재 한그루가 놓여 있었다. 제법 나이먹은 향나무 분재가 놓여 있어서 창은 그럴듯했지만 화장실 옆이라 장소가 맞지 않는다고 생각했던 기억이 났다. 이따가 화장실에 들어가보겠지만 세면대가 있는 곳에서 창으로 보면 작고 낡은 한옥의 마당이 내려다보였다. 내가 한참이나 휘둘러보며 입구에서 있었는데도 어쩐 일인지 안에는 사람의 기척이 없었다. 장사를 안 하는 집인가. 가운뎃자리에 앉아서 담배 한대를 피운다. 주방 안쪽을 보니 미닫이가 달린 방이 있는 것 같다. 나는 부러 인기척을 내느라고 헛기침을 했고 여자가 방에서 나왔다.

어머, 어서 오세요.

여자는 사십대의 몸집이 좋은 아낙네였다. 차는커녕 어디 밥집에서 국밥을 말고 앉았으면 어울릴 것 같은 푸근한 인상이다.

차나 한잔 주시오.

그네는 밖으로 나서지도 않고 주방에 서서 내게 물었다.

뭔 차를 드릴까요?

글쎄……

전화를 얻어쓰려면 좀 비싼 걸 시켜야 하지 않을까. 예전부터 어른들은 쌍화차를 시켜먹던 게 생각났고. 마담 언니에게도 한잔 권해야 할 테고.

쌍화차 주시오. 그리고 댁도 한잔 드시고.

예, 저는 괘않아라우.

하고 나서 아줌마가 깔깔대며 웃음을 터뜨렸다.

벨일이여. 옛날 양반이 오셨는갑네.

왜요?

차 인심이 남아 있어서 안 그러요.

요즘은 차 사는 사람두 없습니까?

아줌마가 또 웃었다.

여그 잘 오지도 않고 모도 앉은 디서 시켜다 먹지요. 차도 시키고 티켓도 끊고……

나는 잘 모르는 일에는 입을 다무는 게 오랫동안의 버릇이어서 잠자코 있었다. 쌍화차는 거의 한끼니 수준이었다. 달걀 노른자에 대추며 땅콩이며 깨알 등속이 가득 들어 있다. 아줌마는 전화를 받기 시작한다.

예, 어디요? 농협은 발써 갔는디. 쫌 기다리시요.

다시 전화를 받는다.

하정리 안골이오 밖골이오? 잉, 안골로 가다가…… 들에 있다고라. 그럼 우리 아가씨 탄 오토바이가 지난께 거그서 불르소.

그네는 전화를 턱에다 끼운 채로 부지런히 받아적는다. 먼저 두 여자가 들어서고 다시 오토바이 헬멧을 쓴 청년이 들어선다. 아줌마가 먼저 들어선 여자에게 말했다.

농협에서 독촉전화 왔든디.

아슬아슬하게 궁둥이께로 치켜올라간 미니스커트에 무릎까지 올라가는 부츠를 신고 속눈썹을 길게 늘어뜨린 처녀가 심드렁하게 대답했다.

거긴 우리가 아녀요. 우린 시방 부동산에서 오는데요.

하면서도 그네는 나를 힐끔힐끔 관찰한다. 곧 관심을 끊었는지 주방 앞에 가서 높다란 카운터 의자에 다리를 꼬고 앉았다. 뒷전의 처녀는 몸매가 다 드러나는 내복 같은 타이츠를 입고 가슴이 팬 셔츠 위에 커다란 남방자락을 젖히고 입구 옆의 거울 앞에서 머리를 매만지고 섰다. 아줌마가 말한다.

삼촌아, 너 하정리 아냐?

옛날 도정공장 있든 디 아녀요?

그려, 거그 안골로 들어가다 들에서 일하는 사람들 있단다. 커피 일곱 잔여.

하면서 아줌마는 쟁반째로 보자기에 싸두었던 주문품을 내주었다. 청년이 투덜댄다.

티코 들어와야 쓰겄는디.

야야, 느그들 중에 한사람만 오도바이 뒷자리 타고 갔다와.

거그는 비포장이라 데꾸부끄가 심할 거인디.

아줌마가 주방 카운터 앞에 마주앉은 처녀에게 말했다.

너 얼릉 갔다와라.

아유, 언니 난 미니라 오도바이 뒤에 못 타.

그럼 니가 갔다 와. 얘는 기원에 나가고.

나두 낼은 미니 입구 나올 거야, 쓰발 거.

구시렁대는 작은 다툼이 있고 나서 두 사람이 나가고 나머지 타이츠 차림도 쟁반 보따리를 들고 나갔다. 나는 전화 사용을 청하기 전에 우선 아줌마에게 말을 건다.

장사가 잘되네요.

그럭저럭 현상유지는 되지라.

돈 잘 버시겠소.

주인이 잘 벌지, 내야 쟤들처럼 월급 받는디. 아니 팁도 없응께 쟤들만도 못허요. 주인은 이런 반디를 세 개나 갖고 있소안. 저녁에 수금하러 한바퀴 돌면 끝나지라.

다방이 길 건너 한두 집이 아니던데요.

여그도 개발 붐이요. 아파트 짓제, 공장 들어오제.

그런데 나 전화 한통화 쓰면 안될까요?

시외전화요?

예, 서울이오.

아줌마는 의외로 선선히 말했다.

동전 바꿔디릴게 나중에 계산하소.

그네가 손금고를 열고 동전 한웅큼을 집어서 내주었다.

한줄인께 천원이요. 남으면 돌려주시고. 저그 공중전화 보이지라?

나는 동전을 받아들고 전화기 앞에 가서 섰다. 누님네 아파트단지에서 몇번 걸어본 경험이 있지만 아직도 낯설었다. 나는 심호흡을 하고 나서 순천댁이 알려준 전화번호가 적힌 종잇조각을 들고 서 있었다. 병원의 숫자를 돌리기 시작한다. 동전이 짤깍 떨어지면서 목소리가 들려왔다.

네, 병원입니다.

나는 왠지 끊길까 불안해서 동전을 몇개 더 넣으면서 더듬거렸다.

하, 한정희…… 선생 좀 부탁합니다.

원장님이요, 누구시라구 전할까요?

나는 갑자기 말이 막혀서 숨을 죽이고 잠시 망설인다.

여보세요, 누구신가요?

이제 오래 끌면 전화는 끊어지리라.

저어…… 오선생이라구 전해주시오.

잠시만 기다려주세요.

목소리가 사라지고 나서 대신에 음악이 흘러나온다. 소리 뒤편에서 저희끼리 음험한 논의라도 하고 있는 것처럼 시간이 꽤나 길게 느껴진다. 나직한 여자의 목소리가 들려온다. 윤희의 목소리와 어딘가 닮았다.

여보세요, 전화 바꿨습니다.

한정희 선생이신가요?

네, 그렇습니다만……

하면서 목소리는 잠시 기다렸다. 나도 기다린다. 정희는 전화 속에서도 분명히 알아들을 만큼 깊은 숨을 내쉬고 나서 말했다.

오선생님이라면 혹시…… 오현우 선생님인가요?

네……

대답만 하고 나는 다시 할말을 잃었다. 목소리는 침착하게 이어졌다.

저는 만나뵌 적이 없지만, 나오셨다는 소식은 신문에서 봤습니다.

그네는 이번에는 망설이지 않고서 연이어 말했다.

언니는 이 세상에 없습니다. 삼년 전에…… 암으루요.

나는 같은 어조로 말했다.

알구 있습니다.

아, 편지…… 받으셨군요. 그 무렵에 누님 되시는 분의 학교루 보냈어요.

나와서 봤지요.

이제 한 이주 되셨지요?

네, 그쯤 되었어요.

지금 어디 계세요?

갈뫼에 내려와 있습니다.

잠깐 말이 끊겼다. 나는 그네가 수화기를 손으로 막고 있는 듯한 느낌을 받았다. 이번에는 불안해진 내가 불렀다.

여, 여보세요, 여보세요?

네에, 갈뫼에 가셨군요. 언니 떠나고 나서 주욱 못 가봤다가 지난 겨울에 은결이하구 있다가 왔는데……

은결이요……?

드디어 내가 도달하려고 했던 말의 시초를 잡은 셈이었다.

거기 계시면 다 아시겠지요. 지금 열여덟, 고삼이랍니다.

그렇군요.

하고 나서 나는 아무렇지도 않게 말했다.

며칠 후에 서울 올라가면 한번 뵙겠습니다.

그러세요. 헌데…… 우리 아이는 지금 입시생이어서…… 어느 때보다 정서적인 안정이 중요해요.

나는 말문이 막혔다. 무슨 말을 해야 할지 생각이 떠오르지 않았다. 금지된 것에는 정면충돌하지 않는다. 돌아가면 될 테지.

그냥 한선생이나 그애나…… 얘기나 듣구 싶어서요.

올라오시면 연락 주세요.

네, 그럼 이만……

인사가 오가고 나서 통화가 끊겼다. 나는 다방 아줌마의 시선을 피하느라고 일부러 자리에 가 앉지 않고 화장실 쪽으로 걸어갔다. 작고 동그란 창 아래를 힐끗 내려다보았다. 여기서는 지붕 한쪽만 보일 뿐 마당은 보이지 않는다. 그래도 가지런한 검은 조선식 기왓골이 보인다. 나는 화장실 안에 들어섰다. 안쪽에 칸막이를 했는데 거기 걸터앉는 양변기가 설치되어 있으리라. 소변기를 향하여 마주서니 바로 정면에 창문이 그대로 있었다. 역시 예전 그 마당이 내려다보였다. 삼월의 봄볕에 빨래가 널려 있었다. 한옥 처마 아래에는 화분이 줄지어 늘어섰고 맞은편 담장 아래 향나무며 철쭉이며 동백이 가지런한 깔끔한 뜨락이 보였다. 전에는 나무들이 훨씬 젊었겠지만 어땠는지 기억은 나지 않는다. 다만 화장실에 먼저 다녀온 윤희가 쾌활하게 말하던 게 생각났다. 어디서 많이 본 것 같은 뜰을 보았다고. 분꽃도 심고 채송화, 맨드라미에 나팔꽃과 수세미 넝쿨도 올렸더라고. 저 집의 대청에서 비 오는 날 부채도 접어놓고 파전을 부쳐서 막걸리 한 주전자 받아다가 함께 마시면 좋겠더라고. 아무 일도 일어나지 않는 조용한 보통 날들.

나는 다방에서 나와 시장통으로 가서 살 건 사고 읍내에 생겨난 신식 슈퍼마켓에도 들러서 순천댁이 적어준 품목들을 샀다. 점심도 사 먹고 내 장도 보았다. 택시를 타고 겨우 십분 만에 나는 갈뫼의 모퉁잇길에 들어섰다. 차를 돌릴 만한 빈터가 있는 토담 앞에서 내려 순천댁네로 간다. 순천댁이 부엌에서 내다보다가 내가 양손에 들고 있던 비닐봉지를 받으러 쫓아나왔다.

방금 전화 왔든디?

나한테요?

잉, 동상 되는 정희라는 이가 했습디다.

뭐라고 해요?

저 머시여, 오선생이 여그서 잘 지내시냐고 건강은 좋냐고, 머 그런 야그하고. 이따가 저녁때 집에 가면 은결이보러 전화하랜다고 그러데. 오선생 바꿔줄 수 있냐고.

아, 예에……

그로부터 방으로 돌아가 나는 손에 들고 왔던 물건들을 냉장고와 수납장에 챙겨넣을 생각도 않고 멍하니 구들장을 지고 누워 있었다. 아마 그네는 내 전화가 끊긴 뒤에 생각을 했겠지. 그리고 내가 매우 억제하고 있다는 느낌도 받았겠지. 나는 그네에게 섭섭한 감정은 없었다. 오히려 마음이 놓였다고나 할지. 정희는 우리의 충격을 몇차례에 걸쳐 여과를 하겠다고 작정한 걸까. 나는 내가 아버지라는 것을 처음부터 말하지 않을 생각이었는데. 그러나 그애와 아무 이야기나 주고받고 싶었고 윤희의 말투며 목소리의 흔적이 어디 남아 있지 않은가를 확인하고 싶었다. 저녁을 지어먹고 일곱시 반쯤 될 때까지 기다렸다가 아랫집으로 내려갔다. 마당에 들어서니 순천댁이 아예 전화를 마루에다 내놓고 기다리던 참이었다.

방금 전화가 왔는디 오선생이 걸어달라고 하데. 어여 한번 걸어보소.

나는 남방 윗주머니에서 쪽지를 꺼내어 정희네 집 전화번호를 입속에서 중얼거려 외워보고는 다이얼을 돌린다. 수화기 속에서 벨소리가 들리고 나서 여보세요, 하는 정희의 목소리가 들린다.

저 오현우입니다.

기다리고 있었습니다. 낮에 병원으로 전화하신 뒤에 여러가지 생각을 했습니다. 언니 생각두 났구요. 언닌 오선생님에게 은결이 얘기를 남기려구 하진 않았어요. 아마 이 세상에선 두 분이 만나지 못하리란 예감이 들었나봐요. 지금 말씀드리지만 은결이를 우리한테 입적시킨 게…… 언니가 독일로 떠나기 전 해인 팔십칠년이었습니다. 그애가 이듬해에는 학교에 가야 했거든요. 물론 다 자라서니까 은결인 저희 엄마가 누군지 잘 알지요. 그래두 지금은 우리를 이모나 이모부라고 부르지 않고 엄마 아빠라고 한답니다. 죄송하지만 이해를 해주셔야 할 문제가 있습니다.

거기서 정희는 말을 끊고 기다렸다. 내가 재촉했다.

말씀하십시오.

언니나 우리는 아이에게 아버지에 관한 얘기는 해주지 않았습니다. 어려선 미국에 갔다고 그랬구요, 몇년 전부터는 돌아가셨다구만 해왔어요. 아까 선생님과 통화를 하고 나서 언니 같으면 이럴 때 어떻게 했을까 생각했습니다. 이제 아버지가 바깥세상에 나오셨으니 당연히 알려주어야 한다고 생각했어요. 그렇지만 시간은 어느정도 필요하지 않을까 생각도 했구요.

나는 거기서 슬그머니 끼여들기로 했다.

정희씨 판단이 맞다고 생각합니다. 이제 곧 그애도 어른이 될 테지요.

네 그렇습니다. 대학에 가서 생활의 폭도 넓어지구 그러면 자연스럽게 되지 않겠어요? 나는 조금 전까지 은결이하구 얘길 나누었어요. 즈이 아버지 친구고 돌아가신 엄마하구두 친구였던 분이라구 그랬어요. 은결이하구 한번 통화하구 싶어하신다구요.

나는 처음처럼 또 가슴이 두근거렸다.

아니, 아까는 그저 소식이나 알려구 했을 뿐입니다.

이미 아저씨에게서 전화가 올 거라구 얘길 해서 그애두 기다리구 있어요. 지금 이층 제 방에 있는데 내려오라구 부를게요. 장황하고 복잡하게 해드려서 죄송합니다. 우리는 그앨 아주 사랑한답니다. 오선생님은 저희보다 더하시겠지만. 전화 끊지 말구 기다리구 계셔요. 지금 그앨 부르겠습니다.

수화기를 내려놓는 소리가 들리고 전자음 소리만 희미하게 들려오고 있었다. 나는 수화기를 다른 쪽 귓가로 바꿔들었다가 아직도 목소리의 여운이 남아 있던 원래의 귀 옆으로 되돌렸다.

여보세요, 오선생님?

예, 접니다.

전화 바꿀게요.

여보세요……

저것이 그 아이의 목소리다. 나는 아무 생각도 나지 않아서 녹음기처럼 되받았다.

여보세요.

안녕하세요? 저는 박은결입니다. 엄마한테서 아저씨에 대한 말씀을 들었어요.

아, 그랬어? 나는 느이 아버지를 잘 아는 사람이다. 느이 엄마하구두 잘 알구. 지금 고등학교 삼학년이랬나?

네에……

힘들겠구나. 대학에 가면 무슨 공부를 하고 싶지?

인문계요, 문과대학에 갈려구요.

공부는 잘되니?

그럭저럭 따라갈 만해요. 아저씨는 외국에 오래 나가 계셨다면서요?

음…… 그래.

어느 나라요?

미, 미국에 이민갔지.

우리 아버지두 미국에서 돌아가셨는데, 아버지 친구분이라면 거기서 많이 만나셨겠네요.

그렇지.

어떤 분이셨어요…… 그분은?

조, 좋은 사람이었지. 세상살이는 잘 몰랐지만.

언제 서울에 오시죠? 거기 시골이라면서요.

응, 그래. 며칠 후에 갈 생각이다.

서울 오시면 전화해주셔요. 꼭 뵙고 싶어요.

그래 꼭 전화하지. 나두 은결이를 만나구 싶구나.

아저씨, 안녕히 계셔요. 엄마 바꿔드릴게요.

은결이의 목소리는 밝고 말끝이 조금씩 높게 올라갔다. 부모와 일찍 헤어진 아이답지 않게 적극적이란 느낌을 받았다. 다시 정희의 침착한 목소리가 들려왔다.

전화해주셔서 감사합니다. 다음에 서울 오시면 우선 제 병원으로 연락해주십시오.

나도 얼버무리며 인사를 했고 전화는 끝났다. 나는 마루에 멍하니 앉아 있었다. 안방에서 통화가 끝난 기척을 알아챘는지 방문이 열리면서 순천댁이 툇마루로 나와 앉았다. 그네는 공연히 저고리 소매로 눈을 씻었다.

시상에 모질기도 허지. 무슨 전화를 고렇게 맬겁시 받소. 안 들을라고 혀도 자꾸 들리더만. 고것이 어릴 적부터 백여신디 무슨 눈치를 못챘으꺼나. 아니 오선생, 나가 니 애비다 허지 그랬소?

나는 그저 벌죽이 웃으며 어두운 허공을 올려다보았다. 순천댁이 또 은결이 이야기를 꺼낼까봐 마루에서 일어나며 인사를 했다.

전화 잘 썼습니다.

아니 뭐…… 발써 가시게라오?

예, 일찍 쉬겠습니다.

나는 어둡지만 눈에 익은 오솔길을 올라 집으로 돌아왔다. 내려올 때 켜두었던 형광등 불빛으로 방문이 하얗게 밝혀져 있다. 밖에서 보면 격자 창살이 더욱 선명했다. 누군가 저 방안에 있는 것 같고 내 발걸음 소리를 듣고 그림자와 함께 방문이 열릴 것만 같았다. 이제 와요? 하는 목소리와 그네의 어두운 실루엣이 툇마루 위로 나타날 것이다. 나는 신을 벗고 툇마루에 올라 방문을 열고는 안에 아무도 없다는 걸 확인한다. 방안에 들어서지 않고 마루에 털퍼덕 주저앉아 봄밤을 수놓고 있는 하늘을 올려다보았다. 저 봐, 별똥이 진다. 또 누가 세상을 떠나는가보다. 멀리서 개 짖는 소리가 고즈넉하게 들려왔다. 어딘가 살아 있다 하더라도 같은 장소에서 함께 있었던 사람의 부재는 거기 남은 한사람까지 존재하지 않게 만든다. 방안의 모든 물건과 하늘의 별들까지도 꿈에 나오는 것처럼 곧 다른 장면으로 바뀌면서 사라져버릴 것만 같다.

21

그래, 팔십오년 가을쯤이었을 거야. 그 전해부터 정치범 장기수들에게도 귀휴와 사회참관이 시작되었으니까. 사회에서의 폭압도 유화국면으로 바뀌었듯이 그 무렵부터 전향제도가 폭력에서 회유로 전환되었다. 선배들은 칠십년대에 지도를 맡은 폭력배들에게서 고문을 받으며 죽어나갔고 버티던 이들도 여러 사람이 자살했다. 나는 구치소에서 교도소로 넘어가자마자 먹방에 갇히기도 하고 개밥을 먹기도 하면서 전향공작에 시달렸다. 예전의 공작반은 이름만 전담반으로 바뀌었고 교무과와 보안과가 서로 경쟁적으로 성과를 올리려고 우리를 달달 볶았다. 공안수든 시국사범이든 간첩조작사건이든 이른바 집시법사건이든 가리지 않고 머릿속의 사상을 바꿀 것을 끈질기게 강요했다. 요즈음 뱃속을 관찰하는 투시기가 나온 것처럼 머리에다 대고 비추어보면 붉고 푸른 색깔이 판명되는 기계라도 발명해야 할 판이었다. 내가 빨갱이인지 퍼랭이인지는 나도 잘 몰랐다. 나는 이 땅에서 무력으로 양민을 학살하고 정권을 잡은 일부 군부와 그에 붙어서 온갖 이권과 특혜를 누려온 독점자본을 반대했다. 유신시대와 오월의 학살을 겪으면서 나와 타자를 알게 되고 여러번의 좌절감에 시달린 젊은이들은 북쪽이 타자가 아니라는 너무도 뻔한 사실에 눈을 떴다. 육십년대에는 가지고만 있어도 사형이라던 문건들이 바다 밖에서 들어왔는데 숨을 죽이고 그런 자료들에 접하기 시작한 게 팔십년대 초반의 일이다. 동우가 그런 자료들을 모으고 내부 문건에 반영했던 것은 좌편향이었을까. 내가 줄곧 감옥에 있으면서 세상이 바뀌어갔던 길을 돌이켜보면 그런 따위는 차츰 보편적으로 아무것도 아닌 일이 되어갔다. 세월은 저절로 균형을 잡아간다. 그것 봐라, 별일도 아니었잖아.

여보쇼, 내가 몇번이나 말했소. 나는 간첩이 아니오. 그건 누구보다도 당신네가 잘 알지 않소.

종이때기 한장 가지고 뭘 그래. 눈 딱 감고 지장만 꾹 누르면 대번에 처우가 달라질 텐데.

당신은 정말 그 종이때기 한장 가지고 뭘 그럽니까. 내가 저쪽 사상을 가진 적이 없는데 어디서 어디로 돌아선단 말이오. 오히려 내가 빨갱이라는 걸 인정하고 독재정권의 정치적 조작과 폭력을 기정사실로 해달라 그 얘기요?

그들은 직접 나서는 것이 별로 성과가 없다고 생각하고는 외부사람들을 이용하기 시작했다. 그동안은 면회도 시켜주지 않던 가족들이 찾아와 애걸하고 간 뒤에는 폭력배들을 시켜서 괴롭혔다. 다음에는 각 종교 교파마다 교인들을 동원해서 결연을 시켜주었다. 이제는 일반수들의 교화에 자원봉사식으로 진행이 되어 훨씬 다행스런 일이지만 전에는 주로 정치범이 그 대상이었다. 그들은 먹을 것을 한 보따리씩 해가지고 와서 우리를 차례로 불러내어 먹였고, 직계가족의 편지도 몇백자라고 한정하고 사흘 뒤에는 그도 압수하여 영치시키던 것과는 달리 사흘이 멀다 하고 정치범 개개인에게 편지를 보냈다. 내용은 종교적인 것과 머릿속을 바꾸라는 사연이었다. 하여튼 나는 몇차례 시달리지 않아서 방침이 바뀌었으므로 선배들보다는 괴로움이 훨씬 빨리 지나간 셈이었다.

하루는 교무과 주임이 찾아와서 나를 포함해 학생 두 사람을 지명했고 우리에게 특별면회가 허용되었다고 말했다. 우리가 긴팔 수인복으로 바꾸어 입은 직후였으니까 아마 시월 초였을 것이다. 모기와 파리와 초열지옥 같은 시멘트 벽의 열기에 시달리던 여름을 넘기고 나면 밤에는 귀뚜라미가 울고 열어젖힌 식구통으로 해서 변소 창문으로 빠져나가는 바람이 온몸의 솜털을 간질이는 것만 같았다. 세끼 밥만으로는 날마다 허기가 질 정도로 늘 배가 고팠다. 요리책을 빌려다가 '외식'을 하고 등산이며 낚시며 하는 잡지와 관광지도책을 펴놓고 '외출'을 나가는 것도 그 무렵이었다. 가끔씩 이런 통방소리가 들려오곤 했다.

야, 설악산 특집호 누가 가져갔냐?

내가 아직 보고 있어.

빨랑 돌려주지 못해?

이거 왜 이래. 지금 한계령두 못 넘었다구.

이 새끼 내설악까지 언제 들어갈라구 거기서 꾸물대냐.

하여튼 그런 계절에 특별면회를 시켜준다고 우리를 데려다놓았으니 은근히 무엇이 나오려나 기대가 되었다.

선배님, 나는 요번 달 면회 다 끝났어요. 일반 장기수들 보니까 자매님들이 먹을 거 잔뜩 싸가지구 찾아오던데요.

조직사건으로 들어온 키가 멀쑥하게 큰 학생이 말했고 집시법으로 들어온 총학생회장 지낸 친구가 중얼거렸다.

아아, 인절미나 실컷 먹었으면 원이 없겠심더.

그는 버짐꽃이 허옇게 핀 얼굴에 돋아난 듬성듬성한 수염을 손바닥으로 문지르며 내게 속삭였다.

선배님은 특별면회라카는 규정 자체가 없지예? 아매 틀림없이 지장 찍으라꼬 꼬실 모양입니더.

키다리가 말했다.

설교하면 이러쿵저러쿵 반론하지 말자야. 보따리 풀자마자 신나게 먹어주는 거야.

세상에 마 공짜가 어딨노. 나중에 생각해보겠다꼬 하는 정도는 들어줘야 하는 기 아이가? 니 봐라, 인자 두고두고 시달릴 끼다.

교무과의 계장이 들어섰다. 그는 자칭 교수였는데 겉으로는 얌전하고 싹싹한 인상이었지만 출세에 관한 한 집요하고 교활한 인물이었다. 이를테면 옛날 말로 '다다께아가리'라고 사다리를 타고 올라온 자였다. 그는 자기가 처음 잎사귀 두 개짜리 말단 교도로 들어왔을 적의 고생을 늘 입에 달고 살았다. 그는 그런 시절로 결코 돌아가고 싶지 않다는 것을 강조했다.

동생들은 밑에 주렁주렁하지 아버지는 누워 계시지 어머니가 행상을 나다니셨는데 어떻게 진학할 꿈을 꾸겠나. 전에는 중학교나 나오고 법률상식만 대충 맞히면 합격이 되었거든. 그래두 공무원이니까. 우리네야 정말 민초라구. 느이들은 배지가 부르고 등 따신께 하라는 공분 않고 데모나 했지만. 나 솔직히 느이들한테 원한이 많어. 유신 시절에는 우리도 고생이 많았다고. 전에는 복도에 난로도 없었고 아예 근무자 책상이나 의자도 없었당게. 그냥 서서 밤새우라 이거여. 사동 복도에서 추위에 와들와들 떨며 느이들 방을 들여다보면 차라리 재소자 신세가 부럽더라 이거여. 담요 속에 대가리 박고 정신없이 자는 꼴을 보면 옥문 따고 들어가 같이 드러눕고 싶더라니께. 서서 졸다

간 자빠져서 코 깨질까 무섭고 혀서 우리들끼리 짜낸 꾀가 갈고리를 만드는 거였다고. 철사를 에스자로 구부려서 말여 혁대에다 차고 근무를 나온다고. 졸리면 복도 쪽 철창에다 갈고리를 걸거든. 그러고 창살에 기대서서 무조건 자는 거여. 순시자가 나타나는 발걸음 소리만 들리면 얼른 갈고리를 빼내고 잠을 깨려고 왔다갔다하는 거지. 근무하다 본께 여그 교무과 사복근무가 그렇게 부러울 수가 없더라고. 야근이 있나 점검이 있나 그러고 민간인들이랑 자주 만나고 말여. 빨갱이들 순화하는 직함이라고 허니 애국하는 길도 빠르고. 전에는 사상에는 사상이다 해서 모두들 교무과 직원은 기독교인 우선이었지. 내가 그래서 통신강의록으로 야간 신학교를 안 나왔냐. 주임시험도 보고. 내 시방 신학대학원 다니면서 강의도 나간다 이거여. 나도 저쪽 비판서를 신물이 나도록 읽었응께, 앞으로는 내 앞에서 문자 쓸 생각은 아예 하덜 말어.

계장은 나를 대기실 안쪽에 있는 자기 방으로 불러들였다.

오형, 잠깐 나하구 얘기 좀 합시다.

그곳은 두 명의 계장이 함께 쓰는 방이고 다시 그 안쪽은 부소장격인 교무과장실이었다. 그는 나를 자기 책상 옆의 안락의자에 앉히고 나서 인심이라도 쓰는 듯이 물었다.

여기 오셨은께 오랜만에 차 한잔 드셔야제. 뭘 드시까, 어이, 소지여 여그 뭔 먼 차가 있냐?

그가 교무과에 나와 있는 봉사원을 불러 물었다. 중부지역의 절도범이기 십상인 소지가 눈치 빠르게 대답했다.

예예 계장님, 교무다방에는 없는 차가 없구먼유. 예, 전통차로는 녹차 인삼차 유자차 둥굴레차 율무차가 있구유, 커피 홍차에다 음료수로는 콜라 사이다에 거시기 원비디까지……

옘병하구 자빠졌네 작것. 먼 차가 그렇게 줄줄이여?

예, 다 사회에서 기증 들어온 거여유. 구매부 지원두 있구유.

멀 드시겄소? 오랜만에 커피 한잔 때레야제.

그럽시다.

아야, 여그 커피 한잔 꾹꾹 눌러서 따따불로 올려라 잉?

하고 나서 계장이 갑자기 상반신을 내게로 숙이면서 은근하게 말했다.

오형, 나가 오늘 부탁 한나 헙시다. 쪼깨 들어주소. 오늘 우리 동네선 이름 높으신 목사님이 오시는디 특별히 내가 오형을 천거했소.

나는 대뜸 알아들었다.

교양강좌 말이죠? 실적 올리고 동향보고하고 시간 때우겠다는 얘기 아닙니까.

하이고, 그러니 우짤 것이요. 위에서는 추계교육을 실시하는 즉시, 결과 보고하라 공문 내레오고 지랄해쌓는디.

학생들은 왜 불렀어요?

오형이야 벨말씀도 없을 것이고 잉, 애들보러 소감문 쓰라고 헐 텐께.

그 친구들 욕만 잔뜩 쓰고 말 텐데.

상관없어라우, 내용이야 우리가 고치면 쓴께. 그건 염려없고요, 다만 오형에게 부탁헐 말은 목사님 면전에서는 그냥 듣는 시늉이나 해주슈.

나도 농담조로 받게 된다.

맨입으로?

아따, 왜 그래쌓소. 산해진미를 준비해놨지라. 에, 그리고 무엇보다 이번 교육결과가 중요한 것은…… 이거 오형만 알고 있으시오. 시방 심사중인디, 아매 공안수들한테도 귀휴와 사회참관 처분이 내려질 모양입니다.

내가 계장과의 접견을 끝내고 나오자 이번에는 두 학생들이 불려 들어갔다. 우리는 기다리던 시간이 되어 특별접견실로 끌려갔는데 팔걸이 달린 푹신한 의자에 회의용 탁자가 있고 위에는 벌써 음식들이 차려져 있었다. 종이접시 위에는 양념통닭이며 바람떡에 절편에 녹두와 콩고물을 묻힌 인절미에 다과까지 그득하게 차려놓았다. 먼저 와서 기다리던 노인이 앉은 채로 손을 쳐들며 말했다.

어서들 오시오.

인사들 하지. 이분이 바로 그 유명한……

아무개 목사라고 계장이 노인을 소개하고 나서 우리를 그에게 인사시켰다. 계장은 일일이 한사람씩 거명하며 국가보안법이니 집회 및 시위에 관한 법이니 하는 것에 대한 위반내용과 형량, 그리고 잔여 형기를 말해주었다. 그러고 나서 계장은 고작해야 연사와 청중을 합하여 네 사람밖에 되지 않는데도 전혀 쑥스러워하지 않고 두 손을 모으고 일어서서 개회사를 하려 들었다.

에, 그러면 지금부터 추계 정기 교양강좌를 시작하겠습니다. 강목사님은 일찍이 전후시절부터 우리 교정계에서 교화공작사업에 오랫동안 봉직해오시면서 수많은 공안수들을 인간적으루다 돌아서게 하셨던 공로자이시며 피도 눈물도 없는 공산주으자들을 따땃한 피가 도는 선량한 국민으로 가르치고 참회하게 만든 애국자이십니다.

아아, 계장 그만두라구. 이 사람들 시장할 터인데 우선 음식이나 들라구 합세다. 머 강좌라기보단 거저 허심탄회하게 서루 맘을 터놓구 담화를 나누는 게 더 조티 않가서.

아 예에, 그럼 저는 이만 물러가겠습니다. 화기애애한 시간 보내십시오.

하고 나서 계장은 좀 과장스럽게 학생들에게 으름장을 놓았다.

공연히 딴전 피우지 말구 목사님 이르시는 말씀 잘 들어.

계장이 나가자마자 키다리가 얼른 인절미 한개를 집더니 홀랑 입안에 넣고 우물거리기 시작했다. 회장이 입을 우물거리는 키다리의 팔을 툭 치는 시늉을 하자 목사가 말했다.

오, 괜찮소. 하디만 거저 간단한 기도나 한번 올리구 듭세다. 자아, 기도합세다.

하면서 그가 먼저 두 손을 모으고 고개를 숙였는데 두 젊은이는 그냥 멀뚱한 표정으로 두리번거리며 앉았고 나는 그래도 체면이 있어서 눈은 뜨고 고개만 숙인 자세를 취했다. 목사는 경험이 많았는지 우리의 꼴은 확인하지도 않고 차분하게 기도를 올렸다.

하나님 아바지, 오늘 우리가 주의 은총으로 내레주신 마딨는 음식을 놓고 이 자리에 모인 것은 아바지께서 이르신 가족의 소중함을 확인코자 함입네다. 이들은 한때의 혈기와 판단 잘못으로 사탄에 들었으나 오날에 와서는 자기가 속았다는 것을 알고 회개할 준비가 되어 있는 사람들입네다. 이들이 속은 것은 저들의 잘못이 아니라 주의 십자군들이 멸하고야 말 사탄의 마수에 빠진 것이니 이 형제들을 잘 인도해주옵소서. 그리고 이 음식을 먹고 지금도 집에서 따듯한 밥상을 마련하고 비워진 자리를 바라보며 애타게 집 나간 아들을 기다릴 가족의 정을 깨닫게 하소서. 그래서 하나님의 은총 아래 나라와 부모의 은혜를 뼈저리게 느끼도록 해주시고 하나님 믿음의 자식으로 다시 태어나게 하소서.

몇마디 더 하고서 목사가 혼자 아멘을 외운 뒤에 눈을 뜨고 우리를 둘러보았다. 우리는 여전히 말없이 앉아 있는데 목사가 두 손을 쳐들어 보이며 말했다.

어서어서들 드시오. 우리 목회도 사정이 그리 넉넉지는 않지만 조금 준비를 했소.

목사의 말이 끝나기도 전에 두 젊은이들은 제일 먼저 양념통닭을 집어들었다. 나도 뒤질세라 닭다리 하나를 집어들고 뜯기 시작했다. 얼마 만에 먹어보는 닭고기인지 몇번 씹지도 않았는데 목젖이 어서 넘어와달라고 보채어 그대로 미끈하게 넘어가버렸다. 튀기고 나서 그 위에 마늘소스를 발라 다시 따끈하게 익힌 것 같다. 벌써 학생들은 두 개째를 씹어넘기는 중이다. 먹다가 곁눈질로 살펴보니 목사는 점잖게 돋보기를 밑으로 내려 쓰고 성경을 들여다보고 있었다. 어느 틈에 닭고기는 사라져버렸고 앙상한 뼈다귀 몇개만 남았는데 그래도 떡이 아직 수북하게 남아 있었다. 우리의 허기가 조금 가셨다고 생각되었는지 목사가 말했다.

음식을 들면서 얘기나 해봅세다. 오씨는 무기수인데…… 종교에 대해서 어떤 생각을 개지구 있습네까?

나는 잠깐 생각하고 나서 자조적으로 중얼거렸다. 내 입안에는 인절미가 가득 들어 있었던 것이다.

지금은 고맙게 생각하고 있습니다.

지금 고맙게 생각하다니?

이렇게 좋은 음식을 준비해오셔서요.

오씨는 본래 고향이 이남이디요?

그렇습니다.

기럼 공산두이 사상이레 어드렇게 알게 되었습네까?

나는 웃어 보이면서 말했다.

저는 아무것두 모르는데요.

옆에서 인절미를 우물거리고 있던 학생회장 젊은이가 유쾌한 목소리로 받았다.

목사님은 마 그것도 모릅니꺼. 조작인 기라요.

그러문 더욱 쉬운 일 아니오? 생각을 바꾸겠다고 하문 당장 집에 보내줄 텐데.

놓아주지도 않고예, 그건 거짓말입니더. 무조건 때려놓고 맞은 잘못을 시인하라는 소리 아닌교?

아까 들어보니 자네두 국보법이두만. 하여간 북괴가 호시탐탐하구 있는데 국론을 분열시킨 잘못이야 있잖디.

키다리 학생이 말했다.

국론은 죄없는 양민을 학살한 독재권력이 분열시켰죠. 그자들이 우리 대신 여기 들어와야 해요.

이제 탁자 위에 음식은 남아 있지 않았다. 목사는 어디서 많이 들어본 것 같은 북에서의 고행과 탄압에 대해서 이야기했고 회장 학생이 중간에 끼여들었다.

남의 집 얘기는 마 고만 하이소. 우리는 아무껏도 모른다 아입니꺼. 그쪽을 욕하고 잡어도 머 아는 기 없는 기라. 인자부터 자세히 알아볼 꺼구마는.

내가 기다리다 못해서 나서기로 하였다.

목사님, 이담에 밖에 나가게 되면 꼭 목사님의 교회에 나가서 순수한 예배자리의 기도를 올리게 될지두 모릅니다. 귀한 음식은 정말 고마웠습니다. 우리는 이제 각자의 방으로 돌아가서 성경을 읽을 작정인데요, 작별기도나 해주시지요.

이런 식의 만남은 한달에 두어 번씩 있었다. 처음에는 고지식하게 말대꾸를 던지던 젊은이들도 이력이 났는지 음식을 꾸역꾸역 집어넣으며 참을성있게 교양강좌를 들어넘겼다.

그 무렵에 정치범에게도 시작되었던 사회참관과 귀휴는 공평하게 이루어지지 않았다. 진짜 좌익수들에게는 전혀 해당이 되지 않았고 가족이 있고 전향할 의사가 있어 보이는 사람들이나 시국사범을 골라서 하나둘씩 개인적으로 집에 보냈다. 그들은 사복한 호송교도관과 함께 기차나 버스를 타고 먼 도시에까지 다녀왔다. 집에 가서 가족들이 마련한 음식을 먹고 접견을 하고 나서 부근에 있는 교도소에서 숙박하고 돌아왔다. 이틀이나 사흘 정도였지만 그 후유증은 오래 남았다. 귀휴를 다녀온 이들은 가정의 따뜻한 밥상과 식구들의 정겨운 웃음소리를 잊지 못했던 것이다. 누군가 귀휴를 다녀오면 우리는 모두 복도 쪽으로 뚫린 시찰구의 창살에 매달려 근무중인 담당의 발걸음 소리에 신경을 쓰면서 나직한 소리로 통방을 했다. 당시가 그래도 우리에게는 많이 풀린 계절이고 귀휴의 꿈 같은 경험은 강렬한 유혹이어서 담당들도 일부러 모른 체하고 복도의 반대편 끝으로 가서 순시자가 오나 망을 봐줄 정도였다.

이선생님, 어디어디를 다녀오셨어요?

여기서 나가서 고속버스를 타구 갔지.

버스터미널이 여기서 멀어요?

아니, 다리만 건너면 시 외곽에 있더군. 금방이야, 한 오분도 안 걸려.

그때 모두들 침묵을 지킨다. 아하, 정문에서 차 타고 나가 창밖으로 보이는 포플러숲 사잇길을 지나서 다리를 건너면 거기 고속버스가 있구나.

수인복 입구 수갑에 포승도 차구요?

다른 방에서 누군가 참견을 한다.

무슨 소리야. 귀휴 나갈 땐 작업복에 새마을모자를 씌운다구. 얼핏 보면 잘 모를걸.

나는 잠바까지 빌려주던데.

즈이들이 챙피할 테니까……

하여튼 고속버스가 옛날하구 똑같지요?

나는 첨 타봤어. 오십년대에는 없었거든.

가다가 휴게소에서 점심 잡쉈어요?

먹었지. 설렁탕하구 저 뭔가, 점심 전에 옛날 아이스께끼같이 고기 튀긴 막대길 먹었는데.

으응, 핫도그로구나. 그러구요……

서울에서 일단 내렸어. 우리집은 강원도에 있거든.

여전하지요?

난 잘 모르지. 내가 아는 건 서울역 건물하구 남대문뿐이니까. 좌우지간 사람이 엄청나게 늘었더군. 무슨 난리가 났나 했어. 사진에서 보던 것보다 더했지. 기차시간을 기다리느라구 대합실에 앉아 있었는데 여기 사람들은 온통 여행만 다니는지 제각기 짐을 들구 잠시두 가만히 있지 못하구 왔다갔다……

그는 기차의 창가 쪽에 앉아 있다. 오른편에 강이 흐르고 건너편으로는 솟아오른 산봉우리들과 숲이 보인다. 가끔씩 낯선 읍내가 스치고 지나간다. 고층아파트들은 백일몽에 나오는 사람이 없는 하얀 성과도 같다. 옆에서 졸고 앉아 있는 호송 교도관이 몸을 기울일 때마다 그의 옆구리에 차고 있는 권총의 손잡이가 이쪽 갈빗대를 건드리곤 한다. 두 사람의 호송자 중에 조장격인 주임은 자꾸 말을 시킨다.

이거 봐, 얼마나 살기좋은 세상이야. 마음먹기에 달렸잖아. 당신 본처가 기다리구 있다구. 애들도 이젠 같이 늙어갈 나이가 아닌가. 사진에서 봤지? 올망졸망한 손주들이 벌써 다섯이래.

시골역에서 내리고 역사를 나서자 낯익은 산천이 펼쳐진다. 작은 읍내는 옛날 그대로인데 집과 길만 조금씩 바뀌었다. 방앗간이 있던 삼거리는 그대로다. 벽에 나무판자를 대고 시멘트 뿜칠로 마감한 일제시대의 면사무소 건물은 고스란히 남아 있다. 저어 앞길에서 사람들이 뛰어온다. 커다란 꽃무늬가 찍힌 어두운 색의 몸뻬바지를 입고 누렇게 퇴색한 소매 짧은 셔츠를 걸친 노파가 달려든다.

여보……

그는 얼결에 늙은 아내의 어깨를 부둥켜안는다. 그의 얼굴 아래 바짝 붙인 아내의 희끗한 머리털이 바람에 한들거리고 있다. 그들의 측면에서 얼굴이 검게 그을리고 담배냄새가 고약한 초로의 농부와 중년의 아낙네가 함께 부여잡는다.

아부지이.

뒷전에 섰던 양복쟁이가 그들을 떼어놓았고 주임도 그의 팔을 잡아 이만큼 끌어다놓는다.

남들 눈이 있으니까 어서 집으로들 가요.

양복쟁이가 말하고 주임은 그에게 귀휴에 관한 서류를 보여주며 확인시키고. 집안에 들어서면 기차에서 보던 집들보다 훨씬 쇠락한 마루와 창호지가 찢어진 방문들이 보인다. 그가 마루를 딛고 올라서는 처마밑에 누렇게 바랜 사진들이 다닥다닥 붙은 액자가 걸려 있고 액자 안에서 젊은날의 그가 일제 말의 국민복에 박박 깎은 머리로 햇빛 아래 얼굴을 잔뜩 찌푸리고 서 있다. 젊은 아내는 흰 무명저고리에 머리는 쪽을 찌고 비녀를 꽂았다. 아내의 곁에는 학생복을 입은 남자아이가 섰고 무릎에 갓난쟁이가 안겨 있다. 시간은 그에게만 정지되어 있었다.

귀휴체험을 동료들에게 이야기하는 이선생의 목소리는 차츰 떨리기 시작한다. 너무 가까운 과거의 일이어서 그는 미처 앞뒤 순서를 정리해내지 못한다. 누군가 그의 기억을 도와주기도 한다.

떠날 때 중국집에서 온가족이 점심 먹은 얘긴 아까 했잖아요?

그래, 그랬지. 그게 산동루라구 오래된 집이야. 주인은 바뀌었더군.

그는 다시 어쩔 수 없이 까마득한 과거로 돌아가버리고 만다. 아버지를 따라 읍내 장에 나갔다가 처음으로 얻어먹은 짜장면 이야기다. 운동시간에 그가 몇번이나 되풀이했던 얘기였다. 그렇지, 아무리 최근의 기억이라 하여도 갇힌 자가 겪은 일들은 아물거리는 꿈과 같다.

기억이란 역시 그가 자유로웠을 때로 돌아가야만 완전해지지 않는가. 단숨에 들이마시듯 국숫발을 서너 젓가락에 빨아들이고 빈 그릇 앞에서 아쉬워하고 앉았던 그에게 아버지가 짜장면을 덜어주었다던가.

우리는 이야기를 듣고 나서 저 혼자라는 것을 언제나 뼈저리게 실감하는 화장실 쪽에 뚫린 작은 창가에 제각기 가서 선다. 초저녁 반달이 떠 있거나 별 몇점이 보일 것이다. 노을이 아직도 불그레하게 남아 있는 하늘 저 아래쪽에서 무슨 소리가 들리는 것만 같다. 새떼가 어제처럼 바로 지금 날아가고 있다. 그들이 돌아가는 강변 언덕에 줄지어 서 있을 키 큰 나무들이 떠오른다.

내게 바깥세상으로 나갈 기회가 돌아온 것은 교양강좌가 있은 뒤 열흘쯤 지나서였다. 날씨가 제법 쌀쌀해져서 세탁부에서 장기수들에게 솜이불이 지급되었다. 화학솜이라 새것도 두어 해만 쓰고 나면 솜이 뭉쳐서 이리저리 빈 동공을 만들어 홑겹질의 천으로 냉기가 스며들던 것이다. 그래서 수인들은 담당의 허가를 받아 출역 나간 다른 재소자들의 큰 방을 열어달라고 하여 지급받은 솜이불을 들고 들어간다. 마룻바닥에 이불을 펴놓고는 손으로 이불홑청을 더듬으며 속에서 뭉친 솜을 일일이 편다. 가지런하게 펴놓은 다음에 이불 가운데 여러 곳을 바늘실로 꿰매야 한다. 이제부터 월동준비가 시작된 셈이었다. 이불 안쪽에 사제 담요를 다시 꿰매기도 하고 담요 두 장을 겹쳐서 큼직한 자루 같은 침낭을 만들기도 한다. 구매봉사원에게 부탁하여 라면박스를 모아두었다가 얇은 스펀지 매트리스 밑에 깔기도 한다. 마루에서 올라오는 냉기로 겨울 아침에 일어나보면 매트리스 밑의 상자 골판지가 축축하게 젖어 있게 마련이었다. 차입되어 들어온 털양말 중에서 낡은 것을 골라 취침용 모자를 만든다. 밤이 되어 이불자락 밖으로 머리만 내밀고 자다 보면 귀와 코가 시려 저절로 잠이 깨곤 했다. 양말의 한쪽을 잘라 한묶음으로 만들어 꿰매면 손쉽게 털실모자가 되었다. 방에서 독서를 하노라면 아무래도 손이 시려 두 손으로 책을 오랫동안 잡고 있기가 어려운데 실내용 장갑도 만들어둔다. 운동할 때만 끼는 털실장갑은 안되고 작업용으로 지급되는 목장갑 두 벌을 합쳐서 손가락 끝부분을 자르고 바느질로 시치면 된다.

내가 그런 잡다한 월동준비를 하는 참인데 교무과에서 데리러 왔다. 과장이 부른다는 것이다. 교무과는 기름난로의 온기로 훈훈했다. 계장이 먼저 나를 기다리고 있었다. 그는 내게 따뜻한 차를 권하고 나서 말을 꺼냈다.

오형이 이번에 사회참관에 선정되었소. 나가 강력하게 추천을 했지라.

고맙군요.

헌디 조건이 있어요. 나가기 전에 우리헌티 서약서 한장 써야 쓸 것이고 잉, 돌아오면 소감문을 써야 합니다.

나는 곧 귀찮은 생각에다 무력해지는 기분이어서 맥없이 중얼거리고 말았다.

그럼 그만두지요 뭐.

어허, 그만두다니. 모처럼의 기횐디 암튼 나가셔야지. 그래서 서약서는 내가 다 작성해놓았구먼요. 밑이다가 이름만 쓰고 지장 찍으면 되지라.

그가 서약서라고 타자해놓은 종이를 내게 내밀었다. 앞으로 재소자 수칙을 준수할 것이며 참관 도중에 계도의 제반규칙을 어기지 않을 것과 범칙시에는 어떠한 처벌도 감수하겠다는 식이었다. 나는 그가 내미는 볼펜을 받아 수인번호와 낯설게 보이는 내 이름을 적어넣었고 엄지손가락에 인주를 묻혀 이름 끝에 찍었다. 뭔가 일을 저지르는 느낌이어서 엄지에 불그레하게 남아 있는 인주자국을 휴지로 지우고도 자꾸만 옷자락에다 문질렀다. 계장이 나에게 턱짓을 하면서 따라 들어오라고 말했다. 과장은 오십대의 살이 찐 사내였는데 눈두덩이 졸린 것처럼 아래로 축 늘어져 있는 인상이었다. 그는 목소리도 작고 졸린 듯했지만 두꺼운 눈꺼풀 아래에서 나를 노려보는 가느다란 눈매는 제법 날카로워 보였다. 계장이 말했다.

이번에 참관 나가는 사람입니다.

그가 과장에게 서약서를 올렸다. 과장은 귀찮은 듯이 종이 위로 잠깐 시선을 깔았다.

그동안 수형생활도 모범적으로 해냈고…… 우리들로서는 천사백사십사번이 건전한 국가관을 갖게 되리라는 기대를 하고 있어요. 아마 발전하는 사회를 보면 자기가 무엇을 해야 될지 깨닫는 바가 많을 것이오. 다녀오면 좋은 소감문이 나오겠지요?

글쎄요…… 너무 갑작스런 일이라……

과장이 계장을 쳐다보고 물었다.

어떻게…… 이 친구 혼자 나가나?

예, 다른 사람들은 심사에 들지 못했습니다.

과장이 고개를 끄덕이더니 다시 물었다.

시간은 얼마나 되나?

명일 공아홉시에 출발해서 일박이일입니다. 총 서른두 시간입니다.

뭐라구, 그럼 외박까지 하는 건가?

귀휴의 경우가 삼박이기 때문에 그렇게 하랍니다. 천사백사십사번이 서울 출신이라 일정이 그렇게 잡혔습니다.

야아, 소장님이 특혜를 내리셨구먼. 그럼 돌아온 뒤에 좋은 결과가 있기를 기대해보자구.

나는 교무과를 나오면서도 실감이 나질 않았다. 바로 내일, 집 근처로 가는구나. 가슴이 두근거리고 현기증이 날 정도였다. 사동으로 오르는 시멘트의 길목에 달려 있는 표어들을 입속으로 읽어본다. 눈물

어린 빵을 먹어보지 않은 사람은 인생을 논하지 말라. 쫓기지 말고 앞서서 행하라. 오늘 나는 가족을 위해 무슨 선행을 하였는가. 어머니 당신의 아들은 다시 태어납니다.

집에두 갈 수 있습니까?

내 옆에 계호하며 걷고 있는 계장에게 물었다.

사회참관이지 귀휴가 아니여.

하다가 그가 인심이라도 쓰듯이 말했다.

모르지, 오형 하기 나름이니까. 특별면회가 있을지……

사동으로 돌아와 내 방에 들어서자마자 이웃방에서 목소리들이 들려오기 시작했다. 건너편과 옆의 양쪽 방에서 미취업수들이 말을 건다.

오선생, 참관 나간다고? 축하해요.

자구 온다면서?

어디루 간답니까?

벌써 미리 알고 있던 담당이 귀띔을 해주었는지 소문이 파다하게 나버린 모양이다. 나는 어쩐지 미안해서 얼버무리고 만다.

뭐 당일치기겠지요. 아마 근처에서 뱅뱅 돌다가 들어올 게 뻔해요.

일정두 안 가르쳐줘?

글쎄 내일 아침에 나간답니다.

내가 시큰둥하게 나오자 남들도 김이 좀 샜는지 몇마디 더 물어보지 못하고 시찰구에서 사라진다. 나는 자리에 팔짱을 끼고 누웠다. 관광지도로 나가는 외출도 아니고 상상에 실린 넋이 과거를 향해 떠나는 그런 여행이 아니라, 내 멀쩡한 의식을 담고 있는 육신이 정말 바깥세상으로 나간다. 하지만 그때는 이것이 얼마나 애간장을 태우는 고문인지 깨닫지 못하였다. 징역에서는 삼년에서 사년 넘어가는 기간이 첫번째 고비라고 장기수들은 말했다. 오년을 넘기면 대충 살아지고 십년 어름에 가서 다음번 고비가 온다고 했다. 그러고 나서 간격은 점점 커지면서 감옥이 집이 되어버린다. 복도에 붙은 표어처럼 그맘때에 그는 전혀 다른 사람으로 태어나게 될 것이다.

꼭 한번 밖에 나가본 적이 있었다. 악성중이염으로 이비인후과 병원이 있는 시내 종합병원에 나가야 했기 때문이다. 비좁은 화장실에서 바가지로 물을 퍼서 머리에 끼얹는 냉수욕 탓이었을 것이다. 귀에 물이 들어갔는지 정수리를 두드리면 머릿속 한가운데서 목탁을 치는 듯 맑고 투명한 소리가 들려왔다. 그러려니 하고 넘겼다가 한시간이 넘게 그 지경이라 답답해서 나뭇가지로 뚫어보겠다고 몇차례 쑤신 것이 덧난 모양이었다. 아침에 잠이 깨고 보니 귀 언저리에 열이 나고 볼때기도 부어올랐으며 통증이 심했다. 처음에는 그저 욱신거리는 정도였다가 아픔이 깊어지고 맥박처럼 빨라졌다. 못 견딜 정도가 되어 의무실에 가서 호소했지만 귓구멍 근처에 소독약을 대충 발라주고 항생제 몇알 주는 것이 치료의 전부였다. 그날 밤은 그야말로 긴 악몽의 연속이었다. 이틀 밤을 그렇게 보내고 나서야 외부진료의 허가가 떨어졌다.

밖으로 나가기 전에 먼저 내가 이송 오던 날 입감수속을 했던 방에 가서 벌거벗고 몸수색을 받은 다음에 푸른 기결수복을 벗고 회색 이송복으로 갈아입었다. 발에는 뒤축을 잘라낸 검은 고무신을 신는다. 수갑을 차고 그 위에 포승줄을 묶고 연이어 두 팔뚝이 옆구리에 꼭 붙도록 묶은 다음에 뒤로 늘어뜨린 줄을 두 명이 일개조가 된 호송교도관 중 한사람이 잡는다. 어차피 점심은 소내에서 먹고 외부에 나가게 되어 있으니까 뭘 얻어먹을 생각은 하지 말아야 한다. 나는 그때 처음으로 사복한 주임과 교사의 모습을 보았다. 모자도 벗고 계급장도 없는 맨머리의 교도관들은 갑자기 이웃동네 사람들로 보였다.

지프 한대가 정문을 향하여 시동을 건 채로 우리를 기다리고 있었다. 나와 교사가 차례로 올라 뒷자리에 앉았고 운전기사 옆의 승차 책임자석에는 주임이 앉았다. 지프는 기적처럼 활짝 열린 거대한 철제 정문을 아무런 제지도 받지 않고 죽 빠져나갔다. 곁에 앉은 교사가 껌 두 개를 꺼내어 하나는 벗겨서 제 입에 넣고는 다시 한 개를 더 벗겨서 두 팔과 손을 움직일 수 없는 내 입술 끝에 갖다댔다. 나는 입을 벌렸고 껌이 입안으로 쑥 들어왔다. 그러므로 내게 자유의 냄새란 박하 향기로부터 시작되고 있었다.

다리를 건너갔다. 그게 한여름 장마철이었으니까 다리 아래로는 흙탕물이 되어버린 강이 둑에까지 찰랑찰랑 맞닿아 있었다. 날은 잔뜩 흐렸지만 비는 내리지 않았다. 나는 곁으로 지나치는 새로운 모양의 자동차들이며 그 안에 타고 있는 사람들을 고개를 젖히며 돌아볼 정도로 유심히 관찰했다. 아무도 이쪽을 마주 바라보는 사람은 없었다. 그들은 앞자리에 나란히 앉아 뭔가 이야기를 주고받으며 웃거나 그냥 혼자서 정면을 무심하게 보고 있을 뿐이었다. 다만 어느 노인이 건널목에서 신호가 바뀌기를 기다리고 서 있었는데 잠깐 나와 눈이 마주쳤다. 우리 차도 그때 네거리에서 기다리고 서 있었던 것이다. 그는 나와 눈길이 마주쳤을 때 얼른 고개를 돌려 다른 곳을 보더니 오래 참지 못하고 다시 자세히 살피려는 것처럼 고개를 바로했다. 그는 나를 뚫어져라 바라보았다. 신호가 바뀌고 우리 차가 먼저 그 자리를 떠났다.

여기다 세워.

주임이 두리번거리며 말했다.

병원 앞엔 주차장도 없단 말야. 거긴 더 복잡해.

여기선 멀지 않아요?

하는 교사의 물음에 주임이 먼저 문을 열면서 대답했다.

괜찮아, 백 미터두 안돼.

옆에 앉았던 교사가 내 등뒤의 포승줄을 한쪽 손에 몇번이고 감아서 움켜쥐고 내 등을 밀어냈다.

내려.

두 팔을 움직일 수 없는 나는 앞으로 넘어지지 않도록 조심하면서 지프에서 내렸고 차문 옆에 섰던 주임이 내 상반신을 받쳐주었다. 길에 내려서자 주임이 내 옆에 바짝 붙어서고 교사는 줄을 잡고 내 뒤에서 따라왔다. 나는 길 건너편의 가게며 음식점을 둘러보았다. 저쪽에 넓은 유리문이 달린 병원의 정문이 보였다. 부근의 금은방에선가 부인이 어린이의 손목을 잡고 나왔다. 아이는 칭얼대며 따라왔는데 두 사람은 우리 일행과 보도 가운데서 정면으로 부딪치게 되어 있었다. 아이의 찡그린 얼굴은 나를 보자마자 멍한 표정으로 변했다. 부인도 나를 보고 있었다. 내 발뒤꿈치에서는 뒤축을 잘라낸 고무신 바닥이 철떡이며 부딪는 소리가 들렸다. 나는 신발이 미끄러져 벗겨지지 않도록 보폭을 좁혀서 천천히 걸어가고 있었다. 아이가 제 엄마의 손을 잡고 흔들면서 묻는 소리가 들렸다.

엄마, 저 사람 누구야?

여자는 대답 없이 아이의 손을 한번 잡아채고는 걸음을 빨리해서 우리 곁을 지나갔다. 나는 어쩔 수 없이 참지 못하고 뒤를 돌아보았다. 그랬더니 그들 모자는 가다 말고 아예 그 자리에 나란히 서서 나를 바라보고 있었다. 내가 웃어 보였더니 여자가 다시 아이의 손목을 잡아채고 바삐 걸어갔다.

병원 안으로 들어섰을 때 대기실에는 디귿자로 배치된 소파가 있었고 접수창구를 향하여 일렬로 놓인 의자들이 보였다. 주임이 지정된 의사를 만나러 가고 나는 교사의 계호에 따라 안쪽의 소파로 가서 앉았다. 의자마다 사람들이 앉아 있었는데 기묘한 것은 그들의 아무렇지도 않은 것처럼 꾸민 얼굴들이었다. 그들은 거의가 나와 얼굴을 마주치지 않으려고 했고 무표정하게 앞만 바라보고 있었다. 나와 교사가 자리잡은 디귿자형의 소파에 앉은 사람들도 같은 표정이었다. 듬성듬성 빈자리가 있었지만 그쪽은 계속 비어 있었다. 지금도 생각나는 사람은 십대의 두 여학생이다. 그들이 정문에서부터 뭔가 재깔대고 열심히 이야기를 나누며 들어섰기 때문에 나는 그들의 움직임을 처음부터 보고 있었다. 아이들은 제 이야기에 팔려서 그냥 접수실 앞을 돌아 소파를 향하여 걸어왔다. 우리 앞의 네댓 발짝 앞에 와서야 그네들이 멈춰섰다. 그러고는 표정과 고갯짓으로 주고받았다. 어머, 저거 뭐지? 얘, 딴데루 가자.

마음속으로 몇번이나 중얼거린다. 나는 비도덕적인 국가권력에 대들었을 뿐 죄인이 아니다. 나는 쫓겨난 자가 아니다. 거부하고 스스로 나온 자다. 그러나 갈아입은 호송복에는 아무런 표식도 붙어 있지 않아서 천사백사십사번으로마저도 나는 인식되지 않는다. 나를 인식해줄 대상에 의해서 부정된 나는 여기 없다. 그야말로 말살되었다. 그것을 알면서도 나의 부재를 확인하기 위해 나는 다시 바깥으로 외출을 나가려 한다. 그들은 나에게 그곳으로 돌아가는 길을 확인시키고 연습시키려고 하지 않는가.

옷 갈아입히고 출발하지.

주임이 말하자 일행이 될 교사가 작업복 한벌을 내놓는다.

이거 방금 세탁부에서 타왔는데요. 맞을라나 모르겠는데. 천사백…… 아니, 오현우씨, 중은 작겠고 대 입으면 되나?

주머니가 많이 달린 진회색 작업복은 원래 사회에서는 새마을복으로 관공서에서 많이들 입었고 소에서는 외근자들이 입고 나가는 옷이었다.

여기 모자두 있어.

비슷한 회색 바탕에 재봉실로 새마을이라고 박은 모자도 책상 위에 놓여 있었다. 혁대와 운동화도 있고 돈도 보였다. 주임이 말했다.

그 삼만원 오현우씨 영치금에서 찾은 거야. 지니고 있어요. 자, 출발하지.

전에 병원에 나갔을 때처럼 지프가 정문 앞에서 기다리고 있었다. 나를 계호할 사람은 전담반장인 주임과 교사 두 사람이었다. 그들도 모두 양복이나 점퍼를 걸친 민간인 차림이었다. 우리는 다리를 건너갔다. 지프가 당도한 곳은 이선생이 말하던 대로 강을 건너서 시의 외곽에 새로 지었다는 고속버스터미널 앞이었다. 주임이 안에서와는 다른 목소리로 말했다.

오형, 고속버스 타본 지 오래됐지요?

버스로 갑니까, 서울까지?

우리한테는 그게 제일 편하겠지. 논스톱이니까.

교사가 점퍼 안주머니에서 표를 꺼내어 확인했다.

한 십분쯤 남았네요.

대합실에서 우리를 주의깊게 보는 사람은 없는 것 같았다. 나는 텔레비전이 잘 보이는 방향에 가서 앉았고 그들도 주위에 조금씩 떨어져 앉았다. 텔레비전에서는 프로야구를 중계하고 있었다. 나는 야구 선수들보다는 그 뒤의 관람석에 빼곡이 들어찬 관중들이 화면에 비칠 때마다 혹시나 하면서 재빠르게 살펴보았다. 어디 아는 얼굴이라도 없을까. 함성이 터지고 공이 날아가고 자리에서 일어나 소리를 질러대는 사람들이 보였다.

이거 한번 들어봐.

주임이 아이스크림을 내밀었다. 나는 전에 먹던 것인데도 어쩐지 낯설어서 잠깐 눈앞에 들고서 이 물건을 어떻게 처리해야 할지 궁리하고 앉아 있었다. 그렇지, 우선 포장지를 벗겨내야지. 포장지를 나선형으로 찢어내려가자 과자로 싼 아이스크림컵이 나타난다. 참, 먹을 것이 혀끝에 닿는 맛이란 날카롭기도 하여라. 마치 뇌리를 콕 찌르듯이 그전에 어디선가 똑같은 동작으로 첫입을 댔던 느낌이 되살아난다. 이선생의 산동루 짜장면처럼. 전쟁이 끝난 뒤 운동회날에 어머니가 역 앞에서 사주었다. 아이스크림 장사꾼은 얼음이 가득 찬 통에 끼운 작은 통을 빙빙 돌리면서 연신 떠들었다. 달고 시원한 아이스구리. 아이들은 속의 것을 다 빨아먹고 나서 눅눅해진 컵에 침을 잔뜩 적셔서 다른 아이의 등에다 살짝 붙여놓곤 했다. 찬 걸 먹어서 그랬는지 아니면 먼 길을 떠날 걱정 때문에 그랬는지 소변이 마려웠다.

화장실에 갈 수 없을까요?

작은 거야, 큰 거야?

주임이 묻고 나서 내 대답은 듣지도 않은 채로 점퍼차림의 교사에게 일렀다.

자네들이 계호해서 갔다와.

그들은 긴장된 얼굴로 미간을 찌푸리며 일어났다.

앞장서.

나는 대합실에 가득 찬 인파를 이리저리 피해서 화장실로 천천히 걸어갔다. 조바심이 생겼는지 점퍼의 교사가 내 등뒤에 바짝 다가서서 잰 걸음으로 걸으면서 속삭였다.

오현우씨 조심해요, 나 무장했어.

화장실에 들어서자 교사 한사람은 입구에 남고 점퍼만 따라 들어와 일을 보는 내 옆자리에 나란히 섰다. 그가 점퍼자락을 젖히고 자기 허리께를 보여주었다.

이거 보이지?

재소자들 말로 닭대가리가 가죽집 안에 묵직하게 걸려 있다. 그가 거울을 통해서 역시 거울 속의 나에게 말했다.

이러고 싶진 않지만 딴맘 먹지 말라고……

나는 말없이 웃어 보였다. 다시 인파를 헤치고 내가 앉았던 그 자리가 감방이기나 한 것처럼 열중해서 찾아 돌아온다.

우리는 버스에 올랐다. 그들은 나를 맨 뒷자리 쪽으로 몰았다. 권총을 찬 교사가 투덜댔다.

뭐야, 맨 뒷자리잖아.

주임이 말했다.

우리한텐 거기가 명당이야.

난 차멀미를 한다구요. 뒷자리는 많이 흔들릴 텐데.

그의 말에 나도 당장 멀미가 시작될 것처럼 메슥메슥했다. 나는 화창한 가을햇빛 때문에 어지러웠고 무엇보다도 이 많은 사람들과 가까이 섞인 채로 부대껴서 피로해 있었다.

차가 움직인다. 새로운 길들이 연이어 나타나고 낯익은 경부고속도로에 들어선다. 붉고 푸른 칠을 한 농가의 지붕들과 보고 싶던 먼산들이 진보라색으로 부옇게 하늘 속에 떠 있는 게 보인다. 추수가 끝난 들판가에 묶인 나락이 열병식을 하는 것처럼 늘어서 있다. 감이 빨간 점으로 매달린 숲이 나부끼는 걸개그림처럼 휘이익 흘러간다. 비좁은 담장 안에서 지겹도록 보았던 까치도 여기서는 먼곳까지 훨훨 거침없이 날아간다. 영화에 나오듯이 버스에서 뛰어내려 아득하게 보이는 들판 저 너머 보라색의 산그림자 속으로 스며들고 싶다. 세 사람은 의자의 등받이에 기대어 잠이 들었다. 주임만은 버스의 속도가 늦춰지면 게슴츠레한 눈을 뜨고 여기가 어디쯤인가 살피고는 나를 힐끗 보고 다시 눈을 감는다. 나는 잠들지 못한다. 그리고 풍경을 한꺼번에 흡수해버린다. 아마 돌아가면 쌓아둔 영양분을 아껴서 야금야금 섭취하듯이 머리와 가슴에 찍어서 압축해두었던 이 그림들을 오랫동안 되새김질할 거였다.

나는 서울로 돌아왔다. 먼데서도 그 기미를 알아챌 수가 있었다. 들판은 없어지고 차츰 다닥다닥 붙은 상처나 흠집 같은 건물들이 도로변과 언덕이나 산중턱에까지 많아지기 시작한다. 차는 거의 한방향으로만 일제히 몰려가고 있는 것 같다. 흐리지도 않았는데 하늘은 벌써 뿌옇게 뭔가가 끼어 있다. 날아가는 새들도 보이지 않는다.

거리를 걷는 여자들이 보인다. 종아리가, 치마 끝이, 엉덩이가, 머리카락에서 아래로 내려가 뒤축을 잔뜩 세운 구둣굽으로, 젊은 여자는 자유다. 특히 멀리서 볼 적에는 그렇다. 담배를 물고 와이셔츠 바람에 슬슬 건물 앞을 거니는 사내가 보인다. 버스를 기다리는 정류장 앞의 작은 무리들. 저것이 내가 쫓겨난 사회다. 다시 돌아갈 기한도 없는. 나는 이 버스의 흘러가는 유리창으로밖에는 저기에 동참할 수 없다.

서울 지리를 잘 모르던 남수의 푸념이 생각났다. 남수가 도피를 했던 초창기의 일이다. 나는 서울에서 그가 안정될 때까지 도와주고 안내하는 역을 맡았는데 낮이건 밤이건 교대자가 있기 전에는 그를 떼어놓고 단독행동을 할 수가 없었다. 처음 며칠은 밀린 얘기도 나누고 지방에 남은 후배들 소식도 듣고 했지만 일주일이 못 가서 화젯거리가 다 떨어지고 말았다. 어느날은 혼자 볼일이 생겨서 그를 데리고 우리가 잠시 머물고 있던 숙소 근처의 변두리 영화관에 갔다. 시간 가늠을 해보니까 세 시간쯤 걸릴 것 같아서 남수에게 간판을 손가락질해주면서 말했다.

저거 봐라. 연속으로 두 번을 때리고 나면 내가 볼일을 다 보고 극장 앞에서 기다리구 있을 거야.

남수는 언제나처럼 씩 웃으며 매표구 옆에 붙은 스틸사진들을 훑어보았다.

한나는 무협영화고 또 한나는 애정물인 모양인디, 오늘 문화행사는 겁나게 문무겸비로구만 잉.

서울살이라는 게 늘 그렇지만 돌아서고 나면 십분 전의 일도 잊어버리고 바로 그 자리에서 겪고 있는 눈앞의 현실만 남게 마련인지라,

내가 볼일을 끝낸 것은 네 시간이 넘어서였다. 버스에서 내려 약속장소로 가는데 날은 벌써 어두워지고 퇴근하는 사람들로 거리는 복잡했다. 멀리 영화관 입구가 보이는 데서 나는 저절로 발길을 멈추고 바라보았다. 사람이 드나드는 매표구와 출입구에서 비켜난 큰 유리문으로 오르는 계단에 남수 혼자 우두커니 앉아 있었다. 나는 미안하기도 하고 그런 몰골이 답답하기도 해서 지레 화를 내면서 그에게 다가갔다.

도대체 지금이 몇신데 여태 여기 앉아 있는 거야?

화면에 나오기만 하면 치고 패는 놈은 끝까지 보고요, 얼싸안고 뽀뽀하고 울어쌓고 하는 연놈은 보다가 초반에 나와버렸응께 아매 한두어 시간 넘었을 거여.

야, 우리 묵는 여인숙이 바로 여기서 지척인데 니가 여기 없으면 당연히 내가 그리로 찾아갈 거 아니냐.

길을 알아야제.

허어, 이런 답답하기는…… 너 맨날 나다니던 시장통이 바로 옆길이다. 그쪽으루 쭉 올라가면 아리랑 여인숙이라구 빨간 네온불빛이 보이잖아.

나는 무엇보다도 누구의 눈에나 잘 띄는 영화관 정면 계단에 앉았던 그가 못마땅해서 몇번 더 구시렁거렸다.

그러다가 찾는 놈들 눈에 띄면 어떻게 할려구 그래. 네 몸이 너 하나 몸인가 말야.

빠른 걸음으로 긴장해서 바삐 걷고 있는 내 등뒤에서 남수가 투덜거렸다.

서울은 복잡해서 뭔 속인가를 모르겄소. 동서남북이 따로 없더랑께.

나는 조금은 냉정하게 짜증을 내버렸다.

일꾼은 도시를 알아야 한다더라. 이건 그냥 도회지를 얘기하는 게 아냐. 그 복잡함 속에 뭔가 있거든.

그랬더니 남수는 우물우물 혼잣말하듯이 뒷전에서 중얼거렸다.

니미…… 몰라두 괘않아라우. 나중에 다 부셔버릴 팅께.

고속버스가 낯익은 터미널 안으로 들어간다. 사람들은 저마다 선반에서 가방과 짐을 챙겨들었지만 우리 일행은 맨 뒷좌석에서 꼼짝도 하지 않는다. 승객들이 거의 다 내리자 주임이 먼저 통로를 빠져나갔다. 그 뒤에 내가 서고 교사 두 사람이 내 뒤에 붙어섰다. 나는 그들이 염려하는 것과는 달리 오히려 포승줄을 잡은 계호자 없이는 걸음을 뗄 수 없을 정도로 불안해진다. 몇년 동안 이렇게 사방으로 길이 있는 너른 공간을 혼자서 이동해본 적이 없었기 때문이다. 고속버스 정류장에서, 터미널 건물 안의 번잡한 대합실에서, 나는 잠깐씩 방향을 잃고 멍하니 서 있었다.

왜 그래?

뒤에서 따라오던 양복차림의 교사가 물었고 점퍼가 가볍게 내 등을 밀었다.

저기 주임님 뒤통수 보이지? 따라가기만 하면 된다구.

엇갈려 지나치는 사람들의 물결 속에서 주임의 치깎은 짧은 뒷머리를 발견하고 그를 좇아간다. 양복이 말한다.

여기두 저 안하구 다를 게 없다구 생각해요. 그럼 훨씬 편해질걸.

나는 대꾸를 하진 않았지만 그렇겠다며 마음속으로 끄덕거린다. 그래, 나는 거대한 감옥 속에 되돌아온 것이다. 밖에 나오자마자 도심지의 한복판이었다. 주임이 기다리고 섰다가 모두 모이자 시계를 보고는 말했다.

가만있자…… 벌써 점심때잖아. 어떻게 할까.

뭘 어떻게 해요. 예정대루 하면 되죠.

예정표가…… 응, 여기 있어.

주임이 수첩을 펼쳐들고 들여다보다가 나에게 물었다.

점심 먹고, 고궁 견학하고, 개봉영화 하나 보고, 백화점 참관하면 오늘 일과 끝이야. 무엇부터 할래?

나는 그가 말한 장소가 구체적으로 어떤 곳인지 기억이 나질 않았다. 구치소에서 재판받으려고 법원을 오갈 적에도 호송버스에 탄 피의자들은 모두 철망이 쳐진 창가에 앉으려고 앞을 다투었다. 그래야만 낯익은 거리의 어느 한 모퉁이라도 훔쳐볼 수가 있었으니까. 하지만 창에 이마를 처박고 바라본다 한들 건성으로 고개만 그쪽에 돌리고 있을 뿐 아무것도 뇌리에 남는 것은 없다. 그곳은 이미 그가 떠나 버린 곳이며 끼여들 수 없는 곳이기 때문이다.

글쎄요, 난 어디가 좋을지 잘 모르겠는데.

나는 어정쩡하게 대답했고 점퍼가 주임에게 말했다.

남은 시간에 거길 다 가볼 수 있겠어요? 우선 밥부터 먹읍시다. 시간을 보아가면서 일정 조정을 해야죠.

주임이 결정을 했다는 듯이 앞장을 섰다.

자아, 택시를 타야지.

우리는 다른 선량한 시민들처럼 줄에 서서 기다렸다가 택시에 오른다. 운전석 옆에 앉은 주임이 말했다.

단성사 앞으로 갑시다.

하고 나서 그가 고개를 뒤로 돌리며 동료들에게 말했다.

내가 영화 프로를 다 봐두었거든. 역시 홍콩 무협영화가 시간이 잘 가데. 밥은 표 사놓고 근처에서 먹지 뭐.

종로 거리는 여전히 자동차와 행인으로 붐볐고 나는 아까 대합실에서보다는 훨씬 보행에 익숙해졌다. 양복이 가서 표를 사왔는데 다음번 상영이 한시간쯤 남아 있었다.

어때, 불백 한번 먹어봐야지?

주임이 두리번거리면서 건너편 피카디리극장 골목이며 단성사 골목을 바라보았다.

어디 괜찮은 한식집 있나 찾아봐라.

저쪽 건너편이 훨씬 나을 것 같은데요.

나는 그들이 이끄는 대로 길을 건너갔다. 마침 점심시간이라 식당은 빈자리가 별로 많지 않았다. 사실은 소방서 옆에 있던 옛날 중국집을 보면서 짜장면이 먹고 싶었지만 불고기라는 말을 듣자 금방 포기해버렸다. 이상하게도 징역에서건 군대에서건 상상과 현실의 차이가 많아서인지 고급스런 음식은 생각나지 않는 법이다. 요리책을 들추며 '외식'을 나가는 경우에도 전문요리가가 만들었을 듯한 음식은 대충대충 넘어가고 집에서 친근하게 먹던 음식에 눈길이 오래 머물곤 했다. 어두컴컴하고 식탁도 더러운 중국 만두집의 장정 주먹만한 고기만두를 생각했다. 털이 그대로 박혀 있는 돼지비계가 야채 속 사이에서 튀어나오곤 했지. 아니면 밀가루 반죽을 치대는 요란한 소리가 들리고 나서 둥근 팬에 불길이 솟아오르도록 돼지고기며 야채를 장과 함께 급하게 볶아대는 소리와 냄새가 풍겨나오고도 한참 만에 나오던 짜장면 생각이 간절했다. 운동시간에 수인들 사이에 먹는 얘기가 나오면 서로 다른 고장과 동네의 짜장면 자랑이 한참이나 계속되었다. 어떤 경우에는 어린 일반수 둘이서 음식 얘기를 하다가 탕수육과 잡채 중에 어느 것이 더 맛있느냐는 의견 차이로 코피가 터지도록 싸우는 것도 보았다. 한데 왜 불고기 생각은 못했던 걸까.

우리 네 사람은 홀을 지나 신발을 벗고 올라앉는 큰 마루의 맨 구석자리에 가서 앉았다. 불고기가 지글대며 익어가기 시작하자 점퍼가 젓가락으로 집어다 내 접시에 얹어주었다.

야아, 징역 좋다 증말……

주임이 옆자리에 슬쩍 눈길을 주고 나서 얼굴을 찌푸렸다.

쓸데없는 소린 그만둬. 오형, 많이 들어. 우린 평소에 자주 먹는다구.

나는 고기를 입안에 넣고 우물거린다. 부드럽게 씹히면서 마늘맛과 달착한 양념맛이 입안에 가득 찬다. 그래 양념을 처음 먹는 것이다. 안에서의 김치는 언제나 소금과 검붉기만 하고 맵지는 않은 고춧가루뿐이었다.

사회가 좋긴 좋지 머.

양복쟁이가 중얼거린다. 나는 어쩐지 눈알이 맵싸해져서 그들에게 알려질까봐 고개를 숙인다. 젓가락질을 그치고 앉았더니 주임이 묻는다.

왜 그래, 식성에 안 맞어?

아뇨…… 좀 매워서.

그럴 거야. 오랜만일 테니까. 그러구 말야 술두 한잔 해야지. 뭘 좋아해, 소주 아니면 맥주?

맥주가 좋겠군요.

그가 맥주를 시킨다. 차갑게 식힌 맥주가 나오고 거품이 찰찰 넘치도록 따른 잔이 내 앞에 놓인다.

자아, 축하합니다아.

점퍼가 내 얼굴 앞에 잔을 쳐들어 보이며 말했다. 양복이 얼결에 자기도 잔을 쳐들면서 점퍼에게 물었다.

뭐야, 뭘 축하해?

석방을 축하한다. 이건 연습이지만 말야.

맥주 몇잔이 목구멍을 넘어가니까 대번에 얼굴이 화끈해졌다. 그리고 기분도 느긋하게 좋아졌다. 내가 정말 놓여난 게 아닐까 하는 착각이 들 정도였다.

영화관의 어둠속에서도 나는 친구들과 어울려 휴일을 보내는 기분이었다. 스님이나 군인이나 아니면 어디 직장이 뚜렷하지 않은 젊은 이들이 유일하게 사회와 만나는 접점이 영화관이다. 그것은 다른 세상의 얘기이기도 하고 남의 나라 그림이기도 하지만 세상사람들이 지금 보고 느끼고 기억하는 시간에 동참하는 셈이기 때문이다. 그런 점에서는 신문은 덜 선명하지만 나중에 오랜 뒤에 신문 잡지의 구독이 허용되었던 때의 충격은 몇달 동안이나 계속되었다. 자기만 빠진 세상이 아직 아무런 일도 없다는 듯 건재하고 있었던 것이다.

영화관에서 나왔지만 아직도 대낮이었고 세시 반쯤 되었다. 나는 눈부신 오후의 가을햇살에 눈이 멀 지경이었다. 사람들의 옷이며 갖가지 색깔이 너무도 선명해서 거리가 온통 무슨 잔칫날 같았다. 그들은 무심하게 흘러갔다. 주임이 말했다.

야, 이젠 별루 시간이 없는데 말야, 백화점말구 다른 데 없을까?

양복쟁이가 내게 물었다.

시장두 괜찮지요?

시장? 그거 계호상 곤란한데……

점퍼가 주임을 쳐다보았다.

응 맞어, 여기서 동대문시장이 지척이야. 거기나 한바꾸 돌지 뭐.

나는 그저 우두커니 네거리에 서서 그들이 주고받는 말을 듣기만 했다. 내가 아무 말이 없으니까 그들은 으레 내가 찬성한 걸로 알았는지 동대문을 향하여 종로통을 걷기 시작했다. 가는 도중에 나도 차츰 시장에 가보기로 한 게 잘되었다고 생각했다. 종로 오가를 넘어서자 시장은 벌써 시작되고 있었다. 우리는 길을 건너서 곧장 재래시장 속으로 들어갔다. 넷이나 되던 우리는 주임과 내가 앞에 서고 양복과 점퍼는 뒤에 따라붙은 행렬이 되어 어슬렁어슬렁 좌판 사이를 돌아다녔다. 골라 골라 티 한장 단돈 천원, 바지 오천원. 아씨, 한번 보고 가세요. 보세 잠바, 오리털 파카, 거저요 거저. 여어, 짐 나가요, 길 비켜요.

내게는 시장의 소음이 먼 유리창 너머로 들려오는 아이들의 재깔거림처럼 느껴졌다. 귀가 막혔다가 서서히 뚫려갈 때같이 곁의 주임 목소리만이 크게 들렸다가는 다시 멀어지곤 했다. 주임이 말했다.

오형, 뭐 아무거나 안 사? 사라구, 영치금 내준 거 있잖아.

아 그렇지, 내 작업복 주머니 안에 절반으로 접은 삼만원을 만지작거려보았다. 나는 한손을 바지 주머니에 찌른 채 무엇을 살까 둘러보았다. 주임이 다시 말했다.

헌데 말야, 차입 허가품만 사야 될 거야. 아니면 돌아가서 영치당하니까.

그제야 남겨두고 온 동료들 생각이 났다. 속옷을 파는 좌판 앞에 섰다. 운동시간에 사각팬티를 입는데 아무래도 관급품은 흰색이라서 잘 더러워진다. 추운 겨울에는 교도소 패션이라 하여 무슨 권투선수 흉내라도 내듯이 두꺼운 내의를 입은 위에다 사각팬티를 겹쳐 입는다. 그러면 내복바람으로 밖에 나온 것처럼 보이지는 않지만 서로 괴상한 모양을 손가락질하며 웃었다. 나는 줄무늬며 추상무늬와 물방울 점이 찍힌 팬티를 큼직한 걸로 골랐다. 그리고 수인복 안에다 입을 긴팔 면셔츠도 몇장 산다. 색깔은 회색, 곤색, 흰색, 검정색밖에는 허용이 되지 않는다. 글씨가 박혀 있거나 요란한 무늬는 안된다. 삼만원이 다 나가버린다. 그래도 내 손으로 돈을 주고 물건을 샀다.

자아, 오늘도 무사히 일과 끝이야.

주임이 시계를 보면서 말했고 양복이 덧붙였다.

얼른 집으루 갑시다.

난 오늘 외박할 거야.

점퍼가 말하자 주임이 물었다.

소에 돌아갈 때까지 근무중인데 어딜 나간다구 그래?

아니 그럼 우리두 거기서 자야 돼요?

숙직실이 어때서…… 출장비 아껴야지. 근처에 나와서 한잔 하는 건 괜찮겠지만.

나도 그제야 주임에게 묻는다.

어디 또 갈 데가 있습니까?

아, 모르고 있었나? 규정상 숙박은 교도소에서 하기루 되어 있어. 그 대신 내일은 기대를 해두 좋을 거야.

내일 돌아가지 않나요?

폐방 전까지만 돌아가면 된다구.

일행은 다시 택시를 잡아탔다. 앞자리에서 주임이 기사에게 말했다.

안양으루 갑시다.

택시기사가 뒷거울을 통해 우리를 힐끗 건너다보면서 말했다.

안양 어디쯤요?

점퍼가 말했다.

교도소요. 지금 우린 호송중이니까 좀 밟으쇼. 교통은 책임질 테니.

나는 택시 뒷자리에서 두 사람 사이에 끼여앉으니까 처음 구치소로 넘어가던 생각이 났다. 그때는 밤이었고 비가 내렸다. 손목을 조여오는 수갑이 몹시 차갑게 느껴지던 생각이 난다. 정문 앞에 내려서 교도소의 샛문을 지나 표백된 것처럼 새하얀 바깥담장의 안으로 들어서자 밥냄새가 담장 안쪽에서 풍겨왔다. 스피커에서는 마침 일과 끝 나팔소리가 들려오고 있었다.

칼처럼 맞춰 왔구나.

다시 두번째의 담장을 지나 본관건물로 들어선다. 보안과에 들어서니 야근조와 주간조가 교대하고 퇴근준비 하느라고 법석이었다. 제복을 입은 사람들 사이에 무슨 장사치들처럼 우리는 서서 기다렸다. 주임과 계장이 안에서 나왔다. 계장이 서류를 들고 나와 나를 훑어보고는 주임에게 물었다.

저녁 멕였어요?

시간이 별루 없어서요. 여기 직원식당에서 국밥이라두 하나 시켜주면 좋겠는데.

그러지 뭐. 하여튼 접견실루 데려가서 밥 멕이구 집어넣도록 해요.

계장이 나에게 교도 한사람을 붙여주었고 주임은 내게 말했다.

오늘 피곤할 테니까 저녁 먹구 들어가서 일찍 쉬어. 낼은 좋은 일이 있을 거야.

점퍼와 양복은 소파에 앉은 채로 손을 들어 보였다. 나는 교도를 따라 이층으로 올라갔고 탁자와 소파만이 있는 특별접견실로 들어섰다. 젊은 교도는 나에게 아무 말도 걸지 않았다. 다만 국밥을 시키는 전화를 하고 나서 한마디 물었을 뿐이다.

뭐요…… 귀휴요?

아뇨, 사회참관입니다.

내가 우거지국밥에 깍두기를 넣어 먹고 있는 동안 그는 무슨 외국어라도 배우는지 작은 녹음기를 한손에 들고 한쪽 귀에 이어폰을 꽂고 서 있었다. 그는 입속으로 몇마디 중얼거려보기도 했다. 식사를 마치자 그가 나를 앞세우고 짤막한 단어로 명령하면서 몰고 갔다. 앞으로, 좌로, 우로, 돌아, 거기 서, 차렷. 내가 간 곳은 접견실 부근에 있는 만기방이었다.

제법 너른 방인데 온돌이고 벽에는 조잡한 무늬였지만 벽지도 발랐다. 온돌바닥에 불을 넣었는지 제법 따뜻하다. 나를 방안에 밀어넣고 나서 그가 역시 다른 감방과 같은 모양의 철문을 요란하게 닫고는 쇠빗장을 지르고 자물쇠를 채웠다. 그가 복도의 중간에 있는 담당에게 외치는 소리가 들렸다.

타소 위탁자 추가 일명이야.

그래도 만기방에 들었는데 어쩐지 타관 객지에 멀리 온 것같이 낯설고 내 조그만 시멘트 방이 그리웠다. 나는 이불을 쓰고 누워서 천장의 얼룩진 곰팡이 부분에 새로운 형상을 그려본다. 벽에 뭔가 적혀 있다. 자세히 보니 석방 날짜와 이름과 한줄짜리 감상이다. 그런 문장은 벽에 틈틈이 깨알 같은 글씨로 적혀 있다. 저들은 여기 무슨 인간적인 흔적을 남기고 싶었던 것일까.

숙아, 내일 나는 네게로 간다.

피눈물의 십삼년.

돌아가신 아버님, 아들은 집으로 갑니다.

교사 박갑준 평생 해처먹어라. 너는 나에 철천지 원수다.

흘러간 내 청춘이여!

후배들아, 절대로 죄짓지 마라. 여기는 인간 쓰레기통이다.

돈이 웬수다. 무전유죄.

바다밑 깊숙이 잠수하는 이들은 수압과 산소에 의한 신체변화를 조절하기 위해 물밖으로 나오기 전에 중간대기실에 머문다고 하던데. 아니면 옛 전설에 나오듯이 저승과 이승 사이에는 망각의 강이나 방이 있어서 그곳을 거쳐 속세로 나오면 모든 지난 일을 잊는다고도 했지. 일반수들은 대개 이곳에서 사흘이나 적어도 이틀은 지내게 된다. 여기는 이미 교도소의 안쪽 담을 벗어난 곳이라서 반쯤은 정신과 몸을 담장 밖으로 내놓고 지내는 셈이다. 그 몇밤 사이에 석방자는 소에서의 모든 일을 잊어버리게 된다. 아마도 나가서 집에 돌아가 새로운 일상과 부딪치며 일주일쯤 지나면 그는 끊겼던 몇년 전의 자신의 과거와 자연스럽게 연결되어 있음을 깨닫게 될 것이다. 다만 흐르는 물처럼 세상만이 저만큼 지나가 있으며 그가 여기에 지금 내딛고 잠근 두 발이 예전의 그 물인 줄 착각하고 있을 뿐이다.

잠자리가 바뀌어서 그런지 밤잠을 설쳤다. 이곳도 날이 새자마자 일과가 빈틈없이 시작되었다. 교대가 오고 나서 나를 데려왔던 담당이 문을 따주었다. 나는 어제처럼 다시 같은 길을 돌고 돌아서 접견실 건물 쪽으로 갔다. 방안에 주임과 점퍼는 보이지 않았고 양복만 혼자 앉아 있었다.

아침은 벌써 드셨어?

관식이 나와서……

주임님이 곧 오실 거요. 누가 오형을 찾아왔는지 맞춰보쇼.

나는 누군가 면회를 올 것 같다는 생각은 하고 있었다. 양복이 소곤거리는 목소리로 말했다.

당신이 한장 썼으면 집에두 보냈을 텐데, 이번은 귀휴도 아니고 참관중에 가족 특별접견은 특혜 중의 특혜야.

가족이라구요?

되묻는데 문이 열리더니 주임이 어제의 사복차림 그대로 당직계장과 함께 들어섰다. 주임이 갑자기 말을 올리면서 점잖게 말했다.

오현우씨, 누님께서 오셨어요.

그들의 등뒤에서 문이 조심스럽게 빠끔히 열리며 누님의 얼굴이 나타났다. 그네의 뒤로 머리가 벗어진 덕에 늘 쓰고 다니는 자형의 낯익은 모자도 보였다. 나는 얼결에 의자에서 일어섰다.

두 분께서 웬일이세요?

누님은 내 두 손을 마주잡고 흔들었는데 안경 속에서 벌써 눈자위가 붉어져 있었다. 당직계장이 말했다.

어서들 앉으세요. 특별접견이니까 시간은 충분합니다. 마음놓고 말씀 나누다 가십시오.

계장이 눈짓을 하자 주임만 구석의 접는 의자에 앉고 양복은 계장과 함께 나갔다. 누님은 커다란 쇼핑백 두 개를 들고 있었다. 주임이 물었다.

정문에서 검신한 물건이죠?

예, 염려 마세요. 음식이에요.

누님은 아직도 철망이나 아크릴 칸막이도 없이 나와 생짜로 만난 것이 믿기지 않는 표정이었다. 누님과 자형 부부는 지난봄에 왔었으니까 반년이 넘어서 다시 보는 셈이었다. 접견실 소지가 쟁반에 차를 받쳐들고 들어와 우리 자리에 얌전히 놓고 나갔다. 나는 별로 할말이 없고 두 사람도 잠시 가만히 앉아 있었다. 접견일지를 들고 앉은 주임도 펜을 멈추고 가만히 기다리고 있었다. 누님이 먼저 입을 떼었다.

그래 너 시내 돌아다녔다면서……?

나는 고개를 끄덕였다. 자형도 말을 꺼낸다.

어제 아침에 갑자기 연락이 와서 느이 누난 밤새 한잠두 못 잤어.

늘 폐만 끼쳐드려 죄송합니다.

건강하게 있다가…… 빨리 나와야지.

누님이 쇼핑백을 부스럭거리며 뒤진다.

내가 뭘 좀 만들어왔다. 그리구 너 월동준비도 해야겠지. 스웨터 두 벌하구, 니 말마따나 동내의 얇은 걸루 두 벌이랑 털양말, 그렇게 맡겨뒀다.

뒷전에서 주임이 가장 정확하다는 듯이 말을 거든다.

우리가 보관하구 있어요. 소에 돌아가면 영치품 수속을 밟아 내주도록 하지.

누님은 쇼핑백에서 은박지에 싼 먹을거리들을 차례로 꺼내어 탁자 위에 펼쳐놓기 시작했다. 그리고 껍질을 까듯이 은박지를 벗겨나갔다.

이게 뭔가 좀 봐라. 엄마가 만드시던 그 김밥이야.

나는 그것에 대해서 잘 알고 있다. 나뿐만 아니라 우리 형제들은 모두가 그 김밥을 싸들고 소풍이며 운동회를 치렀다. 우리는 어머니가 김밥을 쌀 때면 그 주위를 맴돌며 속이 비져나온 양쪽 끝조각을 먼저 집어먹으려고 다투곤 했다. 그래서 누구나 우리 김밥의 조리법을 잘 알고 있었다. 마른 김을 가볍게 굽는다. 그리고 그 위에 붓으로 참기름을 엷게 바른다. 고실고실한 밥을 김에 펴놓고 가운데에다 속을 가지런하게 늘어놓는다. 이 속이 맛의 비결이었다. 고기 다진 것을 달큼짭조름하게 간이 배도록 볶아두고, 시금치는 풀이 완전히 죽지 않게 무치고, 옛날식의 껍질이 쪼글쪼글한 단무지를 길게 썰어두고, 계란을 얇게 부쳐 썰어둔다. 여기서 한가지만 빠져도 맛이 가버리는 법이다. 어머니는 이것들을 왕골 발로 싸서 조심스럽게 말아나가면서 둥근 형태를 잡는다. 그러고는 참기름 바른 칼로 알맞은 두께로 썰어내는 것이다.

김밥 옆에는 잘 두드려 펴서 갖은양념을 한 다음 숯불에 굽는 서울식 너비아니, 기름기 빠진 갈비찜, 버섯과 나물 몇가지, 눈깔사탕만큼 조그맣게 지진 굴전과 똥그랑땡, 그리고 제철 과일인 배와 단감, 보온병에는 식혜도 들어 있다. 나는 우선 김밥을 먼저 집어서 우물거리며 맛을 보았다. 영등포의 일본식 붙박이장이 많던 영단주택이 생각난다. 나는 그제야 뒤늦게 어머니 안부를 물었다.

어머닌 잘 계셔요?

누님이 탁자 위로 고개를 숙이고 쳐들지를 않는다. 모두 말이 없다. 어머니가 아크릴 사이에서나마 면회를 하고 간 게 벌써 일년 반이 되었다. 누님이 아까보다 더욱 붉어진 눈으로 말했다.

어서…… 음식이나 먹어라.

좀 편찮으시다더니, 별일은 없는 거죠?

누님이 마지못한 듯 대답했다.

그냥 그러셔. 어서 먹어.

나는 볼이 미어지도록 김밥을 집어넣었다. 다행히 아침에 관식이 나왔을 때 전날 시내에서의 화려한 식사를 생각하고는 수저가 떠지질 않아서 몇번 대었다가 말았던 터였다. 나는 그들과 점심시간이 넘을 때까지 무슨 이야기를 간간이 주고받았는지 기억이 없다. 다만 무둑하게 먹어댔을 뿐이다. 나중에는 숨이 가빠져서 목구멍이 무직할 지경이었다. 그들이 일어설 제 주임은 내가 계단 아래까지 배웅하는 것만은 허락했다. 누님이 먼저 내 손을 잡고 작별했다.

마음 단단히 먹어라. 밖에선 두 차례나 올림픽 한다구 법석이야. 그때가 되면 무슨 변화가 있지 않겠니?

까짓 거, 잘 지내구 있어요.

이제 자형 차례가 되었는데 과묵한 그가 모자를 쓰지 않고 캡의 챙 부분을 두 손으로 만지작거리면서 중얼거렸다.

사실은 말야…… 처남한테…… 내 할말이 있는데. 사실은 저, 어머님이 돌아가셨어. 지난 구월에……

돌아섰던 누님이 내친 김이라고 여겼는지 한꺼번에 말했다.

척추암이셨어. 작년 겨울에 눈길에서 넘어져서 그동안 내내 누워만 계시더니. 병원에서 할 수 없이 퇴원하시구두 반년쯤 사시다가…… 우리가 산소 잘 모셔드렸다.

나는 우두커니 서서 두 사람을 바라보았다.

무슨 말씀 없으셨어요?

누님은 이젠 웃는 얼굴이 되었다.

너 꼭 장가 보내주라구 신신당부하셨어. 그래, 이젠 들어가거라, 우린 간다.

그들이 정문을 향하여 마당을 가로지를 때 주임이 말했다.

우리두 떠날 준비를 해야지.

오후에 주임과 교사 두 사람 그리고 나는 처음처럼 다시 고속버스를 타고 남쪽으로 향했다. 바람이 불고 하늘은 잔뜩 찌푸려 있었다. 나는 그저 무덤덤했다. 주임은 내게 사회참관을 하고 나니 감상이 어떻더냐고 물었지만 나는 망설이지 않고 대답했다.

소풍 가기 전날이 좋은 거 아뇨?

그는 무슨 소린지 못 알아들었겠지만 나는 어릴 적부터 그랬다. 어쩐지 좋은 날이 따로 없었고 시시둥한 느낌이었다. 다만 그 직전에 가슴이 울렁거리는 설렘이 잠깐 지나갔을 뿐이었다. 소풍날도 설날도 내 생일도 별로 신통치 않기는 마찬가지였다. 신나는 샛강에서의 고기잡이에 정신이 없다가도 휴일이 끝나면 이튿날 특히 비 내리는 썰렁한 월요일에 학교 갈 일이 먼저 떠올라버리던 것이다. 소풍이 끝나면 시험을 보아야 하고, 설이나 생일이 끝나면 남은 음식처럼 쉬지근해진 무채색의 날이 밝는다. 나는 이 짧은 여행이 나의 오랜 상처가 되리라는 것을 알았다. 이 기억은 가끔 궂은 날이면 내 가슴을 쿡쿡 쑤셔댈 것이다.

22

그해 가을, 정확하게는 시월 중순에 정희가 결혼했다. 상대는 물론 군의관 갔다가 제대한 박형이었다. 나는 평소처럼 동생이 근무하는 대학병원 근처의 까페로 가서 그애를 만났다. 박형은 학위 때문에 다시 학교로 돌아와 정희와 함께 근무하게 되었다. 내가 정각에 도착했는데도 동생은 먼저 와서 기다리고 앉아 있었다.

너 오늘 웬일이니, 한가한 모양이지?

오늘 모처럼 박형 수술이 없는 날이래. 먼저 나가 있으라구 그랬어.

정희는 그전과는 많이 달라진 것처럼 보였다. 전에는 눈가에 피곤한 주름이 잡혀 있거나 때묻은 가운을 아무렇게나 구겨입은 채로 나온 적도 있었고 대개는 바지차림일 때가 많았다. 그맘때에 정희는 막 피어나는 중이었다. 여자 나이 스물일곱이면 그리 적은 것도 아니었지만 정희는 아직도 대학 초년생 같은 솜털이 보송보송한 얼굴이었다. 나보다는 얼굴이 좀 통통한 편이었고 여자다웠다고나 할까. 정희의 눈과 입술을 보니 나오면서 새로 화장한 듯했다. 나는 여전히 아무렇게나 머리를 묶고 물감 묻은 청바지에 얇은 카디건 차림이었지만, 정희는 검은 원피스에 목걸이와 귀걸이까지 하고 있었다.

애, 난 그냥 차나 한잔 하구 가야겠다.

왜 그래. 박형이 모처럼 저녁 산다는데.

글쎄 내가 끼여두 되나 몰라.

실은 우리…… 언니한테 할말이 있어.

나는 그 무렵에 개인전 준비를 하고 있었다. 어떻게든 나 자신 속으로 몰두할 일거리를 찾지 않으면 폭발해버리거나 무너져내릴 것만 같아서였다. 은결이는 제법 지각있는 말을 종알거릴 정도로 자랐다.

나 결혼할 거야.

정희가 말했고 나도 대수롭지 않게 받았다.

당연하잖아. 그 사람 제대두 했구 직장도 생긴 셈이니까. 어머니껜 말씀드렸니?

어머니가 먼저 꺼내셨어. 지난달에 양가 부모님도 만나뵈었구 날짜도 잡아놨어.

어머, 이런 고얀 것들이…… 느이들 그러니까 나만 쏙 빼놓구 인제 마지막 통고 하는 거야. 언제지, 날짜가?

이달 십육일.

겨우 두 주 남았잖아.

미안해…… 우리가 먼저 치르게 되어서.

나는 픽 웃고 나서 담배를 붙여물었다.

미안하긴…… 전에두 얘기했지만 난 똥차 아니니? 하여튼 축하해.

엄마가 나보구 말하래.

공연히 주위에서 수군수군 조심스러워하는 기색이 느껴지자 나는 스스로도 놀랐다. 아무렇지도 않을 줄 알았더니 의외로 기분이 슬슬

상했다.

어머니는 이럴 때 보면 참 구식이구나.

정희는 찻잔에 루주가 묻지 않도록 조심스럽게 입술을 모으고 마셨다. 우리는 서로가 서로에게 순응하면서 살아갈 것이다. 그렇게 하는 것이 지금 세상의 원칙이라면.

언니, 나 결혼하면…… 집으루 들어와.

응, 그렇게 되나?

집엔 엄마하구 은결이만 남게 되잖아.

새봄이면 고것이 벌써 다섯살이구나. 유치원에라두 일찍 보내야지.

학교에 나가구 화실에 가구 저녁에는 세 식구가 모여서 저녁을 먹어야겠지.

나는 진심으로 그런 정경을 생각해보았다.

그럴듯하구나. 어머니하구 의논해보구 나서.

정희가 말했다.

난 언니보다두 더 오래 은결이하구 같이 살았어. 그동안 얼마나 정이 들었는지 몰라.

고놈에 기집애.

나도 모르게 입술을 물고 내뱉었던 모양이다. 정희가 좀 당황스런 얼굴이 되었다.

언니, 샘나서 그래?

아냐…… 고집이 꼭 즈이 아빠 닮았어. 뭐랄까, 어쩐지 섭섭해서.

지난주에 집에 들렀을 때 작은 소동이 일어났던 게 생각났다. 저녁답이었는데 현관에 들어서니 아줌마는 집으로 돌아가고 어머니 혼자 거실 텔레비전 앞에 앉아 있었다. 어머니가 돌아보고 나와 얼굴이 마주치자 손가락을 입술 위에 얹고는 쉬이 했다. 내가 입 모양으로 왜요 하고 보니 텔레비전의 볼륨도 속삭이듯 낮춰져 있었다. 은결이 잔다.

벌써요? 나하구 전화했는데. 즈이 이모하구 시내 나갔다가 왔어. 내가 모처럼 온다고 했는데도 잊어버렸는지 은결이는 태연하게 잠들어 있고. 얼굴이나 보아두려고 방에 들어갔더니 이불을 차내던지고 옆으로 꼬부리고 잠들어 있었다. 볼에 뽀뽀를 해주고 일어서서 나오려다가 뭔가 발에 툭 걸렸다. 딸그랑거리는 소리가 들렸다. 보드라운 융지로 만든 헝겊공이었다. 은결이 백일 때 정희가 사왔던 아가옷에 들었던 물건이다. 아마 일제였나. 안에 방울이 들어 있는지 흔들면 소리가 난다. 은결이는 갓난아이 적부터 한손에 공을 쥐고 만지작거리면서 우유를 먹었다. 우유를 먹거나 잠을 청할 때면 꼭 공을 찾았다. 이제 다섯살이 되는데도 가지고 놀아서 공은 거의 넝마가 되었고 이곳저곳 꿰진 틈으로 솜이 비져나오고 있었다. 아이 흉해라, 새로 사다줘야겠다, 생각하고 나는 무심코 공을 집어다 쓰레기통에 버렸다. 집에서 자고 아침에 뭔가 소란스러워서 깼는데 은결이의 높다란 울음소리가 거실에서 들려왔다. 나는 파자마 차림으로 나갔다. 은결아, 엄마 왔다아. 그랬더니 고것은 나는 거들떠보지도 않고, 싫어, 엄마 가, 내 친구 데려와. 두 다리를 버둥거리며 난리였다. 곁에서 달래던 엄마가 중얼거렸다. 어제 재울 때 분명히 봤는데 도대체 어디루 간 거야. 뭘 찾으세요? 아유, 나두 모르겠다. 그놈에 공을 맨날 끼구 살지 않니. 나는 얼른 현관 앞 쓰레기통에 가서 공을 찾아왔다. 어머니가 그랬다. 나두 한번 버렸다가 혼이 났어. 고것에 정을 붙인 모양이지. 은결이는 공을 한쪽 뺨에 대고 비비면서 내게 쏘아댔다. 엄마 미워. 나는 저절로 눈물이 글썽해지고 말았다.

여기예요.

정희가 손을 흔들었고 키가 크고 사람좋게 생긴 박형이 성큼성큼 우리 자리로 다가왔다. 그는 자리에 앉기 전에 내게 깍듯하게 인사했다.

오랜만입니다. 별일 없으시죠?

별일이 있죠.

나는 일부러 퉁명스럽게 받았고 어리둥절한 그에게 정희가 말해주었다.

언니에게 방금 얘기했어요.

뭐…… 말야?

우리 날짜 받은 거.

그는 짐짓 놀라는 시늉을 했다.

뭐야, 아니 그럼 여태 말씀드리지 않았다는 거야?

공연히 그러지들 말아요. 둘이 짜구선.

나는 정말 화가 난 것처럼 흘겨보았다.

대신 오늘 하는 거 봐서 용서를 해주든지 파탄을 내든지 할 거야.

이거 큰일났는데.

그날 정희네를 따라가서 술 밥 잘 먹고 혼자 돌아오는데 다시 은결이 생각이 났다. 뭐 내 잘못이지. 에미가 되어가지구 생일 한번 제대루 챙겨준 적이 있나 선물을 사다줘봤나. 옆에서 팔베개하고 같이 자본 지도 언제인지 생각이 잘 안 날 정도였으니. 그러나 자책일 뿐 돌아서면 그런 안타까움 때문에 더욱 은결이 보기가 겁이 났다. 나는 언제나 나 혼자였다.

정희 결혼식 전전날에야 세탁소에 맡겼던 투피스를 찾아서 입지는 않고 개어 들고 그냥 물감 튄 청바지 스웨터에 점퍼 차림으로 집으로 갔다. 집안은 떠들썩했다. 외숙모에 고모에 사촌들에 아이들까지 법석이었다. 나는 은결이를 찾아보았지만 고것은 정신없이 이방 저방으로 뛰어다니고 있었다. 친척들과 건성으로 웃는 얼굴을 보이며 인사하고 나는 은결이 방으로 들어가 문을 잠그고 앉아서 담배를 피웠다. 침대머리 옷걸이에 새옷이 걸려 있었다. 나는 옷걸이째로 들고 앞뒤로 돌리면서 눈으로 가늠해보았다. 흰 원피스였는데 목과 소매와 치맛자락에 레이스가 달리고 앞에는 섬세하게 흰 장미를 수놓은 예쁜 아기예복이었다. 아마 은결이가 입으면 발목에까지 치렁치렁 닿으리라. 그리고 아기 손에 맞도록 깜찍하게 만든 조화 부케도 있었다.

이건 애가 시집가는 모양이잖아. 하다가 그만 나는 두 가지 일이 머리에 떠올랐다. 학교 선배가 그냥 애 낳고 살다가 못내 서운하다고 포한이나 풀겠다며 뒤늦게 올린 결혼식에 갔던 적이 있다. 딸이 둘이었는데 세살 다섯살이었던 것 같다. 신부화장을 해놓은 삼십대의 선배는 그런대로 아름다웠다. 그때만 해도 파격적으로 그들 부부가 당당하게 손을 잡고 나란히 입장하는 앞에서 두 딸이 아장아장 걸어 들어왔다. 또다른 한가지는 다 큰 처녀 은결이가 시집을 가는 장면이었다. 나는 퍼뜩, 정신을 차렸다. 내가 저 갈뫼에서 교감선생 부인의 도움으로 그애를 낳던 일이 다시 생각났다. 아무런 예상도 못했고 간절히 원하지도 않았으며 지울 수도 없던 은결이의 출생은 뜻밖의 것이기도 했다. 뜻밖의 일이 인생 도처에 있지 않은가.

정희의 결혼식은 내게 몇장의 기념사진으로 남았다. 나는 그 사진 중에서 가족사진을 액자에 넣지도 않고 그냥 낱장으로 화실 책장 위에 압핀으로 꽂아두었다. 정희는 고개를 갸웃이 저희 서방에게로 기댈 듯이 하고 있다. 아마도 사진사가 주의를 주었겠지. 사진관에서 수정을 그렇게 해서 그런지 두 주인공들을 빼고는 다른 이들은 모두 멍청하고 못나 보인다. 두 사람 앞에 야무지게 꽃바구니를 들고 섰는 은결이만 신랑 신부에 버금가게 빛나 보인다. 그리고 저 뒤쪽 한구석에 시골은행의 창구직원 같은 복장을 한 내가 고개를 기웃이 하고 넘겨다보고 있다. 나는 무엇을 보고 있었을까.

이듬해 팔십육년 여름까지 나는 개인전과 논문을 준비하면서 보냈다. 대학원을 마칠 예정이어서 어디 강사자리라도 얻으려면 둘 다 열심히 해둘 작정이었다. 나는 정희가 결혼하고 나서 겨울에 집으로 돌아갔다. 역시 정희의 말대로 우리 세 식구는 서로 편하게 자기 생활을 해나갈 수 있었다. 어머니는 시장에 아예 건물을 지어 임대를 하면서 원단에서 제조까지를 처리하는 큰 점포를 운영중이어서 그전처럼 새벽에 나가 밤늦게야 돌아오는 고달픈 일상이 아니었다. 오후에 나갔다가 저녁식사 무렵에는 돌아왔다. 은결이는 다섯살인데 보통보다는 조숙하고 똘똘한 편이어서 유치원에 보냈다. 은결이는 오전 내내 유치원에 있었고 열두시쯤에 어머니나 아줌마 또는 내가 번갈아 데리러 갔다. 그런 틈틈이 나는 학교에 나가거나 화실로 가서 틀어박혀 있었다.

학교에서 돌아가는 형편을 보면 운동노선을 두고 그들 말대로 사상투쟁이 한창이었다. 나는 다른 지식인 대중처럼 그들의 슬로건이 특화되어 있는 게 못마땅했다. 반파쇼 자주화나 개헌과 민중 문제는 기본원칙이고 둘이 아니라 하나이며 다만 시기에 따라 전술적 깃발을 바꾸어 들면 될 텐데. 상반기 내내 시위와 농성투쟁이 그치는 날이 없었다. 특히 그맘때 인천에서 있었던 대대적인 시위와 농성은 슬로건과 깃발의 대홍수였다.

방학중인 어느 무더운 날 나는 화실에 있었다. 은결이는 정희네를 따라서 바닷가에 가 있었고 어머니도 친구들과 더불어 산사에 가버렸다. 텅 빈 것 같은 집에서 아줌마와 말도 없이 며칠을 보내다가 화실로 돌아온 참이었다. 그 무렵에 나는 뒤늦게 중국의 노신을 중심으로 전개되었던 목판화작업에 흥미를 가지고 소박한 형상의 판화작업에 매달려 있었다. 칼로 매끄러운 목판을 파고 있노라면 나뭇결이 깎이는 소리가 부드럽게 들리고 나무 향내가 났다. 벽가에는 내가 파두었던 목판과 찍어낸 판화가 여러 장 걸려 있었다. 저녁때까지 일하고 이젠 밥을 먹으러 나갈까 하고 있는데 누군가 문을 두드리는 소리가 들렸다.

누구세요?

밖에선 아무 대답이 없다. 나는 궁금해져서 얼른 문을 열고 말았다.

아니, 이게 누구……?

언니, 접니더. 저 알아보겠어예?

나는 그네를 알아보지 못했다. 다만 귀에 익은 경상도 사투리로 짐작할 뿐이었다.

가만있어봐, 미, 미경이 아냐?

기억하시네예.

어서 들어와.

우리는 문앞에 있는 소파에 마주앉았다. 나는 최미경의 모습을 찬찬히 살폈다. 머리는 예전 우리 여고생처럼 귀밑에서 쌍동 자른 단발머리였고 얼굴은 화장은커녕 크림도 제대로 바르지 않았는지 꺼칠해 보였다. 더워 보이는 감색 티셔츠에 헐렁한 면바지를 입고 있었다. 아마도 너무 평범하고 튀지 않아서 길거리에 나서면 사람들의 몸 사이로 사라져버릴 것만 같다. 그런데 미경이는 이제 학생처럼 보이질 않는다. 나는 고개를 끄덕이며 말했다.

으응, 그러구 보니까 생각난다. 아직두 공장에 나가는 모양이지?

예, 인자 겨우 견습이 안 떨어졌습니꺼. 기능직이라예.

기가 막혀. 무슨 시험 합격이라두 한 것 같네.

미경이는 전처럼 쾌활하게 말했다.

마, 지한테는 새로운 인생 아닌교?

무슨 공장에 다니는데.

일년 반 동안에 육개월 교육받은 게 전자기술입니더. 현장에서 일년 되었은께네 중고참짜리는 되었지 싶은데.

나는 문득 어떤 생각이 나서 미경에게 묻고 싶었지만 먼저 이야기를 꺼내지는 않았다.

그런데 이렇게 오래간만에 나를 찾은 이유가 뭐야?

예, 지는 인천에 삽니더. 견습 때엔 부천 있었고요. 마 서울 올라올 일이 없심더. 마침 근처에 올 일이 있어가꼬 왔다가 언니 생각이 나더라꼬요. 전에 인사도 몬하고 슬그마니 사라져서 너무 미안했어예.

나는 그게 둘러대는 말이라는 걸 알고 있었다.

아직 저녁을 안 먹었는데, 마침 나가려던 참이었어.

지도 안 묵었심더.

잘됐다. 우리 어디 가서 저녁 먹자.

그랬더니 최미경은 초조한 얼굴로 시계를 들여다보았다.

이제 마 여섯시 반뿐이 안됐네예. 오늘 별일 없십니꺼?

오늘, 왜……?

지 사는 동네까지 모시고 갈라꼬요.

나도 시계를 보았다. 낮에 작업도 실컷 해두었겠다 더운 날이라 잠도 일찍 오지 않을 거고 나는 에라 까짓 것 하는 심정이 되어버렸다.

글쎄 좀 멀긴 하지만 가는 동안에 배고프지 않을까.

늦게 묵으면 더 맛있지예.

우리는 전철 일호선을 타려고 먼저 버스에 올랐다. 거리로 나서니 완전히 찜통 속같이 후텁지근했다. 전철 속은 땀내와 열기로 더했다. 나는 슬슬 후회가 되기 시작했다. 전철이 구로동을 지나 부평 부근을 지날 때 미경이는 창밖으로 얼굴을 돌리고 앉았다가 내게 말했다.

오늘 어디 갔다가 송선배를 만났어예.

그럴 줄 알았다. 그래서 억지로 따라나온 길이기도 했던 것이다.

용케 살아 있었네. 어디서 뭘 한대?

선배도 인천 있다캅디더. 빼짝 말랐더라고요.

편한 사람이 고생깨나 했겠지.

우리는 공장지대의 간이주택들이 들어선 예전 피난민 동네 부근으로 갔는데 그제야 날이 어둑어둑해지는 참이었다. 골목으로 들어서면서 미경이 말했다.

실은예 언니 용서하이소. 우리가 언니 초대할라꼬 이래 한 겁니더.

우리라니……?

지금 지 방에 송선배 와서 기다리고 있어예. 선배가 절대로 말하지 말고 모셔오라고 했거든예. 잠수함들은 이걸 도킹이라고 한답니더.

나는 별로 놀라지 않았고 아무렇지도 않은 얼굴로 말했다.

가만있어봐. 그럼 아예 장을 보아가지구 가자.

그럴 필요 없심더. 다 준비해놨을 거라예.

오늘이 무슨…… 날인가?

미경이 배시시 웃었다.

마 치아뿌릴 낀데…… 지 생일 아닙니꺼?

그랬구나. 잠깐만 저기 슈퍼가 있는데, 그리구 빨간 불은 정육점이겠지.

나는 자꾸 팔을 잡아당기는 미경을 가볍게 뿌리치고 채소며 쇠고기를 샀다.

그 친구 바짝 말랐더라며. 보급투쟁하러 온 거 아냐?

내 친구하고 선배가 잔뜩 사왔습디더. 벌써 준비 다 끝났을 낀데.

미경이와 나는 어둡고 긴 골목 안으로 들어섰다. 외등 하나 없는 가파른 길 양쪽은 고만고만한 집들의 블록담이 서 있어서 저절로 비좁은 복도가 된 것처럼 보였다. 우리는 평지에서 세 계단쯤 올라간 낡은 시멘트집 앞에 이르렀다. 판자대문이 낮아서 미경이가 한팔을 넘겨서 빗장을 더듬어 풀 수 있을 정도였다. 구식 한옥같이 디귿자로 생긴 집이었지만 온통 시멘트로 덕지덕지 바른 날림집이었다. 마당에는 시골에서처럼 아낙네들이 속옷바람으로 몰려나와 평상 위에서 저녁바람을 쐬고 있었다. 이리저리 이어붙인 방들이 열 개는 족히 되어 보였고 방 앞마다 청년들이나 젊은 여성이 보였다. 미경이는 그들에게 한마디씩 하면서 아는 체를 하였다. 사람들은 나를 힐끔대며 쳐다보았다. 앞에 가던 미경이가 갑자기 사라져서 나는 잠깐 발길을 잃고 마당 한편에 서 있었는데 바로 눈 위의 높은 곳에서 미경이의 목소리가 들려왔다.

언니, 여깁니더. 올라오이소.

쳐다보니까 세상에 그런 곳에까지 방을 들일 줄은 몰랐다. 화장실과 창고가 있는 블록집 위에 슬라브를 치고 방을 앉힌 셈이었다. 가파른 쇠사다리가 보였다. 나는 쇠난간을 붙잡고 조심해서 위로 올라갔다. 위에는 취사공간과 신을 벗어놓을 만한 반평 정도의 공간뿐이었다. 누군가 방안에 켜놓은 불빛을 등지고 문앞에 서 있었다.

한형, 어서 와.

낯익은 목소리였다. 나는 그래도 반가움으로 가슴이 뭉클해졌다. 뭐라고 농담으로 박아줄까 하다가 그냥 그의 손을 잡아버렸다.

그래…… 건강하니 다행이다.

나는 그를 따라 방으로 들어갔다. 밑에서 보던 것보다는 그래도 제법 넓은 방이었다. 방구석에 비닐로 만든 미니옷장이 있고 책상과 의자와 작은 책꽂이까지 있었다. 뒤에 섰던 미경이가 소리를 질렀다.

엄마야, 저게 뭐꼬!

오른쪽 창문 앞에 긴 비닐끈을 매어 빨래를 널어두었다. 아마 미경이가 없는 사이에 남자들이 묵은 빨래를 한 모양이었다. 송영태는 빙그레 웃는 얼굴이고 방에 앉았던 다른 남자가 빨래를 주섬주섬 걷으면서 말했다.

문간방 애들이 세탁기 돌리길래 우리두 꼽사리를 꼈다 왜.

야, 아직 안 말랐잖아.

송이 그가 걷어서 팔에 얹은 빨래들을 만져보면서 말했다. 청년은 나를 슬쩍 돌아보고는 얼른 플라스틱 대야에 담아서 내갔다.

그래두 인제 음식을 먹을 텐데요.

얀마, 빨래가 무슨 오물이냐, 왜 먹을 걸 못 먹어.

방안에는 둥그런 밥상에 냄비 하나와 소주병이며 잔이 놓여 있었다. 미경이가 냄비의 뚜껑을 열고 냄새를 맡아보았다.

문딩이들…… 이건 무슨 음식이고?

난 몰라, 형이 했어. 맛있던데.

내 생일 핑계대고 마 난리 장판굿을 했네예.

송영태가 그전처럼 유들유들하게 받았다.

뭐가 불만이냐. 그게 마파두부라는 음식이다, 알기나 하구 그래.

마파두부라꼬요. 돼지고기하구 두부는 보이는데 이건 뭔교?

응, 어묵 사온 걸 언다 넣을까 하다가 다 섞어버렸지.

미경이는 그들에게 눈을 흘기고는 부엌으로 나갔고 나는 이 작은 소란을 오랜만에 즐기며 방안을 서성거렸다. 마당 쪽으로는 작은 창이 뚫려 있었지만 반대편에도 큼직한 창이 나 있어서 맞바람으로 방안은 제법 시원한 편이었다. 나는 빨래가 걷힌 큰 창가에 섰다. 높은 지대라 아래쪽에 다닥다닥 붙은 집의 지붕들이 보이고 그 너머로는 불빛이 휘황한 도심지가 내려다보였다.

저 불빛 너머로 줄지어 서 있는 등불이 보이지? 거기가 바다야. 낮에는 잘 보인다구.

뒷전에서 송영태가 말했고, 나도 중얼거렸다.

생각보단 괜찮은데.

그러게 말야. 미경이가 명당을 차지했지 뭐야. 그래서 가끔 구박을 감수하면서 피서하러 오는 신세지.

나는 벽에 등을 대고 얌전히 앉아 있는 미경이의 남자친구를 돌아보고 나서 송에게 물었다.

이젠 괜찮은 거야?

알 게 뭐야. 난 지금 완전히 행불일 텐데. 이름도 직업도 다 바뀌었는데 뭐.

어디서 많이 듣던 소리였다. 나는 현우씨에게서 그의 도피행각을 자세히 들은 적이 있었고 이런 동네와 분위기가 낯선 느낌이 들질 않았다.

지금 뭘 하구 있어?

어, 공장 기능공이지. 나 선반 기능자격 땄어.

또 일판 벌이겠구나.

아니 아니, 이건 그렇지 않아. 주객이 바뀌면 안되거든. 나는 노동자의 친구로서 그들을 도와주는 입장이야. 그들이 자기 삶의 주인으로 스스로 서길 바래.

송이 앉아 있던 청년을 나에게 소개했다.

여긴 기헌이, 미경이하구 같은 공장에 다녀. 나이두 동갑이구 둘이 친구래. 여긴 한윤희라구 내 친구야.

청년은 수줍은 웃음으로 내게 인사했다. 나는 송에게 물었다.

그럼 지난 일년간 줄곧 여기 있었어?

아니, 안양 가서 친구들 도움으루 선반 배우러 다녔지.

집엔 아무 연락두 없이?

동생들 통해서 가끔 연락하다가 요샌 안해. 무소식이 희소식인 줄 알 거야.

정말 몸은 괜찮은 거야?

나는 볼이 홀쭉해지고 피부도 꺼칠해 보이는 그를 바라보았다. 송이 팔을 들어 알통을 만들어 보이며 말했다.

밥 잘 먹겠다, 맘 편하겠다, 오히려 건강해진 것 같은데.

그렇담 다행이다. 당분간 여기서 살겠네.

송영태가 쾌활하게 말했다.

당분간이라니…… 여기서 평생을 보내야지.

나는 어쩐지 그의 낙천적인 분위기가 불길하게 느껴졌다.

그뒤, 겨울이 올 때까지 나는 그를 다시 만나지 못했다. 헤어질 때 미경이를 통해서 연락을 하겠다고는 말했지만 미경이는 전화 한번 하지 않았다. 뭔가 저희들끼리 분주했을 것이다. 나중에야 그들이 여러 개의 학습조와 동아리를 꾸리던 중이라는 걸 들었다. 그들은 구로동과 영등포에서 당시에 노학연대투쟁이라 부르던 시위를 해내기도 했다.

그들은 번화가는 물론이고 미군부대 앞에까지 진출했다. 나는 미경이의 집을 다시 찾아갈 수는 있었지만 보안 때문에 내게 연락을 하지 않는다면 절대로 내 쪽에서 찾아선 안된다는 것쯤은 알고 있었다.

팔십칠년 봄에 나는 대학원을 마칠 수가 있었다. 그리고 지방대학에 강사자리를 얻어서 일주일의 이틀을 지방에서 보내다 오곤 했다. 봄부터 각 지방에서 노동자들의 파업과 시위가 시작되었으며, 이어서 초여름에 이르도록 박종철군 고문치사 규탄과 호헌철폐를 위한 전국적인 시위가 벌어지기 시작했다. 유월에 이르러 항쟁은 차츰 대단원을 향해서 치달려갔다. 나도 어쨌든 동창들 관계로 사회문화단체에 적을 두고 있어서 그 무렵에는 여러번 불려나갔다. 백발 노인이 되어버린 선배들부터 우리 같은 여성들에 이르기까지 시민시위대는 종로에서 명동으로 시청 앞에서 서울역으로 차도에까지 발 디딜 틈도 없이 군중을 이루어 행진했다. 나도 무슨 힘이 남아 있어서 호헌철폐 독재타도를 외쳤는지 모른다. 모두들 최루탄에 견딜 수 있도록 비닐봉지와 마스크를 쓰고 멀리 나가지도 못하는 보도블록 조각을 팔매질했다. 전국에서 수백만이 되는 여러 계층 군중들이 온통 거리로 쏟아져 나왔다. 그래, 그때에 우리는 희망에 가득 차 있었다. 우리는 파쇼독재를 몰아내고 모두가 사람답게 살 수 있는 사회를 새롭게 세우리라 작정했다. 군부는 친위 쿠데타 직전에 한걸음 물러나 직선제를 공표하는 선에서 전국적인 항쟁을 잠재웠고 그때부터 우리의 실패가 시작되었다. 항쟁이 만들어놓았던 공간 안에서 이제껏 눌려만 살아왔던 노동자들의 생존권투쟁이 시작되었지만 대중은 그들과 하나가 되지 못했다. 그들에게는 직선제로 선거에 의하여 정권을 바꾸는 길만이 유일한 것처럼 보였다. 항쟁이 끝나고 나서 곧 여름방학이 시작되었다. 송영태에게서 전화가 왔다.

한형? 나야, 영태야.

아, 오랜만이야.

미경이가 생일 핑계를 대고 그와 나를 만나게 해주었던 것이 꼭 일년 전이었지만 내게는 한 십년은 지난 일인 듯이 생각되었다. 마치 전쟁이 휩쓸고 지나간 뒤에 생존자들이 서로의 안부를 묻는 그런 경우처럼.

지금두 거기 있니? 이젠 별일 없겠지……

별일이 있지. 나 여기 병원이야.

왜, 어디 아파?

응, 그전 거기가…… 이젠 많이 좋아지구 있어. 잘 지내나 늘 궁금했다.

이젠 대명천지루 나와야지. 공부두 열심히 하구 말야. 어느 병원인지 알려주라. 내 지금 갈게.

나는 경기도에 있는 카톨릭 재단의 무슨 요양원인가 하는 데로 그를 찾아갔다. 그 무렵에 지방 강의 때문에 차를 샀는데 소질이 있었는지 고속도로에 금방 적응해버렸다. 나는 자기 자유의지대로 어디든 이동해갈 수 있는 자동차가 마음에 들었다. 그리고 핸들을 잡고 앞이 휑하게 빈 도로를 달려나갈 때의 고적함이 괜찮았다. 내가 얼마나 개인주의자인지 그리고 남과 섞이지 않는 게 얼마나 다행인지를 확인하게 해주는 물건이 아닌가. 작은 산을 등지고 있는 정갈하고 조용한 요양원에서 그를 만나는 게 어쩐지 이상했다. 간호사들 중에는 수녀 복장이 많이 보였다. 수녀가 나를 운동실로 데려갔다.

송영태는 아래는 환자복에 티셔츠를 걸치고 탁구에 열중해 있었다. 다른 환자와 공을 주고받던 영태가 그를 향해서 마주 걸어가는 나를 보고 먼저 라켓을 놓고 물러났다. 그가 사람들이 다 쳐다보고 있는 가운데 내게 손을 내밀어 악수를 청했다. 나는 쑥스러워하면서도 그의 손을 잡아주었다.

좋아 보이는데 그래.

하고 내가 말했다. 송은 나를 이끌고 병원 본관 앞의 정원으로 데리고 갔다. 우리는 들판이 멀리 내다보이는 나무 아래 벤치에 가서 앉았다. 나는 그전에 송영태가 군대와 감옥을 거치는 동안 결핵을 앓았다는 사실을 알고 있었고 정희네 병원에서 그를 만났을 때에도 폐에 동공이 생겼다는 말을 들었던 적이 있었다. 송이 말했다.

몸이 나빠졌대. 앞으로 한 일년 꼼짝 말구 쉬면서 약 먹어야 해.

잘됐지 뭐.

나만 쏙 빠져나온 것 같아서 못 견디겠어.

이젠 대충 끝이 났다구 보는데. 직선제루 간다잖아.

사실은 이제부터 시작인데. 달라진 게 뭐가 있어.

느이들 원하는 게 뭔데?

민중이 권력을 잡는 일. 그러고는 미제와 앞잡이들을 몰아내는 일이지.

너 몸이나 돌봐라. 나는 그저 현우씨나 나왔으면 그 이상 바라는 건 없어.

아마 당분간 더 기다려야 할걸. 반동적 과도기가 길어질지두 몰라.

친구들은 어때…… 다들 잘 지내구 있겠지.

핵심들은 많이 검거됐지. 현장 쪽엔 아직두 많이 박혀 있을 거야. 나는 이젠 현장은 좀 무리인 것 같아.

그래 송형이야 이제부터 잘 먹고 잘 살면 되잖아. 누가 뭐래, 할 만큼 했잖아.

공부나 열심히 해볼까.

그대의 소질이 공부에 있다는 건 누구도 부인 못할 거야. 집에서두 이젠 안심하시겠구나.

송이 눈을 끔벅이고 있더니 무슨 티가 들어간 듯이 손가락으로 눈가를 찍어냈다. 그는 비죽비죽 울음을 터뜨렸다.

야아, 사내자식이 왜 그래.

그냥…… 좀 섭섭해서……

나는 얼결에 그의 어깨에 팔을 둘러주었는데 녀석이 내게로 상체를 구부리더니 내 가슴에 얼굴을 묻었다. 우리는 그런 자세로 벤치에 한참이나 앉아 있었다.

나 그만 가볼게.

나는 영태의 등을 몇번 토닥여주고 나서 일어섰다. 그가 좀 쑥스러워할까봐 나는 녀석의 얼굴과 정면으로 마주치지 않으려고 땅바닥만 내려다보았다.

여름방학이 끝나고 내가 개강준비를 하고 있을 무렵에 지방의 학교로 두툼한 편지 한통이 왔다. 겉봉을 보니 '최미경 올림'이라고 적혀 있었다.

한윤희 언니에게

언니, 저 미경이에요. 아직도 거기 그대로 잘 살아 있습니다. 송선배는…… 지금쯤은 언니도 소식을 알고 계시리라 믿어요. 공장에서 철야하다가 각혈을 하고 쓰러졌어요. 우리는 송선배 신변문제를 놓고 논의를 한 끝에 그를 가족들에게 인계하기로 결정했답니다. 저는 언니에게 연락을 해드리려고 그랬는데 선배가 나중에 자기가 하겠다면서 절대로 알리지 말라고 해서 그냥 놔두었어요. 지금쯤은 연락을 하셨을 거라고 믿어요.

여기선 모두 파김치가 되었고 지친 사람들도 많아요. 하지만 이번 여름이 중대한 고비라고 믿고 민주노조를 건설하기 위한 준비를 지난 몇달 동안 착실히 해왔어요. 아직 결정적인 싸움의 시기는 아니지만 각 공장 단위마다 교두보를 마련할 단계라고 생각하고 있습니다.

작년까지 우리 같은 학출노동자는 저까지 포함해서 네 사람이 이 회사에 있었어요. 그런데 씨티에서 결정이 내려와 일개조가 선도투를 하게 되었거든요. 남은 우리 조는 노출되지 않도록 뒤에서 방관만 하고 있었지요. 이런 형편은 모두 같지는 않지만 송선배가 있던 중공업 쪽도 비슷했어요. 거기도 이번 여름에 대단한 투쟁을 치러냈지만요. 그쪽은 준비가 단단했어요. 지금은 옛날 눈치나 보며 굴종하던 그런 노동자가 아닙니다. 모두들 자신의 생존권을 되찾으려는 결의로 차 있고 개중에는 조합주의를 넘어 노동자의 참정권을 확보해야 한다는 정치의식으로 무장한 이들도 많이 생겨났어요. 학출들은 과거처럼 의식화작업에 긴 시간을 보낼 필요가 없답니다.

우리는 처음에 소식지를 만들어 각개 친목회별로 보급하는 일부터 했습니다. 우리 공장은 총원이 이천오백명인데요, 그중에서 여성이 사백여명 됩니다. 부녀회라고 하는데 아줌마들 삼십오명 빼고는 거의가 제 또래의 이십대 여성들입니다. 우리 공장에선 냉장고와 세탁기 생산이 주종인데요 에어컨도 생산하기 시작했지요. 남자들 경우에 공고를 나오고 군대를 마친 이가 일당 오천삼백원이구요 여자는 무조건 삼천칠백원이에요. 매출액 목표를 달성하면 보너스 오십 프로가 추가되고 유해수당은 명목상 있을 뿐 실제로 지급되는 경우는 없어요. 반장 등 고참들이 적당히 나눠먹지요. 한달에 평균 잔업시간이 백시간이고 철야는 일주에 두번이나 해요. 납품기일이 촉박하면 특근도 한달에 한두 번씩 합니다. 네 시간 잔업에는 빵이 나오고 철야에는 밥이나 우유가 나와요. 일요일 외에는 휴일은 일절 없는 셈입니다. 월차나 생리휴가가 명목상으로는 있는 것처럼 되어 있지만 찾아먹을 수가 없어요. 그러니 연차휴가는 거의 수당으로 지불하고 쉬는 예는 없답니다.

작업환경은 전자계통이어서 산재는 가벼운 부상 정도이고 그리 심한 편은 아니에요. 다른 강철이나 화학 분야는 일주일마다 작고 큰 사고가 터집니다. 그 대신 먼지가 많고 환풍시설도 불충분합니다. 샤워장이 있지만 공업용수여서 거의가 한번도 사용하는 적이 없어요. 친목회는 조기축구회, 야구회, 등산회, 낚시회, 부녀회가 있어요. 그중에는 우리와 따로 노는 구사대도 있지요. 과거의 노조는 어용 일색이라 지부장 얼굴도 모르는 사람들이 대부분이었어요. 그들은 사건이 터지면 언제나 회사측 입장에 서서 우리를 탄압하곤 했거든요.

작년에 학출들은 친목회에서 우리와 생각이 거의 같거나 경험도 많고 노련한 이른바 선각적인 노동자들을 찾아내게 되었어요. 그들을 중심으로 핵을 만들고 그들이 우리를 지도해주기를 바랬어요. 우리는 그들에게 사회의 정치적 상황이나 노동법이나 읽어야 할 책들을 소개해주었고 그들은 일반노동자들이 어떤 삶을 살아가며 그들을 어떻게 조직해야 할 것인가를 저희들에게 가르쳐주었지요. 이런 상황은 우리 선배들이 숨을 죽이고 고독하게 작업하면서 한두 번 행동에 옮기려다가 현장에서 해고되고 검거당하던 사오년 전과는 비교도 할 수 없는 진전이지요.

지난번에 우리 숙소에 오셔서 언니도 한번 본 적이 있는 정기헌씨 생각나지요? 그는 나와 동갑내기이자 동지이기도 합니다. 그는 국민학교 중퇴자예요. 어머니가 일찍 돌아가셔서 계모 밑에서 자라다가 국민학교 오학년 때 가출했대요. 서울 올라와서 중국집 배달에서 마찌꼬바 시다까지 안해본 일이 없대요. 열여섯살 적에 작은 사고를 치고 소년원에 들어갔다가 거기서 검정시험으로 중학과 고교 졸업증을 땄어요. 불행 중 다행이지요. 아마 아무리 극악한 상황이라 할지라도 올바르게 살아가려는 노력과 지적인 능력은 사람에 따라 다른가봐요. 그는 여기 입사한 지 삼년이나 됐는데 알아주는 숙련공이지요. 우리가 전태일의 삶을 얼마나 감동 깊게 공부했어요? 그런데 여기 와서 나는 수많은 전태일을 만나게 되는 거예요. 이들은 과거의 노동자가 아니에요.

처음에 입사해서 그는 나의 조장이었어요. 어느날 어쩌나 보려고 내가 그에게 우리들의 '새길'이라는 팜플렛을 주었더니 바로 이튿날 점심시간에 내게 쪽지를 건넸어요. 그건 메모지에 불과했지만 팜플렛을 읽어본 소감을 적은 것이었어요. 일반노동자들이 보기에 너무 어려운 용어가 많이 나오고 생활반영이 안되어 있다든가, 노동시간과 임금에 대한 해설은 최근의 현실이 반영되어 있지 않다든가, 정치적 문제의 직접적인 언급은 일반노동자들이 의심을 하니까 되도록 피해가는 게 낫다든가 하는 지적들이었는데 저는 놀랐죠. 팜플렛을 나누어줄 만한 사람들을 알려달라고 했더니 기헌이는 자기가 직접 하겠다는 거였어요. 처음에는 그가 속한 등산회에 삼십부 정도를 돌려주었는데 우리 학출들을 정기산행에 나오도록 해주었지요. 산에 가면 적당한 코스를 오르고 나서 점심 먹으면서 여러가지 이야기를 해요. 자연스럽게 회사 이야기도 나오고 조합 얘기도 하게 되었어요. 이들은 거의가 우리와 같은 이십대였고 나이 많은 사람이라야 삼십대 초반이 대부분이라 결속력이 강했지요. 나는 기헌이와 친해졌어요. 그리고 그가 소개한 신자 언니하구두 속을 터놓을 만큼 가까워졌어요. 신자 언니는 기업들이 고용과 취학을 보장한다며 세운 야간학교를 나왔어요. 여공들 중에서는 공장경험이 제일 많았고 기능도 뛰어나 어린 여공들에게서 신뢰를 받고 있었지요.

우리 친목회에서는 공장 안의 여론을 반영하는 소식지를 내기 시작했어요. 작년 봄에 노학연 쪽에서 논의가 되어 우리 중에 두 사람이 선도투를 하게 되었어요. 저와 다른 여학생은 검거경력이 없었기 때문에 자기 주민증으로 취직을 했지만 그 두 사람은 시쳇말로 위장취업이었기 때문에 언제 노출될지 몰랐기 때문이에요. 우리는 뒤에서 그들의 투쟁을 받쳐주는 역할을 맡았죠. 우선 유인물 수천장을 준비해서 회사의 곳곳에 한묶음씩 놓아두고 일부는 식당 출입구에서 드나드는 노동자들에게 나누어주도록 했어요. 점심시간이 되어 군중이 제일 많이 자리에 앉은 때가 열두시 반경이었는데 그들이 핸드마이크를 들고 앞으로 나가 유인물을 낭독했어요. 우리는 곳곳에서 그에게 박수를 보내고 그의 선창에 구호를 외쳤지요. 관리자들이 달려와 그를 끌어내려 했지만 모두 야유를 보내고 휘파람을 불고 했어요. 그렇지만 일반노동자들은 그 이상의 적극적인 동조는 하지 못했습니다. 회사측에서 그들이 노동자로 위장한 빨갱이 학생데모꾼들이라고 현장에서 매도했기 때문이었어요. 당시에는 우리의 활동이 주춤했지만 그 일은 깊은 인상을 남긴 게 분명했어요. 그 증거로는 권양 성고문사건이 터졌을 때 우리가 공소장 내용을 프린트해서 소식지로 알렸는데 공원들은 남녀 모두가 정부에 대한 노골적인 혐오를 욕설로 나타낼 정도였어요.

언니, 우리가 살아오던 그곳은 똑같은 압제와 부자유 속에 있지만 그래도 겉으로는 시민사회의 양식이라는 것이 체면치레로나마 있었지요. 여긴 이중의 굴레 속에 갇혀 있는 곳이에요. 아마 바깥에 조금의 햇빛이라도 비치게 된다면 여기선 기껏해야 칠흑 같던 어둠이 부옇게 밝아지는 정도겠지.

지난 유월은 찬란했지만 우리들에게는 장마철의 잠깐 갠 날에 불과했답니다. 시민항쟁의 힘이 바닥싸움의 든든한 토대가 되었던 것만은 분명해요. 우리는 칠월부터 파업을 준비하기 시작했어요. 노동자들은 전국 각지에서 자기 권리를 쟁취하기 위해서 꿈틀거리기 시작했지요.

우리 공장 사람들의 변화는 여러 형태로 나타났는데요, 먼저 부녀회의 변화예요. 반장이나 직장 정도만 되어도 총무나 과장이나 대리 따위들보다도 더 관리자 행세를 하고 현장에서 나이가 많든 적든 여성들에게 반말과 욕지거리가 다반사였거든요. 다 그런 건 아니지만 공원 출신으로 기능직에서 관리자가 된 사람들 중에는 먹물들보다 더욱 동료를 마구 대하는 이들이 있게 마련이에요.

오후 두세시쯤이 공장에서는 제일 힘든 시간인데요 점심 먹고 나서 몸이 나른해지고 작업능률이 떨어지기 시작하는 때예요. 아줌마 하나가 아마 그날 생리였는지도 몰라요. 화장실을 한번 갔다가 두번째 갈 때에 뭐라고 잔소리를 들었거든요. 그런데 아마 못 견디겠던지 세번째로 작업대를 떠나려 하자마자 반장이 소릴 질렀어요.

야이, 개 쌍년아, 점심에 물을 처먹지 말든지 낼부터 회사 때려치우든지 해라.

늘 듣던 말이라 아줌마는 얼굴을 숙이고 말대꾸도 못하고 섰는데 신자 언니가 갑자기 기계 뒤에서 쫓아나오며 반장의 멱살을 쥐는 거예요.

야, 너는 니 에미 애비두 없냐. 아줌마가 몇살인데 욕을 그따위루 하는 거야. 니가 사람이야.

그랬더니 적반하장이라고 녀석이 신자 언니 따귀를 갈겼어요. 여공들은 모두 쥐죽은 듯이 지켜보고 섰는데 꼼짝도 않고 지켜보던 아줌마가 손에 기다란 동파이프를 집어들고 반장에게 달려들었어요. 죽이겠다는 거예요. 녀석이 달아나기 시작했죠. 여공들은 모두들 사방에서 혼을 내라, 때려줘라, 하면서 발을 구르고 야단이 났지요. 작업장 안을 이리저리 도망다니던 반장은 간신히 밖으로 빠져나갔고 우리는 기계를 멈추고 농성을 시작했어요. 반장이 사과할 것과 사장 이하 관리자들이 폭언과 폭행을 함부로 하지 못하도록 제도적인 규칙으로 정하라는 정도였습니다. 상무와 부사장이 달려오고 사과를 받고 해명이 따르고 하는 법석이 있고 나서도 우리의 분은 풀리지 않았습니다.

그리고 얼마 안 가서 철야중에 사고가 일어났어요. 계획에도 없던 철야였는데 여름철은 냉방기의 성수기라서 봄부터 에어컨 철야가 시작되거든요. 작업중에 어떤 이가 졸다가 컨베이어에 손이 잘리고 말았지요. 그가 병원으로 실려간 뒤에 남자들은 모두 작업을 중단하고 주말 철야작업을 철폐할 것을 요구했습니다. 이런 작은 일들의 부분적인 성취가 우리의 힘을 알아채게 했던 몇가지 사건들이었어요.

그래 나중에 너는 불꽃이 되어 시멘트 포장된 공장 앞 네거리에서 사그라졌지만 네 마지막 편지는 남아 있다. 미경아, 이제 나는 먼길을 돌아와 너에게 뒤늦은 대답을 할게.

사람 사는 게 뭐니. 결국은 삶의 절반은 세끼 밥먹는 데로부터 시작되었지. 정말로 손쉬운 것이었어. 처음엔 다같이 풀치마를 입고 살았을 거야. 태양이 떠서 저물고 다시 뜰 때까지 대부분의 시간을 아무것도 하지 않고 놀거나 아니면 사랑을 했겠지. 풀벌레들이 극성스럽게 울어대는 초저녁 무렵이면 그들은 눈을 맞추고 잠자리를 찾으러 갔어. 먼동이 트기 시작하면 기지개를 켜고 일어나 물가로 가서 조개를 줍고 숲으로 들어가 열매를 땄어. 하루중에서 가장 최소한의 시간만을 먹을 것을 준비하는 일로 허비했지. 그러곤 놀았어. 남녀 사이에도 극성스런 소유욕이 없을 테니까 모든 아이들은 공동체가 함께 키우는 생명들이었을 거야. 저 원초의 숲 바깥에서 악의 그림자가 다가왔지. 너른 지평선을 지나 삶의 조건이 나쁜 데로부터 혹독한 일상을 견딘 다른 무리가 울타리 밖으로 나타나는 거야. 그리고 처음엔 교역으로 시작했지. 세상의 모든 악은 장사꾼에서 시작됐어. 날개 달린 뱀처럼 교활한 꾀와 힘을 갖고 있는.

미경아, 예술과 혁명이 가는 길은 무엇인가 생각해본다. 처음 시작했던 삶으로 되돌리려는 안간힘이야. 지상에서 비롯된 새벽의 삶을 회복하기 위해서 지상에 세워진 한낮의 모든 허접쓰레기 같은 제도를 부숴버리는 일.

나는 다시 먹을 것으로 돌아가마. 아름다운 젊은이 예수가 처음에 출발했던 이상으로 돌아가는 길이 무엇이었겠어? 땅에서 가장 소박하고 욕심없는 식사를 회복하는 일이었다. 피가 되고 살이 되는 지상의 양식으로서. 죽음을 앞둔 그에게 최후의 만찬은 사실은 새로운 출발점이었던 거야. 죽음이 산것들의 새로운 탄생이듯이. 그러면서 그는 작별을 고하고 다시 만날 것을 약속하지. 수많은 환쟁이들이 그의 마지막 밥상 모습을 수천점이나 그렸단다. 굳은 흑빵과 막 거른 거친 포도주가 전부인 식사.

이제는 만날 수 없는 미경아, 이 문디 가시나야, 사랑은 입술에 발린 루주처럼 혓바닥 위에 얹힌 말재간이나 추상적이고 거창한 짓이 아닐 거야. 글쎄 즈네들이 죽음이 갈라놓을 때까지 함께 간대. 웬만한 자극 가지고는 놀라지 않는 세월이니까 말들을 과격하게 해. 사랑은…… 전체의 절반은 밥 같은 몸이고, 절반의 절반은 끊임없이 들이쉬고 내쉬는 숨결 같은 일상이고, 절반 중에 그 나머지의 절반은 주변의 이웃이 완성시켜준단다. 그렇게 늙어가면 얼마나 좋을까마는. 다들 절반도 못 가서 실패하고 그리고 노년은 쓸쓸한 각자의 고독이야. 절반의 절반까지만 가도 다행이고 거기서 못다한 건 후생에서나 다할까.

이제 다시금 먹는 이야기. 내가 아는 이는 아버지 이야기를 하더라. 전쟁 끝난 직후에 여름 우박이 오고 날이 가물고 그래서 초겨울이 왔는데 식량이 떨어졌대. 온 식구가 방에 군불을 때고 누웠는데 밤에는 차라리 나은데 한낮에는 못 견디겠더래. 갑자기 아버지가 비칠거리며 텃밭으로 나가더니 괭이로 땅을 파더래요. 개나 말이 배고프면 땅을 파듯이. 그러곤 치명적으로 기운이 빠질 텐데도 진땀을 흘리며 괭이질을 했다지 뭐야. 굶주림을 무엇으로 극복해, 세계에 물질이 생긴 이래로 모든 것을 이루어낸 노동으로, 그것으로 모여진 힘으로 극복해야 해.

언니, 우리는 파업일자를 닷새 뒤로 남겨두고 먼저 유인물의 내용에 대한 최종검토를 했고 어떻게 행동에 옮길 것인가를 결정했어요.

파업을 시작하기 이틀 전에 먼저 정당성과 대중을 확보하기 위해 어용노조 사무실로 몰려가 올바른 투쟁을 촉구하고 민주노조 건설을 위한 조합원총회 소집 서명운동에 들어갈 작정이었어요. 그리고 해고자들이 출근투쟁으로 유인물을 나누어주며 이번 파업의 목표와 의미를 일반노동자들이 자신의 것으로 깨닫도록 할 셈이었죠. 그래서 합세한 노동자들로 투쟁의 중심을 형성하고 대중동원에 들어간다는 계획이었는데 우리는 너무 신중했고 노동자들은 이미 건드리기만 해도 터져버릴 상황에 이른 것을 몰랐어요.

해고자 네 사람과 우리들 중에 일을 맡게 된 일곱 사람이 회사의 각 부서를 돌아다니며 유인물을 나누어주기 시작했습니다. 그리고 열시의 오전 휴식시간에 신자 언니가 핸드마이크를 들고 작업장 한가운데서 유인물을 읽으며 파업의 필요성을 말했구요. 그런데 모두들 지금 당장 파업으로 들어가자는 반응이었어요. 그래서 우리는 급히 내부회의를 소집하고 나서 점심시간에 일어서기로 결정을 했지요. 점심을 먹고 열두시 반쯤에 식당 앞마당에 오십여명의 사람들이 모여들었어요. 기헌이가 핸드마이크로 선동에 들어갔지요.

모입시다 모입시다, 철통 같은 단결로 우리의 힘을 보여줍시다.

관리직들이 당황스런 얼굴로 뛰쳐나와 직접 말리지는 못하고 우리에게 사정을 하며 따라다녔지요.

대충 했으면 그만 해산하고 말로 해보자.

우리가 운동장 앞의 휴게실에 이르자 안에 있던 사람들이 몰려나와 인원은 백여명으로 불어났어요. 가담한 숫자가 많아지자 망설이면서 구경하던 노동자들이 자신감을 얻었는지 모두 행렬에 끼여들어 또 백오십여명으로 불어났구요. 우리가 '늙은 노동자의 노래'나 '진짜 사나이' '사노라면'을 부르며 각 작업장을 돌아서 한시쯤에 정문 앞에 이르렀을 때에는 천여명의 군중으로 변해 있었답니다. 마이크를 잡았던 기헌이가 자연스럽게 사회를 보았는데 그는 우선 파업대표부를 구성할 것을 제안했고 모여 있는 군중 가운데 각 작업장별로 대표를 추천해줄 것을 요청했어요. 그렇지만 미리 계획되었던 게 아니라 군중의 어느 모퉁이에서 아무개요라고 소리치면 그를 일단 앞으로 나오게 했죠. 이런 식으로 사람들을 나오게 해서 일렬로 죽 늘어세우고는 파업을 어떻게 할 것인가 선정한 대표를 인정할 것인가 하는 가부간의 논의가 활발히 진행될 줄 알았지만 서로 얼굴만 쳐다보고 있을 뿐 발언하는 사람이 없었어요. 사회자가 마이크에다 대고,

여러분, 지금 갖고 계신 선언문의 내용에 찬동하시면 박수를 쳐주세요.

했더니 와아! 하는 함성까지 지르면서 모두 박수를 쳐대는 거예요. 이에 용기가 났던지 사회자가 내친 김에 말했어요.

여러분, 그러면 앞에 있는 이분들을 파업대표로 인정한다면 박수를 쳐주세요.

다시 열렬한 박수. 우리는 그 자리에서 협상부, 경비부, 식사부, 문화부를 구성하고 파업 돌입을 선언했습니다. 밖에서 현수막과 머리띠를 만들어 들이고 농성 도중에 부를 노래도 복사해오고 대표부의 결정에 따라 노동자들이 사무실로 몰려가 관리직원들을 공장 밖으로 몰아내버렸어요. 지게차를 정문 앞에 끌어다가 바리케이드를 치고 경비부에서 인원을 차출하여 지키도록 했구요. 그때가 세시 반쯤이었는데 곧장 파업의 요구사항에 관해서 대중토론에 부치는 순서로 들어갔습니다. 나중에는 구호도 일일이 만들어서 선창과 후창을 연습했어요.

땀 흘려 일한 대가 정당하게 돌려받자!

민주노조 건설하여 노동해방 쟁취하자!

천만 노동자의 단결투쟁 승리 만세!

어찌나 시간이 빨리 지나가는지 얄미울 정도였어요. 시간이 없다는 말이 어떤 건가 실감했다니까요. 파업 요구사항이 만들어지자 대표부는 내친 기세로 그 자리를 민주노조추진위원회의 발기모임으로 끌고 나갔지요. 민노추는 만장일치로 가결이 되었습니다. 다만 어느정도의 반발이 있긴 했지만요. 위원장 한 사람과 두 사람의 부위원장과 감사를 함께 선출하고 부서는 파업대표부의 부서대로 정해졌어요. 하늘이 정말 우리를 돕고 있는 듯했지요.

논의가 되기를 투쟁이 장기화할지 모르니까 규율을 세워야 한댔어요. 그래서 먼저 음주 금지라든가 무단이탈 금지의 대중적인 약속을 정했어요. 취침에서 기상까지 시간을 정하고 세끼의 식사시간과 분반토론, 총집회, 시위, 오락 시간도 정하여 일상을 조직적으로 진행하게 되었습니다. 만약 저들의 방해책동만 없다면 그대로 시행하되 급변이 일어나면 비상태세를 취하는데 각부별로 행동지침을 마련했어요. 협상이 들어오면 협상부가 대응하되 대표는 일단 파업 주동측에서 두 사람이 나오고 민노추의 위원장이 합세하기로 했지요. 우리는 회의장으로 식당을 점거하고 있어서 저녁밥 때가 되자 자연스럽게 여성들이 나서서 취사를 했고 여덟시 반에야 차례로 식사를 할 수가 있었습니다. 우리 손으로 파업비를 걷어 부식을 사다가 집에도 못 가고 함께 둘러앉아 먹는 밥은 보잘것없었지만 첫 숟가락을 넣는데 목이 메더라고 남자들이 말했지요.

이튿날 첫번째의 협상이 들어왔는데 부사장이 관리직 몇사람과 함께 정문에 나타났어요. 경비부가 안으로 들어오려는 그들을 막고 정문 앞에다 책상과 의자를 갖다놓고는 협상테이블을 급조했죠. 우리는 그들을 자리에 앉히고 일단 전원이 정문 앞에 겹겹으로 둘러서서 구호를 선창 후창으로 외치고 노래도 부르면서 기세를 올렸어요. 그들은 처음에 나타났을 때보다는 훨씬 위축되어 있는 것처럼 보이더군요. 우리 협상대표가 나가서 논의를 했지만 목표에 너무 미달해서 결렬을 선언하고 퇴장했습니다. 우리는 그날 새로운 방침을 세웠습니다. 날마다 사오백명이 식당에서 농성하기도 쉬운 일이 아니고 아침이 되면 파업중이라 기계가 쉬고 있는데도 동조자들이 출근을 계속하니까 일단 작업장별로 나누어 농성하기로 한 거예요. 그건 참 잘한 일이었습니다. 우리는 아침에 작업장별로 자고 일어나 시위대를 편성해서 정문 밖으로 내보낼 수가 있었거든요. 파업에 동참하러 출근하는 동료들을 버스정류장까지 나가서 격려하며 데려올 수가 있었지요. 적당한 수가 모이면 일부는 그들과 함께 돌아오고 다시 나가고 하면서 우리 자신들은 물론 공장주변 시민들에게도 아지프로를 효과적으로 해내게 되었습니다.

사흘째 밤에 소동이 일어났습니다. 그때 식당에는 백여명이 있었고 개별작업장에는 이백여명이 사오십명씩 분산되어 취침에 들어가기 직전이었어요. 갑자기 고함소리가 들리며 유리창이 부서지는 소리와 요란한 구둣발 소리가 들려왔죠. 여공들이 새된 비명을 지르는 소리도 요란했어요.

구사대가 왔다, 얼른 모여라!

목쉰 소리로 남자들이 외쳤어요. 우리는 작업장에서 뛰쳐나와 아무거나 닥치는 대로 피켓의 각목이나 공장 안의 파이프를 들고 식당 쪽으로 몰려갔는데 그쪽은 이미 불이 꺼져서 캄캄했습니다. 정문의 바리케이드가 휑하니 뚫려 있었구요. 식당에서 뛰어나가는 놈들의 검은 그림자들이 보이더군요. 아마 칠팔십여명은 되는 것 같았어요. 그들은 식당에 있는 것이 농성자의 전부라고 알았던 모양이에요. 이쪽의 반격이 거세고 숫자도 많으니까 그들은 정문을 나가 어둠속으로 완전히 퇴각했어요. 우리가 식당에 들어가 불을 켰더니 십여명이 다쳤어요. 많은 사람들이 밖으로 도망을 쳤지만 잡힌 사람들은 아마 몰매를 맞은 거예요. 응급치료를 하고 나서 병원 엠뷸런스를 불러 입원을 시키도록 했습니다.

이튿날에는 간밤에 농성장에 있던 사람들과 출근한 사람들이 모두 정문 앞에 모여서 폭력 규탄대회를 열었죠. 어용노조 쪽에서도 마이크를 동원해서 계속 떠들며 우리의 집회를 방해했구요. 불순분자가 선동하는 파업에 동조하지 말라는 소리였어요. 우리 민노추 쪽에는 보통 날보다 사람이 더 모여서 천오백명이 넘었지요. 민노추의 집행부는 아니었지만 쟁의를 처음부터 시작했던 기현이가 나가서 외쳤습니다. 기억나는 대로 적어두었어요.

구사대의 폭력으로 우리를 짓밟고 수백명의 목을 자르고 차가운 감방에 처넣어서 우리의 단결과 투쟁을 멈추게 할 수 있다고 생각한다면 그것은 크나큰 착각입니다. 하나의 불씨가 광야를 불태울 수 있듯이 우리 천만 노동자의 가슴속에서 민주노조의 횃불은 꺼지지 않을 것이며 투쟁이 계속되는 동안 활화산처럼 활활 타오를 것입니다. 노동자 형제 여러분, 우리의 투쟁은 끝나지 않았습니다. 아니 끝날 수 없습니다. 민주노조를 쟁취하고 우리의 권리를 되찾을 때까지 이 싸움을 계속해나갑시다.

너희들은 그뒤에도 이틀 동안을 더 버티었지. 네 동료들은 마지막까지 미루어두고 있던 회사의 본관건물에 진입해서 컴퓨터와 정갈한 사무기기며 소파며 하는 따위들을 아래층에 내던지고 유리창을 모두 박살내버렸다. 그건 일방적으로 당해온 젊은 공원들이 대표부의 만류를 듣지 않고 저지른 일이었다지. 너무도 열악한 작업장에 비해서 냉방기와 정수기며 음료자판기까지 비치된 사무실 안을 처음 보고 눈이 뒤집힌 탓이었겠지. 협상 때 회사측에 따라온 근로감독관은 지부에서 결정되지 않은 기존 노조집행부의 불신임은 불가능하다는 것을 민주노조추진위에 통보했어. 제일 먼저 동조층이 허물어졌다지. 일주일 동안 농성하는 사이에 세차례의 협상이 있었고 드디어 절반의 타결이 이루어지자 힘에 부치기도 했던 추진위는 그만 깃발을 내렸고.

그러고 나서 경찰과 기관원 십여명이 관리직들과 함께 작업장에 돌입해서 파업 주동자들과 학출인 너를 연행해갔다. 그들은 자연스럽게 해고되었고 너는 위장취업의 행적이 없었던 탓에 구속은 안되고 한달 만에 풀려나왔다. 너의 편지는 이렇게 끝을 맺고 있었지.

언니, 나는 기헌이와 신자 언니 그리고 우리 등산반 동료들과 함께 초라하지만 예쁜 행렬이 되어 아침마다 해고철회를 위한 출근투쟁을 하러 나가요. 그동안 좁쌀만큼 저축해놓았던 돈도 다 떨어졌지만 퇴근길에 집에 들른 동료들이 별의별 것을 다 놓고 갑니다. 라면은 박스로 있구요 연탄도 그득히 쌓아두었어요. 나는 아무래두 여기 귀신이 될 것 같아요. 어떻게 제가 등을 돌려 껍질을 깨고 나온 그 두텁고 어리석은 미몽의 알 속으로 되돌아가겠어요?

네가 이 고난의 바다 같은 세상에 이미 없다는 사실을 나는 훨씬 뒤에야 알았구나. 다시 새로운 겨울이었어. 직선제를 한다고 이제는 민주화가 이루어졌다고 눈이 초롱초롱 빛나던 젊은이들도, 주먹을 불끈 쥐고 나섰던 시민들도, 성난 얼굴로 백발을 휘날리던 사회인사들도 모두 이리저리 찢어져서 제각기의 길을 갔다. 우리는 그때 모두 제정신들이 아니었어. 취했던 걸까. 마치 아득한 옛날이 되어버린 것 같아. 신명나던 피는 혈관 속에서 차갑게 식어갔어. 그러고는 고개를 숙이거나 쓴웃음을 지으며 증오도 없이 각자 흩어져서 제 갈길로 걸어갔어. 다시는 만나고 싶지도 않다는 듯이. 선거바람이 지나간 차디찬 길 위에는 간밤의 서리에 젖은 선전 삐라와 인쇄물이 어지럽게 깔려 있었어. 우리가 도달한 게 겨우 고것뿐이야.

나는 네가 따르던 송영태를 만났어. 그래 지난 이야기지만 말은 바로 해두어야겠어. 나는 사실 영태와는 아무런 사이도 아니야. 하지만 친구로 그를 편안하게 생각해. 마치 한마을에서 함께 자란 동갑내기들처럼 말야. 그리고 송이나 나나 당시에 외로웠어. 나이가 몇인데 그때까지도 아버지를 격렬하게 미워하고 있다니 순진하지 않니? 나는 녀석의 꼬임 때문에 그가 만드는 팜플렛의 필경사 노릇도 했고. 하지만 잘 보낸 시간이었어. 아이 아버지를 되돌아본 계기가 되었으니까. 그이와의 사이에 그리움의 적당한 거리감이 생겼다고나 해야겠지.

송영태가 네 죽음에 관해서 얘기해주었을 때 나는 도무지 믿기지 않았단다. 나는 그가 내 무릎에 더벅머리를 처박고 우는 모습을 두번째로 본 셈이야. 그는 병원에서 많이 좋아졌대. 미경아, 표현할 시간도 없었던 너의 젊음을 생각한다. 네가 그에 관해 자랑스레 얘기할 때

눈을 가늘게 뜨고 웃는 얼굴로 따스함을 내보이던 게 생각난다.

나는 그곳에 가봤어. 네가 신나를 뿌리고 불덩이가 되어 떨어졌다는 공장 정문 건너편 그 건물 옥상엘 올라가봤어. 일층은 부대찌개 전문식당이고 이층은 다방이고 그 위는 당구장이더라. 나는 사람들이 눈치채지 않게 당구장 앞문을 슬쩍 지나서 가파른 시멘트 층계로 올라가 그 끝에 있는 작은 철문에 이르렀다. 녹슨 문을 밀어보았더니 요술처럼 쪽문이 슬그머니 열리는 거야. 그래서는 한발을 내딛자마자 삭막한 슬라브 지붕 위에 서게 된 거야. 빈 소주병들이 뒹굴어다니고 오줌 지린 냄새도 났어. 나는 네가 섰던 자리에 정확하게 가서 발을 디뎌볼 수가 있었다. 공장 정문이 똑바로 보이는 바로 그 지점이겠지. 노동자들이 길을 메우고 한꺼번에 몰려나오는 퇴근시간 무렵이었을 거야. 너는 무엇처럼 보였을까. 아마 꽃은 아니었을걸. 차라리 네가 뿌린 유인물이 그렇게 보였겠지. 너는 타오르는 물체처럼 그냥 털퍼덕, 떨어졌어.

내가 곁에 있었다면, 우린 다 같은 딸인데도, 내가 엄마가 되었을 것 같애. 내 손으로 쓰다듬어주면 너의 그슬린 머리카락은 푸슬푸슬 부서져내리고 손가락은 타다 남은 삭정이 같았겠지만.

나는 다시 층계를 내려와 알루미늄 새시 창이 달린 식당에 앉아 부대찌개 시켜놓고 혼자서 소주를 마셨다. 겨울이라 금세 깊은 밤처럼 깜깜해지고 공장 앞에는 새파란 가로등이 켜졌어. 거기서 거뭇거뭇한 사람들의 자취가 나타나더니 길이 점점 가득 차기 시작했지. 그런 조명에다 칙칙한 작업복차림이라 그들은 어둠속을 흘러가는 물처럼 보였다.

그들은 언제쯤 도달하여 바다를 이루게 될까. 어디만큼 흘러가서.

23

여보세요, 나 한윤희예요.

이제 막 갈뫼로 돌아왔어요.

천년쯤 흘러간 듯해요.

돌아오자마자 내가 우리집을 샀어요. 모양은 그대로인데 많이 쇠락했어요. 비료부대가 쌓였고 벽지와 장판지에는 곰팡이가 잔뜩 끼었답니다. 그래도 옛날 얘기에 나오는 것처럼 쑥대만 무성하지는 않아요. 펌프는 벌겋게 녹이 슬었구요. 순천댁 사모님은 싹 허물고 조립식으로 간단하게 지어버리라고 그랬지만 나는 당신이 돌아올 때까지 그냥 놓아둘 참이어요. 그래서 그냥 구들만 고치고 도배만 새로 했답니다.

이번엔 나 혼자 왔지만 다음 겨울방학 땐 은결이두 데리구 올 작정이에요. 지금이 천구백구십삼년이래요. 은결이는 열두살이 되었어요. 내년이면 중학생이 된대요. 그앤 벌써 가슴이 나오고 여자 티가 나요. 당신을 많이 닮았더군요. 그앤 내 딸이지만 한편으론 내 딸이 아니기도 해요. 팔팔인지 뭔지 올림픽 치르던 해에 은결이를 정희네로 입적시켰어요. 은결이가 초등학교에 입학을 해야 되었거든요. 이를테면 나는 아직도 미혼모였으니까요. 그앤 물론 나에게도 엄마라고 부르지만 즈이 이모에게 엄마라고 부를 때가 더 자연스런 모양이어요.

당시는 내가 참으로 견디기 힘들던 시절이었기도 해요. 왜 그랬냐구요? 고통스런 시간은 그 뒤에 더욱 많았는데도 돌이켜보면 그때가 제일 힘들었어요. 당신이 돌아올 가망은 점점 멀어지고 내게는 모든 과거의 가치들이 퇴색해버리고 있는 것 같았죠. 그림 따위를 무엇 때문에 붙들고 있는지 조용한 환멸이 가슴 밑바닥에 천천히 번져가고 있는 느낌이었어요.

나 지금 막 돌아왔다구 했잖아요. 오년 만이에요. 지금부터 여기 와서 다시 지난 다섯 해를 기록할 거예요. 나는 예전에 여기 버리고 갔던 스케치북에다 몇자 적어보았어요.

길은 언제나 돌아오기 위해서 있다. 누구도 끝까지 걸어간 이는 없다. 서 있던 자리에는 없어진 내가 있다. 나는 이미 그다. 나와 그가 이제 만난다. 달라진 것은 없이 처음부터 정해져 있던 길.

나는 여길 떠나고 싶어했어요. 봄에 은결이를 정희네로 보내고는 더욱 그랬지요. 정희두 그맘때는 아들을 낳아서 벌써 세살이 되었구요. 유학이나 가버릴 작정을 했지요. 나는 바깥에서 거기에 있던 나를 살펴보고 싶었는지두 몰라요. 뉴욕은 나에겐 맞지 않을 것 같았어요. 너무 복잡한 건 음식이든 옷이든 불편하지요. 빠리는 나중에 확인했지만 자유가 축제처럼 펄럭이다가 일시에 젖어 떨어지는 만국기 같았어요. 나는 그냥 무덤덤하게 베를린으로 갔어요. 첩보영화에 많이 나오는 음울한 습기의 도시로.

나는 독일에 대해선 맥주와 빵밖엔 생각나는 게 없었어요. 처음엔 그냥 여행중이었는데 어쩐지 베를린이 마음에 들었지요. 거기 초겨울은 춥고 스산해요. 비가 추적추적 내리고 안개가 무겁게 깔리거나 진눈깨비가 며칠씩 내려요. 엄청난 천둥 번개가 하늘을 찢곤 하지요. 오후 세시쯤이면 벌써 캄캄해지고 여섯시쯤에는 거리에 인적이 끊겨요. 나는 기차를 타고 서독에서 동독 쪽으로 들어갔는데 그런 방면에는 조금 단련이 되어 있다는 나도 오랫동안 본능적으로 금지된 땅에 살아서인지 가슴이 두근거리데요.

베를린은 섬이나 마찬가지였어요. 기차의 차창 사이로 백화나무의 하얀 가지들이 보였구요, 인적이 끊긴 밀밭가에는 전장의 폐허에 버려진 고철 같은 트랙터가 서 있었지요. 붉은 견장에 가죽띠를 어깨에 두르고 무릎까지 올라오는 장화를 신은 경비병들이 기차에 올라와서 여권을 조사했어요. 나는 장벽으로 둘러싸인 점령된 도시로 들어갔어요.

쿠담의 중심가에만 젊은이들이 북적대고 있을 뿐 조금만 중심가를 벗어나면 작은 가로와 골목은 텅 비어 있었어요. 오래된 아파트들은 낡고 칠이 벗겨져 있었는데 동독 쪽에서 석탄을 때는 노란 연기가 안개처럼 흐린 하늘로 번져올랐어요. 베를린은 이를테면 우리네 비무장지대나 같은 곳이지요. 아니면 서로 다른 건축물이 맞닿은 완충지대에 있는 회랑 같은 장소였다고나 할까. 나는 이 중립적인 성격의 도시가 마음에 들었어요. 남과 북은 나의 전면과 등뒤처럼 상반된 방향이지만 동과 서는 그냥 똑같은 측면일 뿐이잖아요. 고개만 돌리면 해가 떠오르고 다시 돌리면 해가 저물고 있겠지요. 하지만 하늘의 아침 저녁 노을은 서로 전혀 다른 모습은 아닐 거예요.

나는 첫날 아는 사람이 하나도 없는 도시의 중심가에 내려서 다른 여행자들처럼 초조하고 분주하게 미술관이나 박물관을 찾아다닐 생각도 없이 그냥 흔한 이태리 식당이나 모퉁이의 작은 까페에 앉아서 거리를 내다보았습니다.

브란덴부르크 문앞의 긴장이 감도는 정적은 계엄령이 내려졌던 우리들의 시청앞 광장보다 더 깊은 침묵에 잠겨 있는 듯했지요. 그곳이 우리가 태어나면서부터 금지되어 있던 또다른 세계로 향한 창문이었다는 걸 알게 된 것은 기묘하게도 장벽이 무너진 뒤의 일이었지만요.

내가 머물던 곳은 장벽 근처의 작은 팡지온이었는데요, 주인이 아마 아랍 사람인 것 같았어요. 벽에 아라베스끄 무늬의 태피스트리가 걸려 있었구요, 원색의 큰 도자기들이 거실에 놓여 있었어요. 손님은 별로 없었어요. 아침을 먹으러 거실로 나가면 배낭여행중인 영국 학생들 몇과 중년의 터키인 부부뿐이었지요. 내가 방에 들어가서 거리로 향한 창문을 열었을 때 잠깐 충격을 받았던 게 생각나요. 두꺼운 커튼을 젖히고 캄캄하게 어두운 유리창문을 여니까 그 밖에는 나무판자의 덧문이 닫혀 있었어요. 덧문을 밀어버리자 차갑고 습한 바람이 들어왔지요. 그리고 눈앞에 거대한 회색의 벽이 나타났어요. 그 벽은 오른쪽에서 왼쪽으로 고개를 돌려 내다보아도 끝이 보이질 않았어요. 가슴을 콱 떠미는 듯한 답답한 느낌과 무력감이 잊혀지지가 않아요. 사람들의 서로 다른 생각이 현상세계에 사물로서 구체화된 것이었어요. 나는 우리나라에서 휴전선 근처에 가본 적이 없지만 비상훈련 때마다 무장을 한 초병들이 버스에 올라 검문을 하던 날의 무력감은 생각이 나요.

벽은 그것이 무기물질이라는 것을 완강하게 주장하고 있는 것처럼 보였습니다. 한치의 빈틈이나 구멍도 없이 그냥 무뚝뚝하게 서 있었습니다. 아무 장식도 없이 회색의 돌덩이가 되어 거리를 막고 서 있는 벽체 곳곳에 삐져나온 철근이 보였지요. 나는 벽을 가까이서 보기 위해 숙소에서 나가 골목길을 돌아 들어섰어요. 오랫동안 그늘이 져서 이끼까지 앉은 서독측의 건물들이 늘어선 막다른 가로였지요. 쓰레기통만 입구에 늘어서 있을 뿐 사람들은 이미 이전의 현관이나 통로를 이용하지 않고 건물의 반대편으로 드나들고 있는 것 같았지요. 장벽 쪽으로는 작은 제라늄 화분조차 내놓지 않았어요. 멀리서 볼 때에는 그냥 회색일 뿐이던 벽 위에 가득한 뺑칠 낙서와 그림과 벽보 들을 보았어요. 페인트로 정성스럽게 그린 그림들도 있었지요. 나는 색다른 전시회를 마주하고 있다는 감동이 생겨났어요. 꿈과 희망과 기억과 산것들의 모든 감정 따위를 무자비하게 덧칠해버린 시멘트 구조물 위에 꼼지락꼼지락거리며 자신의 숨결을 불어넣으려던 인간적인 안간힘의 흔적이 거기 있었어요. 깨어진 시멘트의 틈바구니에는 먼지가 쌓여 기적 같은 토양이 생겨나고 작은 풀꽃이 자라나 있었어요. 그때 나는 눈물이 핑 돌면서 실로 오랜만에 당신을 생각했습니다.

독일어는 아직 서툴지만 나는 여기에 남고 싶었어요. 점령군인 양키와 로스께를 밉살스러워하는 이 도시의 젊은이들 분위기도 그럴 듯했구요. 금욕적인 고장에서 갑작스레 화창하고 요사스러운 번화가로 나오기보다는 묘지가 보이는 교회나 낡은 학교 근처로 와서 시작하는 것이 정신건강에도 좋을 것 같았지요. 베를린은 내가 당신을 면회 가서 먼발치에서 검은 창과 빨래만 바라보고 돌아왔을 적에 가졌던 인상처럼 잊혀진 장소였어요. 나는 여기서 유폐되고 싶었는지도 모른답니다.

동물원역 앞의 환전소에서 누굴 만났어요. 나보다는 두어 해 후배였는데 그림은 별로 신통치 않았지만 편견이 없고 마음이 편해서 친구들이 많은 그런 여자였지요. 졸업하고 만나본 지 오래되었는데 그네가 여기서 유학중이었대요. 그리고 독일 사람과 결혼을 했대요. 남편은 그네 말대로 운좋게 변호사였구요. 이름이 잘 생각이 안 나네요.

가물가물하면서도 떠오르지 않는군요. 거기 있는 동안에 한 세번쯤 만났을까. 하여튼 그애의 유창한 독일어 덕분에 예술대의 교수와 인터뷰를 했고 자료를 챙겨서 다시 만나기로 했어요. 나는 친구들과 정희에게 필요한 서류들을 준비해 부쳐달라고 청했고 그동안 작업했던 것들을 한 상자 모았어요. 최종 인터뷰를 하고 나서 입학허가를 받았죠. 그때만 해도 베를린은 방 사정이 좋은 편이어서 본이나 프랑크푸르트보다 훨씬 싸고 널찍한 집을 구하기가 쉬웠습니다.

당신 서운하겠지만 나는 사실 당신과의 인연만 뺀다면 다른 건 운이 좋은 편이어요. 분데스플라츠 모퉁이에 아뜰리에로 나온 집을 아주 싸게 얻을 수 있었거든요. 그곳은 중심가에서 지하철로 세 정거장밖에 떨어져 있지 않았고 한 정거장도 못 가서 나무와 잔디와 호수가 있는 큰 공원이 거리를 가로지르고 있었어요. 또 지하철 노선들이 만나는 곳이며 광장을 중심으로 다섯 갈래의 길이 방사형으로 뻗어나간 곳이에요. 광장의 모퉁이마다 잡화점이며 작고 이국적인 레스또랑과 생활편의점 들이 사이좋게 붙어 있었어요. 주말에는 광장에 민속시장이 섰어요. 나는 여기서 싱싱한 야채와 과일을 샀고 집에서 만든 쿠키나 소시지며 햄도 사곤 했거든요.

내가 얻은 집은 백년이 넘은 프러시아 시대의 건물이라는데 옛날에는 공장이었다지요. 전후에 주택으로 개조하고 노동자들의 숙소로 사용했대요. 그래서 한층이 보통 집의 이층 높이만해요. 건물의 입구에 트럭이 드나들 만한 높고 큰 철문이 있고 거기 거주자의 이름이 적힌 명패가 방 번호대로 붙어 있고 옆에는 집집마다 버튼이 달려 있어요. 방문자가 단추를 누르고 인터폰으로 자기를 밝히고 안에서 버튼을 눌러주면 철문에 달린 작은 쪽문이 열려요. 문 바로 옆에 불을 켜는 낡은 쇠장식의 스위치가 있어요. 그걸 누르면 어두운 통로와 안의 뜰에서 현관까지 일렬로 늘어선 외등이 켜졌다가 천천히 걸어서 현관문을 열고 건물에 들어설 때쯤에 불이 저절로 나가요. 현관으로 들어서면 일층의 방문들이 사방으로 보이고 가운데 공간에는 삼층의 꼭대기까지 휑하니 뚫려 있어요. 이 공간 속에 둥근 기둥이 서 있고 나선형의 철제 층계가 덩굴나무처럼 감고 올라가요. 삼층이라고는 해도 한층이 다른 건물 한층의 두 배 높이는 되니까 육층인 셈이에요. 나는 이 층계가 시작되는 층계참 옆에 붙어 있는 타이머 단추를 누르고 올라가기 시작합니다. 맨손으로 올라갈 때에는 발걸음이 가벼워서 방문을 열고 안으로 들어설 때까지 불이 켜져 있지만 장을 보고 돌아올 때는 조금만 지체해도 불은 사정없이 꺼져버리고 말아요. 그러고 나면 벽을 더듬으며 올라가 다음번 모퉁이에서 벽을 더듬어 다시 단추를 눌러야만 합니다. 글쎄 전기를 얼마나 아낀다고 이런 호들갑을 떨게 만들어놓았는지.

내 방문을 열면 전에 살던 사람이 머리 위로 높은 천장이 보이는 게 싫어서 그랬는지 휘장을 쳐놓았어요. 흰 바탕에 푸른 갈매기무늬가 찍힌 캔버스천이에요. 현관 앞의 공간에는 신이나 우산이나 코트를 넣을 수 있는 붙박이 수납장이 있어요. 방으로 들어가는 문짝 없는 문에는 커튼이 양갈래로 늘어져 있어요. 이런 것도 전에 있던 것들이에요. 천장이 아득하게 보이는 앞쪽은 전면 창인데 흰 무명커튼이 늘어져 있지요. 아래편의 작은 창들을 밖으로 밀어서 열 수가 있고 위편의 크고 기다란 창들은 붙박이예요. 에이치 빔이 무지막지하게 지나가는 천장은 그런대로 볼 만해요. 갓을 씌운 스튜디오식의 전등이 매달려 있어요. 그리고 방의 삼분의 일쯤 공간을 차지하고 로프트가 선반처럼 달려 있구요, 가운데에 좀 가파른 사다리가 놓였습니다. 사다리를 타고 로프트에 오르면 거기가 내 침실인 셈이에요. 낮은 침대 하나가 놓였고 키 작은 스탠드와 속옷을 넣는 서랍장 하나가 전부예요. 나는 휑하니 비어 있는 오른쪽 공간에 낮은 책장을 올려놓고 읽을 만한 책들을 두었어요. 침대에 엎드려 잠들기 전에 책을 읽곤 했지요. 로프트 밑에는 긴 의자 하나, 피서지에서 쓰는 접었다 폈다 하는 천이 달린 의자 둘, 그리고 소파침대 하나가 있었구요. 방 왼쪽에 둥근 식탁과 나무의자 둘, 책상과 걸상, 그리고 내가 장만한 큰 나무이젤과 중간치 이젤이 있었어요. 창 쪽의 벽 가운데에 라디에이터 모양의 가스난로가 붙어 있어요. 늘 촛불만한 불꽃이 남아 있는데 밸브를 열면 불꽃이 좌우로 길게 퍼지면서 열판이 달아올라요. 방의 오른편 벽에는 큼직한 붙박이장이 있구요, 왼편에는 부엌으로 들어가는 문이 있어요. 부엌문을 열자마자 전기 온수탱크가 달린 화장실 겸 샤워실이 있고 작은 창이 있어요.

창으로 아래를 내려다보면 소나무며 자작나무며 은행나무가 섰는 안뜰이 보입니다. 창 바로 앞에 잎이 무성한 칠엽수는 봄꽃이 필 때마다 바람에 불린 꽃잎이 내 방안에 날아들곤 했어요. 이 작은 창 앞에 일인용의 합석판으로 만든 작은 탁자와 등받이 없는 의자가 있었는데 나는 주로 여기서 간단한 요기를 하면서 마로니에라는 서양 이름을 가진 칠엽수와 친해졌어요. 싱크대와 냉장고까지 들어앉은 이 길고 비좁은 공간이 휑한 창고 같은 방보다 내게는 훨씬 편했어요. 외출했다 돌아와 젖은 몸을 데우면서 여기 앉아 홍차에 술을 타서 천천히 마시곤 했지요.

이렇듯 장황하게 방 이야기를 하는 건 이곳이 나의 세계였기 때문이어요. 여기서 비로소 그쪽에서 알 수 없이 짓눌려 있었던 자의식들에서 벗어났어요. 나는 왕성하게 작업했어요. 아무도 나를 모르는 사람들 사이에서.

이 집은 전쟁 후에 노동자들의 주거지로 쓰다가 그들이 새 아파트를 짓고 옮겨간 뒤에는 비어 있는 채로 창고로 사용되었다고 하는데 시에서 사들여서 가난한 예술가들의 작업실로 개조해서 싼 값에 임대하고 있어요. 나는 전에 여기 있던 체코 음악가의 친구에게서 소개를 받고 입주했어요. 그네를 찾는 전화가 가끔 걸려왔지요. 전화에다 '프라하로 연락하라'고 대답만 해주었지요. 나는 그네의 손때 묻은 식탁보와 부엌에 걸린 작은 액자 하나를 간직하고 있었어요. 식탁보는 그냥 흔한 무명천인데 마거리트 모양의 자잘한 꽃이 네 귀퉁이에 수놓인 것이어서 아마 그네의 개인적인 물건이라 생각되어요. 짐을 쌀 때 빼놓고 간 모양인지. 액자는 책상 앞에 앉으면 바로 머리 높이에 걸려 있는데요, 석판화로 그린 케테 콜비츠의 팔을 고인 자화상이에요. 나는 이 그림 한장으로 전의 주인이 마음에 들었답니다. 천구백이십년대의 케테는 이미 늙은 여자예요. 부드러움과 연민으로 가득 찬 눈 아래 깊은 고뇌의 주름살이 잡혀 있구요, 자식을 걱정하는 고향집 어머니의 표정으로 그네는 화면 바깥을 바라보고 있어요. 나는 벽에다 아무것도 걸지 않았지만 언젠가 카이저 빌헬름 교회 안에 있는 제삼세계 기념품가게에서 샀던 포스터 한장을 문 옆에 붙여놓았지요. 그건 아메리카 인디언 전사의 사진인데요, 포토 릴리프 처리를 했는지 아니면 낡은 사진을 거칠게 복제해서 그랬는지 목탄으로 그려놓은 것 같았지요. 무너져내린 단애 위에 서 있는 인디언 전사는 아래편의 황야에다 뭔가 한줌 집어서 뿌리고 있어요. 머리 위의 깃털이며 등에 멘 화살 꽂힌 전통과 한손에 쥔 도끼 등으로 보아 그는 싸움에서 막 돌아온 전사가 분명했지요. 그가 씨앗이나 흙을 절벽 아래로 뿌리는 것 같지는 않았어요. 그건 아마 누군가의 화장한 뼛가루인지도 몰라요. 사진의 아래쪽에 검은 인쇄체로 독일어가 찍혀 있는데 '어머니 대지는 성스럽다!'라는 문장이었어요.

나는 베를린의 겨울이 좋아요. 매섭게 추운 날도 있지만 대개는 스산한 비가 내리지요. 머플러를 목 주위로 친친 감고 우산이 거추장스러우면 모자를 하나 사서 쓰면 돼요. 여름비처럼 소리나게 쏟아지는 그런 비가 아니라 그냥 하염없이 연이어 내려요. 그러고는 불켜진 가로등 주위까지 부옇게 되도록 안개가 껴요. 스산한 한기가 목덜미와 소매 끝으로 해서 팔뚝까지 스며들 정도랍니다. 나는 자루를 메고 광장 건너편에 있는 세탁장으로 빨래를 하러 가곤 했는데 거기서 친구를 사귀게 되었어요. 동전 몇개면 세제를 타내고 세탁과 건조와 다림질까지 한 코스로 할 수 있는 곳인데 음악두 나오구요 한쪽에는 잡지나 책들이 꽂혀 있고 음료와 커피 자판기도 있어서 빨래하는 동안 앉아 있기가 지루하진 않아요. 빨래를 돌리면서 앉아 있었는데 다 저녁때라 사람이 하나도 없었어요.

문이 열리면서 할머니 한사람이 들어왔는데 곱게 화장을 했고 어디 외출했다 돌아오는 길인지 검은 원피스의 정장을 하고 가슴엔 은빛 브로치에 목걸이와 귀걸이까지 하구 있더군요. 그네는 한손에 큼직한 가죽가방을 들고 왔어요. 갈색의 가죽에 노란 금속장식이 붙은 아주 고풍의 보스턴백이었지요. 그런데 그 안에서 속옷가지들을 꺼내는 거예요. 나는 흥미있게 이 할머니를 힐끔거리며 지켜보았지요. 할머니가 동전을 세탁기에 넣고 원형의 유리문을 열어 빨래를 쑤셔넣더니 내 맞은편에 앉았어요. 나와 눈길이 마주치자 군탁, 하고 인사를 하더군요. 나도 고개를 까딱해 보였지요. 잠시 앉았던 할머니가 어깨를 부르르 떠는 시늉을 하고 나서 가방에서 작은 양철 술병을 꺼냈어요. 좋게 말해서 애주가나 아니면 지독한 알코올 중독쟁이들이 늘 상의 주머니에 넣고 다니는 술병이랍니다. 싸구려 위스키나 브랜디를 그 모양 좋은 병에 따라 지니고 다니잖아요. 그네는 병뚜껑을 돌려빼서는 거기다 술이 찰찰 넘치도록 붓고는 단숨에 털어넣었어요. 할머니가 입맛을 다시고 나서 나에게 술병을 쳐들어 보였습니다.

한잔 하겠어요?

라고 그네가 말했겠죠. 나는 고개를 저을까 하다가 그네의 고독에 동참하기로 마음을 먹고는 손을 내밀며 당케, 하고 응낙했어요. 그런데 술잔에 입을 대는 순간 꼬냑과 같은 독일 브랜디라는 걸 알았지요. 맛과 향이 아주 괜찮았어요. 내가 그네에게 물었죠.

한잔 더 해도 되겠습니까?

내 말이 전달되었는지 그네는 물론 그렇게 하라고 대답했고 나는 한잔 더 따라서 마셨어요. 그네도 다시 한잔.

나는 마리 클라인 부인이에요. 당신의 이웃에 살아요.

정말이에요? 나는 한입니다.

알고 있어요. 도어의 명패에서 봤지요.

그네가 나와 마주보고 있는 방에 살고 있다는 걸 모르고 있었는데 아마도 할머니는 처음 이사오던 날부터 나를 살펴보고 있었나봐요.

우리 남편도 화가였다오. 지금은 죽고 없지만. 그는 동양을 좋아했어요. 내 방에는 그가 좋아하던 중국 도자기가 몇점 있는데…… 원한다면 내가 나중에 보여줄게요.

유학생 동료들이 이웃에 혼자 사는 노인들을 조심하라고 주의를 준 적이 있지만 나는 아랑곳하지 않았습니다. 그들은 대개 개나 고양이 한마리와 살고 있었어요. 그것들과 식구 사이처럼 혼잣말로 끊임없이 대화하고 남의 일에 병적인 호기심이 많고 한번 말을 터주면 이일 저일로 관계를 유지하려고 애를 쓰면서 자꾸 일상으로 비집고 들어온다지요. 그러나 사실은 나도 누군가 이웃을 만들고 싶어 미칠 지경이었거든요. 우리는 어떤 단어는 서로 알아듣지 못하고 영어문장을 섞어 쓰기도 하면서 빨래가 다 끝날 때쯤에는 그 작은 술병을 다 비워버렸어요. 내가 그네에게 먼저 말해버렸죠.

도자기 구경을 할 수 있을까요?

오, 그럼요.

우리는 오래된 사이처럼 빨래뭉치를 옆에 끼고 우리 아파트로 갔어요. 앞서거니 뒤서거니 하면서 나선형의 철제 계단을 올라 같은 층에서 오른쪽이 내 방이고 왼쪽이 클라인 부인의 방이었지요. 그네가 문을 열고 먼저 들어가서 불을 켰어요. 로프트가 없는 것만 빼고는 내 방과 똑같은 방이었습니다. 우선 사방 벽을 빈틈없이 가득 채운 그림들이 보였어요. 그리고 작은 나무서랍장 위에 십여개의 도자기들이 얹혀 있었구요. 가구는 단출했습니다. 커다란 더블베드가 방의 안쪽에 놓여 있고 가운데에 식탁과 나무의자가 둘, 그리고 안락의자는 하나뿐이었어요. 그네가 두 개의 스탠드를 켜자 방은 촛불을 여러 개 켠 것처럼 따스하게 밝아왔습니다. 그러나 거긴 가난하고 외로운 노파의 방이라는 점을 감출 수가 없었지요. 나는 장 앞으로 다가서서 그네가 보여주는 도자기들을 꼼꼼하게 한가지씩 살펴보았습니다. 그중에 두어 개는 일본 것인데 아마도 여행지에서 누군가가 기념품으로 준 듯한 평범한 술병이었어요. 그리고 주둥이가 넓적한 항아리 둘과 호리병 모양을 한 것은 중국 것이었는데 아마도 백년 가까이는 되었을 거예요. 그것이 그네가 말하던 도자기라는 걸 알았지요. 내 느낌으로는 그것도 홍콩이나 어느 항구에서 여행자가 뒷골목의 골동품점에서 구입했을 것 같은 생활자기에 지나지 않았어요. 아마 같은 모양과 그림이 그려진 병이 근처에 많이 있었을 거예요. 그밖에 토기가 몇개 있었어요. 모두 여행지에서의 산물들이었죠. 클라인 부인이 내게 속삭였어요.

어때요, 좋지요? 이것들은 남편이 내게 사다준 것들이었어요. 여기 이것은 일본에 갔을 때 우리 부부가 샀구요.

내가 중국 호리병을 들어 옆구리에 그려진 산수화를 들여다보고 있는데 그네가 내게 말했어요.

이걸 당신이 사겠다면 팔겠어요.

글쎄요……

나는 웃는 얼굴을 그네에게 지어 보였습니다.

얼마나 필요하세요?

클라인 부인은 잠깐 생각해보더니 말했어요.

오백 마르크는 넘겠지만 삼백이면 되겠는데……

나는 고개를 끄덕여주었습니다. 방 옆에 붙은 그네의 부엌으로 들어가보지는 않았지만 아마 찬장이나 냉장고는 비어 있을지도 몰랐어요. 분위기로 보아 그네는 생활보호연금으로 살고 있었겠지요. 그네는 아마 술 몇병만 가지고도 며칠을 살 수 있었을 거예요. 그네가 내게 앉으라는 소리는 하지 않았지만 나는 식탁 앞의 의자에 앉았어요. 클라인 부인이 내게 물었습니다.

아마 차가 있을 텐데 위스키를 타서 줄까요?

그냥 위스키만요.

그게 좋겠군요.

그네가 부엌으로 들어갔다가 반쯤 남은 스카치위스키 작은 병과 잔 두 개를 가지고 왔어요. 그네는 두 잔에 술을 반쯤만 따르고는 내 맞은편 그네 자신의 안락의자에 앉더군요. 클라인 부인이 중국 호리병에 술잔을 쳐들어 보이며 중얼거렸습니다.

잘 가라, 얘야.

아끼던 물건인가요?

나는 그게 그저 싸구려 물건에 지나지 않는다는 걸 알고 있었지만 그네의 기분을 맞추어주느라고 그렇게 말했습니다.

우리 남편은 아주 유명한 화가였어요.

언제 돌아가셨는데요?

십년 전에.

저기 벽에 걸린 그림들이 그분의 작품인가요?

미술관과 박물관으로 가고 남아 있던 것들이에요.

나는 자리에서 일어나 문 옆의 입구에서부터 벽을 따라 돌아가면서 빈틈없이 붙어 있는 그림들을 보기 시작했어요. 부인은 그대로 안락의자에 앉아서 말했어요.

사실 그이는 이십년 전에 죽은 거나 마찬가지였어요.

나는 그림을 보다가 그네에게로 고개를 돌렸습니다.

그이는 오십년대에서 육십년대 중반까지 팔년쯤 열심히 그리다가 병원으로 갔으니까.

내가 본 것은 미리 정해진 관념이나 객관적 세계의 이성으로부터 놓여나겠다던 추상 표현주의적인 물감의 흔적이었어요. 나이프와 거친 페인트붓의 자국이 화면의 위에서 아래로 그어져 있거나 어린이의 낙서처럼 뭉개져 있기도 했습니다. 내가 대학의 졸업전에서 흔히 보았던 낯익은 화면들이었지요. 그리고 벽의 두번째 면에는 물감이 처음보다는 두껍고 젖은 것처럼 번져 있는 부분들이 서로 겹치거나 나뉘거나 만나는 듯한 형태를 띠고 있었어요. 그리고 다음 세번째 벽면의 중간까지는 이른바 문자추상이 단순한 바탕 위에 거친 터치로 그어져 있는 것들이었구요. 벽의 맨 끝은 이 방에서 가장 큰 그림 한 장으로 마감되어 있더군요. 그건 번진 물감의 형태를 손가락으로 무수한 원과 직선을 그으며 뭉갠 것이었어요. 빛과 색은 강렬하지도 않고 중간 톤인데 물감을 쓸 줄 모르는 초보자가 이색 저색을 덧칠하다가 원래의 색깔이 차츰 사라지는 것 같았습니다. 그런데 그리는 사람의 생각이며 구성이며 기획을 처음부터 배제하려던 노력 끝에 정반대로 그는 자신의 손가락의 흔적을 무수하게 화폭 안에 남기고 있어요. 나는 기분이 아주 좋았습니다. 그래서 술잔을 든 채로 조금씩 마시면서 한참이나 그림 앞에 서 있었지요.

그것이 제일 좋지요?

라고 클라인 부인이 말했어요. 나는 오히려 그네에게 물었습니다.

왜요, 부인은 그렇게 생각하세요?

나를 마리라고 불러도 괜찮아요.

예, 그러죠.

그는 자기 재능을 진지하게 낭비했어요. 우리는 그럴 수밖에 없었어요. 전쟁이 끝났을 때 벽돌더미와 쥐밖엔 남은 게 없었지요. 우리는 둘 다 이 나라를 지긋지긋하게 싫어했죠.

전쟁 때에는 뭘 했는데요?

히틀러 유겐트. 알아요? 지금도 독일인은 누구나 병정이거든. 질서 있게 줄을 잘 맞추지요.

그럼 여길 떠나지 그랬어요.

가난해서 그냥 살았지.

나는 마리 할머니와 한시간쯤 이야기하다가 술을 두 잔 더 얻어 마시고 나서 일어섰어요.

잠깐 내 방에 가실래요?

그래도 괜찮아요?

도자기값을 받아야죠.

그네는 서너 발짝 거리의 맞은편 내 방에 가는데도 어깨에 붉은 털실 숄을 걸치는 거예요. 나는 마리를 등뒤에 달고 내 방으로 들어섰어요. 내 뒤에 그네의 눈을 달고 들어선다는 느낌이 들자 내 방이 갑자기 낯설어지더군요. 마리는 먼저 문 옆에 붙은 포스터를 들여다보고 그 아래 인쇄된 말을 소리를 내어 읽었습니다. 어머니, 대지는, 성스럽다.

이건 그럴듯한 사진이군요. 하지만 유럽은 아주 오래 전에 어머니를 죽여버렸어.

나는 못 들은 척하고 탁자 위에서 백을 집어다 안에서 손지갑을 꺼냈고 마리는 다시 책상 앞에 가서 케테의 자화상을 들여다보았어요.

오랜만에 보는 얼굴이에요. 우린 이미 이런 작업을 할 수 없게 되었어요.

아, 그건 내 것이 아니에요. 지난번 이 방 주인이 남겨두고 간 거예요.

쾰른에 가서 이 그림을 본 적이 있어요?

아직……

하고 나서 나는 마리에게 말했어요.

한쪽에선 사람이 지겨워져서 쫓아내고 달아나고 하지만, 다른 한쪽에서는 사람을 찾아내려고 애를 쓰고 있지요.

마리는 그냥 알코올 중독에 걸린 할머니는 아닌 모양이었습니다. 그네는 희미하게 웃음을 입가에 떠올렸어요.

어디서 많이 듣던 말이군요. 슈테판은 국립요양원에서 죽었어요. 그는 자신이 누군지도 모르고 이십년이나 거기서 살았어요.

나는 지갑에서 돈을 꺼내어 마리에게 내밀었습니다.

자요, 삼백 마르크요.

그네는 돈을 받더니 진짜인가 확인하려는 구멍가게 노파처럼 눈앞에 대고 한장씩 헤어보고 나서 상의 주머니에 찔러넣더군요. 마리를 문밖으로 배웅하고서 나는 그네가 남기고 간 초라한 중국 호리병을 식탁에 올려둔 채 멍하니 앉아 있었습니다. 아마 저 텅 빈 주둥이에다 흑장미라도 두어 송이 꽂아두고 밥을 먹어야겠다고 잠깐 생각해보면서.

마리와 슈테판은 전쟁의 폐허 속에서 어떤 화실이나 아트 전문 슐레의 교실이나 아니면 허름한 창고 전시실에서 만났을 거예요. 그들은 동독에서 넘어오거나 동독으로 넘어갈 젊은이들은 아니었겠지요. 그러나 미국이 배급해준 점령지의 자유가 넘치는 전후 서독에서 적응하기에는 힘겨웠을 겁니다. 나중에 동독의 많은 예술가들이 선전의 매너리즘에 빠졌다가 스스로 애매모호해지고 드디어는 환멸 속에서

진저리를 치며 일어선 것처럼요. 제삼제국의 기호였던 크로이츠 하켄의 날카로운 이빨에서 벗어나자마자 젊은 슈테판은 미국의 야만적인 자유의 천진함에 매료되었는지도 모르죠. 모든 편향은 반동에서 시작되니까. 그들 세대는 냉전의 베일 뒤에서 교화되고 사육되었다는 걸 뒤늦게 깨달아요. 그러다가 마리에게 선물로 사온 저 이국적인 병의 옆구리에 그려진 시도때도 없는 봄날의 낮잠 같은 곳으로 갔다가 차츰 베를린의 남루한 방으로 돌아오려는 때에 출구를 잃어버리고 말아요.

나는 어디서부터 시작을 해야 하는 걸까. 마리 할머니처럼 이십년 전에 머문 채로 스스로 마취되어 있을 수는 없잖아요. 그네의 말에 의하면 나중에 기성세대가 된 슈테판의 친구들이 그의 작품을 사주기도 하고 공공미술관에 소개하기도 해서 조금씩 알려졌답니다. 하지만 나는 그네의 방안 세 개의 벽면에 걸려 있는 초라한 몇점의 유작들을 보면서 한 개인이 지녔던 이상이라든지 일이라든지 생애 따위가 얼마나 작은 거품에 지나지 않는가를 느낍니다. 나중에 다시 마리의 방에 가면 마지막 손의 흔적을 볼 테지만 그게 그의 시작이었을 거예요.

내가 마리 클라인 부인의 이야기를 상세히 적는 이유는 그네가 그 시절에 내 가장 가까운 친구 중의 하나였기 때문이어요. 또한 내가 겪게 된 뼈저린 사랑에 대하여 잘 알고 있던 유일한 사람이었으므로.

참, 내가 빼먹은 게 한가지 있어요. 그들은 당신과 나처럼 사회적인 결혼절차를 통과하지 않고 자유롭게 동거했어요. 지금은 터키인 거주지처럼 되어버린 크로이츠베르크의 창고에서 십년을 살았다지요. 마리는 말까지 잊어버린 남자를 요양원에 보내놓고 한달에 한번씩 면회를 다녔어요. 그네는 그림도 그만두었고 중년에는 노인들의 간병으로 나이들어서는 시간제 파출부로 근근이 살았대요.

나는 그네가 깨끗한 차림으로 동물원역 근처의 티어가르텐에 나가서 가끔 손바닥만한 화첩에 연필로 끼적거린 크로키들을 훨씬 나중에 보았죠. 무수한 선이 중첩되어 있었고 뭔가 단순하지만 이야기가 있는 듯이 보였어요. 간신히 그 형상들을 알아볼 수가 있었죠. 자전거라든가 집, 또는 욕조와 신발, 아마도 자기 자신으로 정해진 비슷한 꼴의 사람, 그게 여자인 것만은 분명해 보였습니다. 머리통 비슷한 동그라미 뒤에 머리카락 같은 연필선이 몇가닥씩 그어져 있었으니까요. 나는 그네에게 한번 물어본 적이 있었어요.

이건…… 뭐죠?

나는 털뭉치 비슷한 물체를 손가락으로 짚어 보였어요.

오, 그건 한스예요.

누구죠?

슈테판의 개요.

여기 무슨 얘기가 있군요.

마리가 손가락으로 무엇인가를 짚더군요. 그건 물 나오는 무슨 샤워꼭지처럼 보였는데 그네가 말해주었습니다.

이건 방 치우는 걸레랍니다. 내가 한스를 걸레막대기로 때렸어요.

당신 방에는 개가 없잖아요?

오래 전에 죽었어요.

아, 당신이 공원에 앉아서 그리는 건 요즈음의 일이 아니군요. 기억을 그리고 있군요.

마리는 중요한 비밀을 들킨 계집아이처럼 주름진 입술 사이로 빨간 혀를 내밀어 보였습니다.

그런데 한스를 왜 때렸죠?

슈테판이 미워서. 그건 그의 개였거든요. 이건 아마 천구백칠십년 겨울의 일이었을 거야. 그는 그 무렵부터 한점의 그림도 그리지 못했어요. 나는 간병부 일을 나갔고, 새벽까지 일하고 돌아오면 그는 싸구려 쉬납스를 병째로 마시고 늘 곯아떨어져 있었거든. 물론 개밥도 주지 못했지. 어찌나 극성스럽게 보채면서 달려들던지 녀석을 호되게 때려주었어요. 그뒤로 한스는 나를 따르지 않았어. 육십팔년이 우리에게 어떤 해인지 유니는 잘 모를 거야.

그네는 나를 유니라고 불렀습니다.

조금은 알아요.

빠리보다 여기가 더했어요. 젊은이들은 모든 걸 파괴하고 다시 시작해야 한다고 생각했어요. 다 끝난 뒤에 두 가지 길이 남아 있었어요. 시골로 들어가 원시적인 생활로 돌아가는 것과 아니면 테러리스트가 되는 길이에요.

그건 무슨 뜻이죠?

별 차이는 없답니다. 시간을 길게 보는 쪽과 시간이 별로 없다고 보는 쪽의 갈림길이었지. 생산과 소비의 방식을 바꾸겠다는 생각이었지요.

전쟁이 끝난 뒤의 일본이나 우리도 슈테판처럼 방황했어요. 어쩌면 그림까지 비슷해요. 용감무쌍한 아방가르드잖아요. 지금 우리는 여기보다는 훨씬 나아요.

마리 할머니는 눈시울이 붉어졌습니다.

나는 요즈음 그가 하고 싶었던 일이 뭘까를 생각해요. 그저 사사로운 기억들을 떠올리고 살아요.

팔십년대가 어찌나 빠르게 지나갔는지 나이먹은 유학생들은 술자리에서 서로들 이야기했습니다. 똥 누러 뒷간에 갔다오니까 십년 세월이 다 가버렸더라고. 나는 문득 마리에게서 나를 보고, 사라진 그의 슈테판에게서 당신이며 송영태며 그리고 무엇보다도 미경이를 생각하게 되는 거예요.

그런데 우리가 함께 법석대며 정성을 쏟아 만들어놓은 눈사람은 어디로 갔을까. 한낮의 햇볕에 녹아내리고 난 뒤 최초의 형상은 사라지고 우리가 붙여둔 숯덩이 눈썹이며 눈이며 고추를 꽂은 붉은 코도 다 떨어지고 씌웠던 모자는 바람에 불려 날아갔어요. 그리고 얹어놓았던 머리는 몸통 위로 녹아내려 작은 눈더미가 되어 누렇게 흙과 먼지로 더럽혀져 있어요. 아이들의 재깔거리던 웃음소리는 사라지고 바퀴와 발길에 진창이 되어버린 일상이 무심하게 거리에 남아 있겠지요.

24

그때에도 그랬지만 지금도 나는 당신에게 미안하게 생각하고 있지는 않아요.

갑자기, 나는 어떤 남자를 사랑하게 되었어요. 당신은 오래 전부터 실체가 아니었습니다. 내게 그건 은결이마저 마찬가지였어요. 감옥도 당신에게 생의 일부분이었듯이 그 까마득하게 먼 땅에서의 나의 뒤늦은 사랑 역시 내 인생의 귀중한 부분이었습니다.

팔십구년 오월이었어요. 오월은 여기서 가장 찬란한 축복 같은 계절이에요. 추위와 을씨년스러움이 낮은 먹구름과 함께 물러가고 햇빛 밝은 하늘이 열려요. 꽃이 얼마나 한꺼번에 피어나는지 꽃가루 알레르기에 걸린 사람들이 초겨울의 감기환자들처럼 눈이 충혈되어 마스크를 하고 연신 코를 풀면서 거리에 나돌아다녀요.

슈테글리츠에서 출발하는 지하철 구호선을 탔는데 나는 티어가르텐에서 내릴 작정이었어요. 로자와 리프크네히트의 기념비가 있는 란

트베어 운하를 따라 걷거나 호숫가에서 오리와 백조 구경을 하다가 한바퀴 널찍하게 돌아 산책을 하고 중심가로 나갈 셈이었죠. 나는 부근의 임비스에서 소시지를 넣은 빵으로 값싼 점심 요기를 하곤 했거든요. 처음에는 가슴을 불로 지지는 듯한 느낌이던 기념동판도 이제는 거리의 간판들처럼 늘 거기 있는 글자가 되어버렸습니다. 그들을 살해했던 부르주아 정당의 정부에서 세워준 기념물이었지요. 운하를 가로지르는 무지개 모양의 작은 철교를 건너 오솔길을 따라 걷노라면 거의 인적이 없는 숲에 이르게 되어요.

하여튼, 지하철에서 무슨 일이 생겼겠어요. 베를린에서 시내철도는 검표원도 출찰구도 없어요. 그런데도 누구나 패스를 갖고 다니거나 표를 꼭 사야만 합니다. 표를 안 사도 되는 줄 알고 함부로 전철을 타고 다니다가 불시에 올라오는 검표원 일행에게 걸리면 망신을 당하고 이제까지의 무임승차를 계산하여 엄청난 벌금을 내야만 하거든요.

나는 학생이니까 패스를 갖고 있었지요. 할인이 되니까 우리에게는 그게 훨씬 유리해요. 언제나 백에 넣고 다녔는데 한번도 검표에 걸려 본 적이 없어서 내가 패스를 갖고 있는지조차 잊어버릴 정도였어요. 그렇지만 유학생 동료들이 몇번이나 주의를 주고 자기들이 망신당한 경험담을 들려주어서 경각심은 갖고 있었어요. 밖으로 나왔다가도 아참, 내 전철패스, 하고 화들짝 놀라서 집으로 뛰어 돌아갈 정도였지요. 베를리너 슈트라쎄 역에서 유니폼을 입은 사람들이 네 사람이나 올라타는 거예요.

그리고 그들은 양쪽에서 검표를 해오기 시작했어요. 나는 별로 놀라지도 않고 백을 열고 패스를 찾았어요. 어머나, 그게 어디로 갔지? 전철패스가 보이질 않았어요. 나는 벌써부터 얼굴이 벌겋게 달아오르며 안절부절 못하고 서 있었죠. 유니폼은 부근에 오자 벌써 나의 태도를 알아차리고 눈을 똑바로 마주치면서 손만 내밀어 보였습니다. 나는 더듬거리며 말했어요.

패스를…… 가지고 나오지…… 않았어요.

다음 정거장에서 내리시오.

나 외에도 젊은 남자 두 사람과 노인 하나가 그 칸에서 적발되었어요. 나는 그래도 혹시나 하고 자꾸만 백을 뒤지고 또 뒤졌습니다. 잡동사니를 아무리 들추어도 보이질 않았지요. 이제는 벌금 걱정이 태산 같았어요. 지갑을 들추어보았더니 이십 마르크와 동전 몇개뿐이어요. 전철이 귄첼슈트라쎄의 폼으로 들어서자 역무원들은 적발된 사람들을 한군데의 문앞으로 모아서 내리게 했습니다. 그때에 그가 내 등뒤에 다가섰어요.

별일 아니니까 걱정 마세요.

나는 그를 한번 힐끔 돌아보았을 뿐 어떤 사람인지 자세히 살펴볼 겨를도 없었지요. 신분증을 보이고 벌금을 내고 영수증을 받거나, 돈이 없으면 주소지를 확인하고 나중에 입금시키는 조건으로 무임승차 확인서에 싸인을 하는 순서였습니다. 내 차례가 왔는데 물론 나는 돈이 모자랐죠. 내 등뒤에서 다시 한번 목소리가 들려왔어요.

벌금은 있는 겁니까?

나는 그제야 고개만 돌리지 않고 돌아서서 그를 바라보았습니다. 그건 분명히 두번씩이나 우리말이었거든요. 나보다는 나이가 훨씬 들어 보이는 남자였어요. 긴 쥐색 트렌치코트를 걸치고 면도를 한 지 며칠이 지났는지 턱 아래 듬성듬성 수염이 자라나 있었구요. 그런데 웃음을 지은 눈의 표정이 따뜻해 보였어요. 나는 지갑에서 십 마르크짜리 한장과 오 마르크 두장을 꺼내어 그에게 보여주었습니다. 그는 나를 옆으로 젖히고는 역무원에게 얼마냐고 묻고 벌금을 지불한 뒤 영수증에 싸인을 하고 얼른 내 등을 밀어냈어요.

어서 나갑시다. 저 사람들도 바쁠 테니까.

우리는 바쁜 걸음으로 폼을 나왔고 그가 앞장서서 지상으로 오르는 계단으로 걸어갔고 나도 얼결에 그의 뒤를 쫓아올라갔어요. 그는 키가 컸어요. 약간 굽은 어깨를 흔들면서 건곤 해요. 계단을 올라오자 우리는 자동차가 질주하는 분데스 가도의 큰길에 서 있게 되었죠.

저어, 여보세요……

하니까 그가 돌아섰어요.

그래요, 나한테 빚졌죠?

미안합니다. 마침 패스를 두고 나왔어요.

나두 그런 적이 있어서 잘 압니다. 운 나쁘면 한달에 두번씩 연달아 걸리기도 해요.

전화번호나 주소를 좀…… 나중에 돌려드릴게요.

아, 영수증이 여기 있군요.

그가 코트 주머니에서 벌금영수증을 꺼내어 내게 내밀었어요.

학생인가요, 뭐 공부해요?

예술대학인데요.

나는 영수증을 받아넣고서도 헤어지지 않고 그와 나란히 걷게 되었습니다. 그가 걸음을 부지런히 옮기면서 내게 헤어질 기회를 주지 않았기 때문이지요. 그가 또 물었어요.

얼마나 되었어요, 여기 오신 지.

작년에요. 그런데…… 여기서 뭐하세요?

하고 나도 그에게 물었습니다.

연구원이에요. 여기 공과대 연구소에 적을 두고 있어요. 한데 어디…… 집에 가는 길입니까?

아뇨, 산책 나왔어요.

그럼 잘됐군. 나 저녁 얻어먹으러 가는데 같이 갑시다.

저어, 그건 좀……

하면서 나는 저절로 걸음을 늦췄는데 그가 계속 앞으로 가면서 손가락을 세워서 흔들어 보이는 거예요.

빚 갚을 기회를 안 줄 거요.

나는 다시 그의 걸음걸이에 바쁜 걸음으로 보조를 맞추고.

어디 가는데요……?

후배 유학생이에요. 괜찮아요. 된장찌개 먹고 싶지 않아요?

된장냄새를 연상하고 그랬는지 아니면 그의 자연스러운 초대에 이끌렸는지 어쨌든 나는 그와 함께 로젠하임 거리 쪽으로 걸었어요. 그가 자기 이름을 말했어요. 이희수래요. 나도 이름을 말하고. 그는 어느 대학의 조교수였지요. 국내 학위자가 바깥바람도 쐬고 자료도 모으고 이력도 쌓고 뭐 그런 식 있잖아요. 하여튼 나는 마음이 좀 놓였어요. 마흔두셋, 아니면 다섯쯤 먹었겠지만 겉보기엔 제법 삼십대 중반으로나 보였습니다.

나는 조금은 멋쩍어하면서 그와 함께 어느 유학생의 집을 방문했어요. 아이는 없고 부부뿐이었는데 남편은 과묵하고 성실해 보이는 사람이었고 아내는 공격적이고 신경이 곤두선 것 같더니 술이 좀 오르니까 우리에게 반말도 하고 남편에게 욕도 하면서 주정을 했어요. 그러나 별로 불쾌한 건 아니었어요. 그는 뒷바라지에 지쳤는지는 몰라도 잘난 척하지는 않았으니까요. 우리는 김치에 된장찌개에 상추쌈과 삼겹살에 소주에다 마늘까지 아구아구 먹어댔어요.

밤 열시쯤에 그 집에서 나왔는데 이선생과 나는 이미 오래 전에 만난 사이처럼 제법 친밀한 느낌이 들었죠. 그는 분명히 과학을 하는 사람이지만 그래도 환경공학 계통이어서 지혜가 있는 기계쟁이처럼 보였거든요. 사람의 일에 관한 잡지식이 제법 많은 듯했어요. 여기서의 쓰레기나 산업폐기물의 처리과정을 연구한다던가 그랬어요. 하지만 내가 그맘때의 한국에서 보았던 친구들처럼 급진적이진 않았어요. 이야기를 조용조용 유머러스하게 진행하고 다분히 상식적이었습니다. 나는 소싯적부터 그런 남자를 처음 보았거든요. 물론 정서는 안정되어 있었고. 그는 어려서부터 중산층 집안에서 햇빛과 바람이 잘 드나드는 창가에 놓인 관엽식물처럼 파란없이 자란 게 분명해요.

빚 갚는다는 구실이 남아서 오월 중순경에 한번 더 만났지요. 내가 집 근처의 광장 건너편에 있는 이태리식당 로마에서 저녁을 샀어요. 무슨 얘기를 했는지는 다 까먹었어요. 아주 오래 전에 아버지나 당신이나 영태, 미경이 들과 어느 자리에서 무슨 말이 오고 갔는지 시시콜콜 떠오르는데 어째서 그와의 이야기는 생각이 나질 않는 걸까. 몇몇 사적인 얘기도 있긴 했는데. 그는 삼년 전에 이혼했어요. 중학생인 사내아이가 그의 모친과 살고 있대요. 나는 내 사연은 말하고 싶지 않았습니다. 그는 나에 대해서 옆집의 마리 할머니보다도 더 몰랐어요. 하긴 나중엔 다 알게 되었지만.

바로 내가 저녁을 샀던 이튿날 오후에 이선생에게서 전화가 왔어요. 자기 집에서 저녁을 내겠다나요. 그날은 날씨가 너무 좋아서 공원에는 일광욕을 하는 젊은 남녀와 개를 데리고 나온 노인들, 어린이들, 가족들로 푸른 잔디밭이 울긋불긋했어요. 나도 공연히 마음이 설레어 짧은 소매에 면바지 차림으로 두번이나 나갔다 왔거든요. 창문을 열어놓았더니 칠엽수 나뭇잎이 바람에 살랑이는 소리가 잔잔히 들려왔지요. 누가 연습하는지 맞은편 건물의 창에서 플루트 소리가 맑게 흘러나오다 그치고 다시 들리고. 이선생은 여러번 전화했다나요. 나는 그가 불러준 주소를 받아적고 바로 어제 보았는데도 조금 흥이 나서 옷을 갈아입었습니다. 독일에 와서 몇번 안되었지만 그날 저녁도 내가 치마를 입었던 날이에요. 아마 지금도 집의 옷장 안에 그 옷이 있을 텐데. 코르크 같은 색에 기장이 정강이 아래까지 내려오는 단순한 원피스예요. 헐렁해서 허리에 달린 끈으로 아무렇게나 묶는데 얼마나 편한지 몰라요. 천은 붕대처럼 가녀린 인도 면이었을걸요. 당신은 내가 새삼 옷 이야기를 하는 게 어쩐지 이상하지 않아요? 시청 앞 공터나 광장에 열린 재래시장의 옷꾸러미 속에서 내가 찾아낸 거랍니다.

언젠가 우리집 마당에 심었던 장미가 진딧물이 너무 극성해서 다 잘라내버렸어요. 겨우내 진갈색으로 말라붙은 짧은 가지가 땅 위로 조금 솟아올라 있을 뿐이었어요. 우리 식구들은 아무도 지난해의 장미 얘기는 꺼내지도 않았어요. 그럴 수밖에, 그건 땅 위에 솟은 손가락만한 막대기에 지나지 않았거든요. 그래서 봄에 호미로 파헤치고 다른 일년초를 심었을 거예요. 채송화나 분꽃이나 백일홍이나 그런 씨앗을 뿌렸을 거예요. 여린 싹이 돋아나고 연두색이 초록으로 짙어지고 생기를 띠면서 가지와 줄기가 뻗고 풍성한 꽃밭이 이루어졌어요. 그런데 어느날 아침에 물을 주다가 나는 다투어 피어난 꽃들 사이에서 아주 작고 예쁜 꽃봉오리들을 몇점 발견했답니다. 글쎄 고것이 장미였어요. 일년초의 싱싱한 가지를 젖히고 내려다보니까 그 짧은 막대기의 옆에서 푸른 가지가 곧게 뻗어올라 다시 꽃을 피우고 있는 거예요.

외출하기 전에 갈매기무늬의 천이 드리워진 현관 앞에서 반신거울 속으로 나를 바라보았습니다. 내 눈에 어딘가 물기가 반짝, 하는 것처럼 보였어요. 나는 가슴이 두근거렸습니다. 진한 커피를 연거푸 마셨을 때 같았어요. 밖에 나오니 어슴푸레한 어둠이 깔리고 베를린의 고풍스런 가로등이 저녁의 습기 속에 켜져 있었지요. 나는 팔에 걸치고 있던 얇은 스웨터를 어깨에 둘렀습니다.

그의 집은 빌머스도르프에 있는 삼층짜리 아파트였어요. 역시 천장이 높은 구식 건물이었어요. 침실이 하나 있고 거실과 주방 공간이 넓은 그런 방이죠. 커다란 책상 겸 식탁 앞에 앉았습니다. 컴퓨터와 책장이 있고 가구는 단출했어요. 이선생은 셔츠바람에 가슴까지 올라오는 앞치마를 두르고 오븐 앞에서 씨름하고 있었어요.

뭘 하는 거예요?

내가 그의 등뒤로 다가서며 물었더니 그가 나를 가볍게 밀어냈어요.

어허, 여자가 부엌에 들어오면 안되는데……

반대말놀이 하는 건가요?

신유교라구 아시는지.

그는 나에게 식탁을 가리켰습니다.

거기 앉으세요. 오늘 메뉴는…… 참, 양고기 먹어봤어요?

그럼요, 향료와 양념을 많이 쳐야 할 텐데.

이선생이 먼저 차게 해둔 모젤 와인을 따고는 잔에 따라서 내게 내밀었어요.

요리가 다 될 때까지 입가심이나 해요.

나는 차가운 잔을 입술에 대고 한모금씩 베어서 마셨습니다. 그러고는 잔을 들고 방안을 서성대면서 둘러보다가 미륵의 반가사유상을 찍은 흑백사진의 액자가 걸린 걸 바라보고 창가에 놓인 한뼘 크기의 동불상도 들여다보았어요. 또 화장실문 옆에는 조각융단이 걸려 있었는데 비쩍 마르고 기다란 불상이 수놓인 것이었어요.

부처님이 여러분 계시네요.

그랬더니 그가 설명을 했어요.

어, 나는 그 동네 좋아해요. 저건 비행기에서 홍보용으로 나오는 잡지에서 오린 거예요. 동불상은 내가 올 때 책짐 속에다 넣어가지구 온 거요. 그 양탄자는 우리 연구소 친구 마틴이 선물했구요.

그는 꼬치에 꿴 고기며 피망이며 가지며 양파 등속을 접시 위에 담아서 식탁에 냈어요. 호밀빵 바구니도 올려놓았고 와인도 한병 더 내왔어요.

모양은 근사한데요.

친구한테 배운 거요.

나는 정말 맛있게 먹었습니다. 햄과 멜론을 곁들인 스페인풍의 전채도 맛있었구요. 우리는 식사를 마치고 나서도 쌉싸름한 맛이 감도는 트로켄류의 화이트와인을 마셨는데 이선생이 한장의 잎을 돌돌 말아서 가느다란 실로 묶은 원뿔 모양의 담배를 주었어요. 한모금 빠니까 연기가 좀 독하기는 했지만 향긋하고 구수한 원래의 풀잎냄새가 나서 쌉쌀한 술맛과 잘 어울렸지요.

이거 담배 맞죠?

터키 상점에서 팔아요. 파키스탄 거라구 그러던데.

씨가보다 훨씬 토속적인데요.

이런 광경이 영화장면에라두 보이면 나는 귀밑에 소름이 돋아서 딴청을 부릴걸. 생각해보면 그것두 과장이었어요. 시시한 멋 좀 부린들 어때. 내일이면 모든 조명과 장치를 표백시켜버리는 한낮의 태양이 뜰 텐데.

저 동네가 왜 좋죠?

나는 잎담배로 벽에 걸린 부처님을 지시했어요.

중생일체란 소리가 근사하고 폭력이 없잖소.

세계를 단순히 해석하는 건 누구에게나 쉬운 일이에요.

그걸 누가 해석하는데. 사람들은 자기 사는 동안의 생을 통해서 계절에 의미를 붙이고 그러지요. 세상은 그 누구와 상관없이 저 혼자 있는 거요.

세계를 변화시켜야죠.

나는 내 친구들의 말투로 그에게 얘기했어요. 조용한 그가 눈을 크게 뜨고 어딘가 분개한 표정으로 내게 되물었지요.

변화? 무엇을 위한 변화. 바다의 잔물결 같은 거요. 개개 사람의 일생은 아주 짧아요. 왜 사람이 세계의 주인이라는 생각을 버리지 못하는지. 저 동네에서는 언뜻 보면 대단히 물질적으로 대응하구 있소. 명상을 통해서 욕망을 절제하고 자기를 무화시키는 데 도달하면 겸허하게 없어져버려요. 다시 나타난다거나 자기 뒤에 어떤 세상이 남겨진다거나 그런 거 없어요. 저 동네 말로 윤회의 그물에서 영원히 빠진다는 거지. 세상에 대한 존재방식이지요.

나는 그렇다고 해서 곧장 그에게 그러면 전쟁은, 가난은, 굶주림은, 어떻게 되느냐고 들이대지는 않았습니다. 이선생은 계속해서 말했어요.

성불한 부처는 다시는 윤회로 되돌아오지 않는다지만, 나는 윤회도 어쩌면 괜찮을 거라고 생각하는데요? 누구나 자신만은 다시 사람으로 태어날 거라고 굳게 믿지만 말이오. 그건 수백만겁의 우연을 통해서나 가능한 일이라고 비유되었어요. 그러니 벌레의 신체 일부분이 되든가 아니면 좀더 근사하게 언덕에 서 있는 소나무가 되어 바람에 잎을 살랑일 수도 있잖아요. 동이든 서든 이곳에 사람이 지은 도시와 산업화는 지옥이오.

하긴 우리가 지구에 나타난 건 얼마 안되었지요. 그런데 나는 지금…… 사람이니까.

기술과 성장이라는 물길에 잘못 들었다는 걸 알고 있으면서도 하는 수 없이 자멸을 향해서 폭포로 휩쓸려내려가는 중이오. 사람은 본래 최고의 창조물인데도 아무것도 바라지 않는 미물들보다 더 무책임하지 않은가요?

나는 점점 답답해지기 시작했지만 참을성있게 말했어요.

우선 사람끼리의 관계를 수정해야지요.

지금 같은 방식으로는 관계가 바뀌지 않아요. 삶 자체가 전환되어야 해요.

내 목소리가 아까보다 커지기 시작했어요.

어떻게 그게 가능하죠? 생산관계와 수단, 현실적 권력은 모두 장악되어 있는데. 누가 어떻게, 하다못해 새마음운동으로 바꿀 수 있나요?

시스템이냐 문명이냐 하는 얘기로는 오늘밤 안으로 끝나지 않겠는데.

나는 이젠 신랄하게 말을 꺼냈어요.

여기 녹색당 깃발을 보니까 보라색이더군요. 적기의 빨강에다 파랑을 덧칠해놓은 거잖아요. 그게 개량주의 아니면 뭔가요. 혁명은 가능하지 않다, 그러니까 새생활운동으로 오래 두고 보겠다, 그거 아네요? 이런 일을 누군가 정의했던데…… 흡수된 공격력이라구요. 대자본은 그런 실천쯤 기획하고 컨트롤할 수 있어요.

여름의 번성이 숲의 성장과 밀도를 지나치게 가져오면 비바람과 홍수가 휩쓸어서 과영양이며 부패의 요소들을 제거하는 것은 자연순환의 이치요. 그러고 나서 가을의 알곡과 열매가 찾아오잖아요. 문명은 자연과 사람의 합치된 노력에 의해서만 전환됩니다. 알맹이를 바꾸면 껍데기는 붕괴하거나 새로운 모양이 될 거요. 양적 측면만 중요시하고 수치로 정해서 획일적으로 취급하면, 사물을 만들고 부수고 하는 아주 중요한 질적인 면을 알아차리지 못해요. 물질에 치우친 효율이라는 개념은 규모경제라는 신화로 이어집니다. 전문화할수록 분업화할수록 획일적으로 되면 될수록, 거기다 배려가 결여되면 될수록 생산이 대규모화하고 더한층 복잡해지고 더욱 자본집약적으로 되고 더한층 폭력적으로 되잖아요. 사회주의든 자본주의든 생산성의 신화에 사로잡힌 채로 시작한 건 마찬가지요. 풍족한 사회, 풍족함이 순간적인 일에 낭비되는 사회는 세계 전체의 모델이 될 수 없어요. 풍족한 사회의 규범은 세계를 향해서, 우리의 기술과 개발방법을 따르기만 하면 당신들도 잘살 수 있다고 하지요. 이건 모두의 재난입니다. 다른 모델이 필요해요. 겸허하고 단순하고 생명력있는 주체의 구체적 변화 없이는 시스템은 변하지 않을 겁니다. 노동과 자본에 관한 우리의 오랜 인문적 호소는 결국은 시스템 내부에 그치고 그것을 변화시킬 만한 힘은 갖게 되지 않을 겁니다.

나는 그의 말에 전적으로 동의할 수는 없었지만 자신이 하고픈 일에 대한 열정을 갖고 있는 그의 모습을 보고 많이 이끌렸습니다. 그는 우리들과는 다르게 현실상황에 대하여 얼마간 거리를 가지고 있는 것처럼 보였어요. 그래서 당시에는 그의 말이 추상적으로 들렸던 게 사실입니다. 아무튼 그는 먼 이국땅에서 나와 가장 가까운 친구가 된 셈이었죠.

유월이 되어 날씨가 변덕이 심해졌을 때 나는 몹시 앓았어요. 앓으면서도 나는 어쩐지 예감이 좋지 않았습니다. 지난 세월 동안에 나는 주변에 변화가 일어날 때마다 벼락같이 병이 찾아와 탈진하도록 앓고 일어나곤 했거든요. 어린아이들은 한번씩 앓을 때마다 몸도 마음도 성숙해가는 법이지만 어른인 나는 어쩌면 노화와 쇠락으로 가는 게 아닌지. 아마도 그렇지는 않을 거라고 생각합니다. 봄비가 감미롭게 새싹을 키우는 것과 가을비가 땅속 깊은 뿌리를 든든히 해주는 것과의 차이라고나 할까. 나는 마음속의 저 깊은 곳으로 더 아래로 내려갔으면 했어요.

로프트에 있는 침대에서 내려오지도 못하고 털 달린 슬리핑백 위에다 시트를 씌운 담요를 두 장이나 덮고도 이를 딱딱 마주치며 떨었어요. 옆집 마리 할머니가 눈치를 채고는 양파수프를 끓여오고 카밀레차에다 위스키를 넣어서 가져다주기도 했어요. 그는 밖으로 내민 내 목에다 털실 머플러를 둘러주며 말했지요.

이제 유니도 베를리너가 되려고 그러는 거야.

여기선 오월 꽃에 알레르기 앓고 유월 비에 독감을 앓는다고 하지요. 날씨가 어떻게 변덕이 심하던지 아침에는 비가 오고 정오에는 반짝 해가 났다가 오후에는 우박이나 눈이 오고 저녁에는 뇌성 번개가 쳤어요. 내게 몇번 전화가 왔었지만 나는 로프트 위에서 내려오지도 못하고 음성녹음만 흘러나왔는데 저 아래서 아득하게 이선생의 목소리가 들려왔지요.

예, 나 이희수예요. 몇차례 전화를 했는데 연락이 없어서 궁금하군요. 혹시 어디 여행을 떠났나요? 하여튼 돌아오면 전화 좀 주세요.

다시 전화가 왔을 때 마침 마리가 곁에 있을 때여서 그네에게 말했어요.

마리, 전화 좀 받아줄래요?

그네가 받더니 수화기를 한손으로 가리고 내게 물었어요.

유니, 리이라는 남자인데……

아아, 내가 몸이 불편해서 전화를 못 받는다구 하세요.

마리가 독일어로 그에게 말하고 전화를 끊었어요.

리이는 누구야?

마리가 카밀레차를 끓여 로프트 위로 올라와 내게 물었습니다.

요즈음 사귀게 된 남자친구예요.

나는 마리 할머니가 내민 머그잔을 받았는데 무거워서 손목이 처질 정도였어요. 한모금 마시자 목젖에 탁 걸렸다가 내려가는 거예요.

아이 참, 차에다 위스키를 너무 많이 탔군요.

마셔요. 몸이 더워질 거야.

마리를 실망시키지 않으려고 차를 억지로 한모금씩 삼키면서 말했어요.

알코올을 조금 줄이세요. 식사를 빼먹지 말구요.

그래 알고 있어. 처음엔 난방비를 줄이려고 저녁마다 잘 때만 마셨는데 차츰 양이 늘어나는 거야. 그런데 그 남자친구 얘기 좀 해줄래요?

나도 아직 잘 몰라요. 나이는 마흔셋, 이혼했고, 아들이 하나 있고.

오, 그건 관청 서류에 나오는 기록 아냐?

나는 맥없이 웃었습니다.

무슨 얘기를 해요?

내 느낌으로는 서로 호감이 있는 것 같은데……

그걸 마리가 어떻게 알아요?

그네는 주름잡힌 자기 콧잔등을 검지로 콕콕 찍어 보였죠.

여기로 알지. 나는 깊은 밤 어둠속에서도 병 속에 보드카가 들었는지 쉬납스인지 꼬냑인지 다 알아요. 술처럼 사랑에는 남다른 향기가 있는 거야.

마리는 슈테판이 요양원으로 가버린 뒤에 다른 남자가 없었어요?

왜…… 몇번 있었지. 가끔 만나던 평범한 의사도 있었고 가난한 연극 연출가도 있었고 마지막이 언제쯤이었는지 모르겠네.

그가 요양원에서 아직 살아 있었을 때의 일인가요?

물론이야. 그건 전혀 다른 거야. 유니는 지금 감옥의 남자를 생각하고 있군. 잠잘 때를 생각해봐. 온 밤내 같은 줄거리의 꿈을 꾸게 되지는 않아. 깨고 나면 몇 장면만 또렷하게 남곤 하지. 아무도 그 흐름을 미리 예상할 수는 없어요. 생이 어떤 결말이 될지는 알 수 없지만, 다른 것들이 서로 끼여들지 않고는 어떤 대목이 중요했는가를 모르고 죽게 될 거야.

카밀레차에 넣은 스카치 탓이었는지 눈꺼풀이 무거워지면서 졸음이 왔어요. 마리가 내 이불깃을 여며주었지요.

늘 같은 꿈을 꿀 수도 없고 그것마저 전부가 아니야. 잘 자요.

얼마나 되었을까, 천장 높은 내 방의 전면 창에 드리워진 무명천의 커튼이 아직도 부옇게 보였어요. 그래도 시간을 짐작할 수는 없었습니다. 초여름 해가 길어지기도 했지만 기역자로 꺾인 건물의 위층 베란다에 불이 켜져 있을 때면 창문은 그렇게 훤했으니까요. 그런데 내 귓가에 먼데서 들려오듯 숨가쁜 벨소리가 끝없이 들려오고 있었던 거예요. 그리고 목소리도 들려왔지요.

유니, 일어나, 문 열어요. 누가 왔어요!

다시 오랫동안 벨이 울렸고 나는 후들거리는 다리로 버티면서 한 칸씩 로프트의 사다리를 타고 내려갔습니다. 방문 앞의 불을 먼저 켰어요.

마리예요?

그때 외국어 아닌 다른 목소리가 들렸지요.

접니다.

나는 문을 열었죠. 거기 잠옷 위에 숄을 두른 마리와 이선생이 함께 서 있는 거예요.

웬일이에요?

하면서 나는 겁에 질린 아이처럼 문 뒤로 몸을 반쯤 숨기면서 중얼거렸어요. 나는 남자 같은 커다란 파자마에 머리는 베개에 눌려서 사방으로 뻗치고 안색은 아마 누렇게 한꺼풀의 우거지상을 쓰고 있었을 겁니다.

정말 괜찮은 거요?

이선생이 문을 밀고 방안으로 들어서려다가 뒤를 돌아보고 마리에게 고개를 끄덕여 보였습니다.

고맙습니다, 부인.

비테 쉰, 하는 소리가 들리자마자 이선생은 가차없이 방문을 닫았지요. 그는 한손에 뭔가 꾸러미를 들고 있었어요. 그는 서슴없이 내 어깨에 손을 얹었어요.

어서 올라가서 누워요. 독감은 약이 별로 없다구. 몸을 따뜻하게 하고 계속해서 푹 자는 거요.

이상하지요, 우리말이며 남자의 음성을 듣는데 어쩐지 속이 따스해지고 눈물이 나오는 거예요. 나는 그를 남겨두고 로프트의 사다리로 올라갈 엄두가 나질 않았습니다. 그래서 공원에 나갈 때 지니고 다니던 파란 체크무늬의 모직담요를 몸에 두르고 긴 의자에 비스듬히 기대고 앉았어요. 그는 내 방에 여러번 드나들었던 사람처럼 부엌문을 열고 들어가려고 했어요. 나는 약해빠진 목소리로 간신히 그에게 말을 걸었구요.

뭘 하시는 거예요?

응, 이거 한국식품점에서 몇가지 사왔는데…… 우리식으로 처방을 합시다. 얼큰한 콩나물국하구, 전복이 없더라니까, 그래서 잣죽을 쑤어줄 거요.

나는 기가 차서 작은 소리로 웃어버렸어요. 그가 지하철에서 만났을 때처럼 내게 손가락을 세워서 흔들어 보였지요.

내 취미를 방해하면 그냥 안 놔둘 거요. 거기 꼼짝 말고 누워 있어요.

좋아요, 한데 지금 몇시나 됐어요?

저녁 아홉시 조금 지났군요.

부엌문이 닫히고 문틈으로 불이 켜지는 게 보였어요. 달그락거리는 소리와 싱크대의 수납장문이며 서랍이 열리고 닫히는 소리며 도마질하는 소리 들이 아늑하게 들려와서 나는 이제 집에 돌아온 게 아닌가 하는 상상에 빠졌습니다. 수돗물 흘러내리는 소리. 나지막한 휘파람 소리도. 그리고 얼마나 지났을까. 구수한 냄새가 부엌에서 새어나왔어요. 그야말로 옛날 부뚜막에서 새어들던 냄새 말예요. 부엌문이 열리고 나는 웃음을 터뜨리다 기침을 하고 말았지요.

그는 내 앞치마를 걸치고 있더군요. 이케아에서 아무 생각 없이 집어온 건데, 앞자락에 크고 작은 딸기무늬를 박은 그 앞치마였거든요. 이선생이 식탁 위에다 냄비를 코르크 받침과 함께 얹고 식기를 늘어놓았어요. 나는 냄새 때문에 참지 못하고 담요를 둘러쓴 채로 식탁 앞으로 슬슬 굴러갔지요.

그가 냄비뚜껑을 열고 국자로 떠서 그릇에 담았어요. 그건 정말 기적 같은 콩나물국이에요. 그리고 하얀 잣죽과 어디서 생겼는지 총각김치와 고들빼기까지 있어요. 나는 뜨거운 국물을 숟가락으로 떠넣으면서 저도 모르게 하, 하는 깊은 숨을 내쉬었답니다. 알맞게 간이 든 멸칫국물이며 고춧가루가 발갛게 가라앉아 있어요. 그는 내 맞은편에 앉아서 무슨 학부형처럼 빙긋이 웃으면서 바라보고 있구요. 나는 그냥 국물을 연신 떠넣었어요. 이선생이 자기도 한번 떠먹어보면서 말했습니다.

여기선 독감에다 한 자를 더 붙여 말해요.

무슨 자……

외로울 고라고 아시는지.

그건 맞는 거 같은데……

웬만한 병은 그래서 우리 음식 먹으면 반은 낫는다지.

국 한그릇을 뚝딱 해치우고 죽도 아삭아삭 총각김치에 짭조름한 고들빼기 곁들여서 한그릇을 비웠죠.

도대체 무슨 마술을 부린 거예요, 이 김치들은 어디서 났어요?

식품점에서 샀다면 실망하겠죠.

하여튼 콩나물국은 대단했어요.

나는 콧등에 송송 돋은 땀을 냅킨으로 닦으면서 중얼거렸구요.

자아, 이젠 설거지를 할 차례군.

그가 그릇들을 챙기려고 일어났고 나는 말렸어요.

좀 두어두세요. 나중에 내가 할게요.

봉사는 일습으로 해둬야 어느날 한턱 얻어먹을 때도 푸짐해지죠.

다시 그릇이 부딪는 소리, 수돗물 소리, 그의 휘파람 소리. 나는 몸이 더워지고 나른해져서 아마 까무룩하게 잠이 들었나봐요. 눈을 떠보니 천장에 길게 늘어진 불은 꺼져 있고 벽가의 스탠드만 켜 있었어요. 주위는 조용했구요. 나는 얼른 일어나 앉았어요. 가느다란 숨소리가 들려오길래 둘러보니까 해변 벤치 비슷한 헝겊의자에 이선생이 다리를 주욱 뻗고 길게 누워서 자고 있겠죠. 그런데 우습게도 네모난 쿠션 하나를 집어다 배 위에 얹고는 거기에 두 손을 그러안듯이 모으고 자는 거예요. 나는 내가 덮고 있던 체크무늬 담요를 들고 그에게 살금살금 다가가서 가슴께에서부터 조용히 덮어주었습니다. 그러곤 쿡쿡 숨을 죽여 웃었어요. 쿠션 위로 덮었기 때문에 마치 배불뚝이 꼴이 되었거든요. 나는 부엌으로 들어가보았어요. 어쩌면, 플라스틱으로 만든 바구니 위에 깨끗이 씻어 수건으로 물기 없이 닦은 그릇들이 크고 작은 순서대로 얌전히 엎어져 있는 겁니다. 그러고 보니 선반에 무슨 작은 쪽지가 붙어 있어요.

가져온 양념 남은 것들이랑 병에다 정리해둡니다. 나중에 순서대로 스티커 따위를 붙이면 좋을 거요. 간장은 전에 남은 것과 합쳐서 가스레인지 아래칸에 기름과 같이 넣었음. 윗선반에는 차례대로 고춧가루, 후춧가루, 파슬리가루, 마늘가루, 월계수 잎, 다시다, 소금, 깨, 그렇게 정리했어요. 냉장고에 된장과 청국장 넣어두었음. 식품점 것이 아니라 신군 부인이 주었어요.

그는 아마도 내가 먼저 잠들고 나서 혼자 부엌을 정리해주고는 돌아갈 생각이었던 모양이지요. 부엌에서 일을 끝내고 나와 발끝걸음으로 걸어다니며 불을 끄고 잠시 의자에 앉아서 쉬고 있다가 깜박 잠이 들었겠지요. 나는 그를 깨우지 않고 로프트로 올라가 침대에 누웠습니다. 그는 아래에서 코를 골지는 않았지만 아이처럼 잠결에 무얼 먹는지 가끔씩 입맛을 다셨어요. 나는 정말 오랜만에 혼자 있지 않다는 안도감과 따스한 느낌이 들었습니다. 그렇게 나는 그와 한공간에서 하룻밤을 지낸 셈이었어요.

칠월이 되면 베를린은 점점 떠나는 사람들이 많아져요. 해변이나 산을 찾아 남부 독일이나 해외로 떠나고 학생들은 집으로 돌아가고 아니면 일거리가 많은 서독 쪽으로 나가니까요. 유학생들 중에도 방학 동안에 일시 귀국을 하는 사람들이 많아서 공원에는 개와 노인들만 남게 되지요. 한여름이 되어 해가 점점 길어져서 밤 열시까지 어슴푸레한 저녁녘의 박명이 남아 있어요. 아직 초저녁인가 하고 시계를 보면 이미 깊은 밤이 되어 있는 그런 식이에요. 내가 서양말로는 마로니에라고 하는 칠엽수 나무와 친해졌다구 그랬지요. 내 부엌 창가에까지 우람한 가지를 늘어뜨리고 있었는데 바람부는 날이면 유리창에 닿은 가지와 나뭇잎이 내게 말을 거는 것처럼 들렸어요. 그 무렵에 이선생은 무엇인가 맛있는 먹을 것에 대한 계획을 세워가지고 장을 보아오는 거예요. 그런 어느 더운 저녁 무렵에 그가 소면이며 열무김치 등속을 가지고 왔지요. 그는 큼직하고 통통한 과일잼 담는 병에 국물이 가득한 열무김치를 담아가지고 왔어요. 아니, 배추도 식품점이나 터키 상점에나 가야 중국 배추라고 간신히 구할 판인데 웬 열무가 다 있냐고 놀랐어요. 그랬더니 광부로 오신 분이 근교에서 땅을 임대해 농사를 짓는데 거기서 별의별 우리 채소가 모두 생산된다는 거예요. 여름철 대목장사가 바로 열무재배래요. 물론 그걸 사다가 김치를 담근 사람은 이희수씨구요. 소금에 절여 갖은양념 하는 건 다 알지만 찹쌀풀을 쑤어서 고춧가루와 함께 헝겊주머니에 넣어 식힌 소금물에 우려내는 건 나두 처음 알았어요. 열무 물김치에 육수를 섞는데 고기는 안 쓴대요. 더운 여름철엔 맑고 청량한 맛이 나지 않는다나 뭐라나. 왕멸치를 머리와 내장을 따고 마른 팬에다 볶아서 찬물에서부터 우리다가 끓기 시작하면 들어낸대요. 그래야 비린내 없이 담백한 멀국맛이 난다지요. 국물을 식혀서 열무김치 국물에 섞어요. 소면을 살짝 삶아 찬물에 헹궈내어 열무김치 건더기를 면 위에 얹고 국물을 부어요. 우리는 칠엽수가 바람에 너울대는 부엌 창가의 양철 간이식탁 앞에 머리가 부딪칠 정도로 가까이 마주앉아서 열무김치 소면을 먹었어요. 그해 여름 베를린에서. 후루룩 후루룩 염치없는 소리를 한도 없이 내면서 맛있게 먹었어요. 나무가 바람에 흔들리는 게 꼭 하하하 웃는 소리처럼 들렸어요.

분데스 가도를 가로지르는 폴크스 공원이 그와 내 거처의 중간 지점이었는데 우리는 서로 각자의 집에서 출발해서는 어린이놀이터 근처의 잔디밭 가운데서 마주치곤 했어요. 이미 그와 나는 서로의 일상 속으로 들어갔던 겁니다. 그 여름의 막바지에 나는 공원에서 그의 집으로 갔다가 폭우 때문에 비가 그치기를 기다렸고 거기서 잤어요. 우렛소리가 대단했답니다. 창문이 덜커덩거릴 정도였지요. 우리는 둘 다 어이가 없어서 고개를 움츠리며 외쳤어요. 되게 겁 주네!

날씨가 추워졌기 때문에 나는 그가 내준 큼직한 운동복을 입었어요. 물받이 홈통을 타고 흘러내리는 물소리가 가까운 곳에 개울이라도 있는 것 같았죠. 내가 입고 있던 운동복의 목덜미며 가슴께에서는 면도 뒤에 그에게서 풍기던 스킨냄새와 씨가냄새가 났습니다. 그런 냄새들은 이미 낯설지 않았어요. 나는 그의 거실에서 달랑 하나밖에 없는 코르덴천을 씌운 딱딱한 긴 의자에 두 다리를 올려놓고 앉았고 이선생은 좀 떨어져서 식탁 겸 책상으로 쓰는 나무탁자 앞에 두 다리를 걸치고 앉아 있었어요. 우리는 막 뽑아온 커피를 큼직한 머그잔에 받아다 두 손아귀에 쥐고 마셨지요. 첫모금을 마시는데 목구멍이 뜨거워지면서 오히려 등덜미로 흠칫, 하면서 오한이 지나갔어요. 어쩐지 아랫배가 새큰하며 오줌이 마려워지는 거예요. 나는 커피를 반쯤 마시다 말고 욕실로 갔어요. 일을 보고 나오려다가 뜨거운 물에 몸을 담그고 싶어졌지요. 나는 문을 잠근 채로 그에게 외쳤어요.

나 목욕 좀 할게요.

더운물을 틀어놓고 그의 체취가 밴 운동복을 벗어 걸고 비누거품을 타고 하는데 밖에서 노크소리가 들려왔어요.

뭐예요?

한데 나중에 생각해봐도 나답지 않은 건 별로 당황하거나 놀라지 않았던 점이에요. 그만큼 그와 나는 일상화되어 있었던 겁니다. 그의 웅얼거리는 목소리가 문 뒤에서 들려왔어요.

이거 받아요.

내가 문을 빠끔히 열고 그의 손이 들어오도록 해주었습니다. 그건 가득히 따른 레드와인 한잔이었어요. 그가 문 사이로 말했어요.

몸도 녹고 기분이 좋아질 거요.

나는 와인 글라스를 받아들고 거품이 하얗게 덮인 욕조 안으로 들어갔어요. 물이 따끈하게 온몸을 감쌌어요. 거품이 찰랑대는 머리맡의 욕조 가녘에 와인이 담긴 잔을 올려놓고 몸이 차츰 풀려가는 걸 즐기고 있었어요. 잔을 가져다 한모금 또 한모금 마셨는데 혀끝에서는 쌉쌀하고 시거운 맛이 감돌면서 내 몸이 깨어나는 것 같았죠. 나는 오랫동안 중성이었던 겁니다. 일년에 몇번씩은 그런 욕구가 찾아오긴 했어요. 그렇지만 밤에 잠자리에 누워서 회복기의 환자가 상상으로만 입맛을 그리다가 물 한잔 마시고 돌아눕는 것처럼 쓸쓸하고 단조롭게 잠이 들어버리곤 했어요. 여태 누구에게도 말한 적이 없지만 나는 오래 전부터 이불 속에다 여분의 베개나 쿠션을 넣고 잡니다. 그러지 않으면 어딘가 잠자리가 휑해서 그래요. 내 몸의 양편에 그것들을 하나씩 놓고 이쪽저쪽으로 돌아누울 때마다 다리를 올려놓거나 팔을 둘러서 얹곤 했어요.

목욕을 끝내고 부연 김에 흐려진 거울을 손바닥으로 쓱쓱 문지르고 나서 다시 김이 서리기 전의 짧은 동안에 나는 어린아이처럼 보얗게 달아오른 나의 여체를 보았어요. 나는 운동복을 다시 걸치지 않고 문 위에 걸린 타올천의 흰 목욕가운을 입었습니다. 그의 가운은 내게는 커서 발끝까지 내려오고 팔도 두 번이나 걷어야 했지요.

나는 잠시 의자에 누워 있었는데 소리는 다 들렸지만 가벼운 가위눌림같이 몸을 움직일 수가 없었습니다. 그가 가까이 온 건 씨가냄새로 알았어요. 어쨌든 우리는 말 한마디 없이 한참이나 서로 만지고 확인하고 함께 잤어요. 마치 그 일은 내게는 베를린의 한쪽에 불가항력적으로 완강하게 막고 서 있는 장벽처럼, 가다보면 더이상 나아갈 수 없는 벽이 가까운 곳에 있다는 걸 너무나 잘 아는 자가 벽이 보이기 전에 먼저 돌아서는 것과도 같이 두려운 일이었어요. 우리는 그렇게 끝없는 벽의 가녘을 따라서 배회하는 사람들처럼 시작을 했어요.

처음 그와 같이 잤을 때에는 선잠 자고 어렴풋이 깨어났다가 조금만 조금만 하면서 까무룩하고 일어나보면 한두 시간이 종적없이 사라져버리듯이 열에 뜬 채로 흘러갔어요. 그의 팔꿈치 안에서 머리를 이리저리 돌리며 어깨 너머로 새벽빛이 창문에 스며드는 걸 볼 때 내가 그를 얼마나 원하고 있었는지를 깨달았지요. 우리는 각자의 집에서 하루도 넘기지 못하고 서로를 향해서 달려오고 달려가고 그러다가 어긋나고 그가 거기에 있는가를 방의 불빛으로만 확인하고 왔던 길을 되돌아가고.

가을까지 우리는 뭘 했을까. 계절이 바뀌는 것도 눈치채지 못했어요. 그와 나는 두 사람의 범위를 넘어서 서슴없이 상대의 부근으로 스며들었어요. 나는 얼마 안 가서 그의 친구들을 거의 모두 알게 되었구요. 연구소 사람들이며 그의 학교 후배들, 교포들, 식당 아줌마와 식품점 아저씨, 그리고 레스또랑의 웨이터들과 그의 집 동네 사람들까지.

시월이었을 거예요. 지금 돌이켜보면 장벽이 해체되는 저 엄청난 사건이 벌어지기 몇주 전의 일이었지요. 외출했다가 돌아오니 전화 녹음이 여러개 되어 있었어요. 나는 전화기에서 흘러나오는 목소리를 무심코 들으면서 커피포트에 물을 채우고 여과지를 끼우고 커피를 넣고 버튼을 누르고 하고 있었는데 문득, 귀가 뚫리는 것 같이 낯익은 목소리가 들려오는 거예요.

한형, 나야, 송영태야. 이번 여름에 나 독일에 왔어. 괴팅엔에 있는데 진작 연락해볼려구 그랬는데 거처가 안정되지 않아서 차일피일 미루다가 늦었지. 여기서 몇년 공부 좀 해볼려구. 잘 있다는 얘기 정희씨한테서 들었어. 또 연락할게.

나는 다시 전화기 앞으로 가서 그의 목소리를 확인했습니다. 한형, 나야, 하는 첫마디에 나는 눈물이 핑 도는 거예요. 그리고 그제서야 지난 두어 달 동안이라도 잊었던 당신 생각이 나고 미경이가 사라진 공장 앞 당구장 건물이 생각나고 서울이 생각났어요. 그건 오랜 여행 뒤에 집에 돌아와 자기 방에 놓인 손때 묻은 물건들을 보며 그것들이 움직이지 않고 거기에 존재하는 것과 자신의 그동안의 부재를 확인하는 것과 마찬가지였어요. 사랑하는 사람들의 공간과 시간의 상실은 사실은 착각이겠지요. 아니면 그게 죽음과 닮아서인지도 몰라요. 모두들 거기에 그대로 있고 우리만 쏙 빼놓았던 거예요.

팔십구년 십일월 구일, 베를린.

나는 그날, 거기 있었어요. 음악을 크게 틀어놓고 혼자서 저녁을 먹고 있었죠. 밥짓기가 싫어서 사다두었던 소시지를 물에 데치고 감자를 삶아서 겨자와 소금을 뿌려 먹었어요. 검은 빵에 치즈 바른 것과 함께 맥주 작은 병 하나를 마시고 있었어요. 전화벨 소리가 나더군요. 나는 프랑크푸르트에 연구소 동료 마틴과 함께 출장간 이선생의 전화이거니만 생각했어요. 수화기를 들었죠.

여보세요? 저예요……

한형이야?

어, 이게 누구야……

누구긴 나 송영태야.

어머나, 참 한번 전화했었지. 괴팅엔에 있다면서? 거기서 도대체 뭘 하는 거야, 이 도깨비야.

공부하지 뭘 해. 나 베를린 올라갈 일이 생겼는데 멕여주고 재워줄래?

그래애 물론이지. 우리집 지낼 만해. 한데 무슨 일루 오는 거야?

몰랐어? 지금 텔레비전 좀 봐라.

난 그런 거 없는데. 무슨 일 났어?

지금 독일 전국이 난리야. 동독 정부는 동서 베를린 장벽의 철폐와 자유왕래를 선언했어. 사실상 통일의 시작이라구. 장벽은 이제부터 무용지물이 될 거야.

정말이야?

그렇다니까, 어서 내 대신 거리루 나가보라구. 나두 내일 당장 올라가볼려구 그래.

우리는 서로 집주소며 전화번호 따위를 주고받고 통화를 끝냈어요. 나는 그제서야 밖에서 무슨 소음이 들리는 것 같아서 기웃이 창밖을 내다보았지만 이쪽은 안마당 쪽이라 거리가 보이지는 않았어요. 그러고 있는데 문에서 초인종이 울려요. 마리 할머니가 건너온 거예요.

유니, 텔레비전 보다가 왔는데 장벽이 없어진대. 시민들이 온통 거리 동쪽으로 모여들구 있어.

방금 들었어요. 마리, 우리 브란덴부르크나 포츠담 광장으로 나가봐요.

나두 그러려던 참이야.

다시 전화벨 소리가 울리고, 이번에는 이선생의 목소리가 들렸어요.

윤희, 뉴스 들었어?

방금 들었어요.

엄청난 변화야. 나 지금 거의 다 왔어요. 한시간 뒤면 시내루 들어갈 수 있을 거야. 그 역 앞 광장에 있는 까페에서 만나지.

그래요, 시내로 나가려던 길이었어요.

전화를 끊고 나서 외출준비를 하는데 마리가 머뭇거리면서 내게 물었습니다.

저어…… 돈 가진 거 있어?

뭐하게요?

샴페인 한병 사야지.

샴페인요?

그래, 이게 아마 내게는 마지막 축제가 되겠지만.

나는 그냥 트렌치코트만 걸치고 두꺼운 겨울코트에 모자까지 쓴 마리와 함께 밖으로 나갔어요. 편의점에 가서 샴페인 한병을 사들고 광장을 가로질러 건너가는데 벌써 도로를 지나는 자동차들은 경적을 울리고 거리의 젊은이들은 축제 때 쓰는 뿔나팔을 불고 법석이었어요. 중심가로 갈수록 사람들은 그 넓은 도로를 메울 정도로 불어나 있었고 노래를 부르거나 웃으면서 서로 포옹도 하고 괴성을 지르기도 하고 아무튼 베를린 시민 전체가 거리로 몰려나온 듯했지요. 그들은 모두 동베를린 쪽으로 향한 도로를 한방향으로 바삐 걷고 있었습니다.

나는 가끔 카데베 백화점에서 돌아올 때라든가 비나 눈이 오는 날에 타던 택시를 찾으려고 두리번거렸어요. 광장 건너편에 공중전화 부스가 있고 바로 앞에 택시정류장이 있는데 보통 때에는 늘 두세 대의 택시가 늦은 밤까지 대기하고 있었거든요. 내가 정류장으로 건너가면서 마리를 재촉했어요.

우리 택시 타요.

베를린에서는 택시를 길가에서 손을 들어 아무렇게나 잡을 수가 없어요. 거리의 블록마다 정류장이 정해져 있고 거기 서 있으면 지나가던 빈 택시가 다가와서 태우는 식이지요. 잠깐 기다리는 중에도 택시가 보이질 않아서 나는 아마 초조했던가봐요. 발을 조금씩 동동거리며 우왕좌왕했거든요. 마리가 말했어요.

곧 올 텐데, 유니 왜 서두르는 거야?

우리가 가기 전에 다 끝나버릴지두 모르잖아요.

마리는 웃었어요.

끝나다니 이제 시작이야. 나는 느낄 수 있어. 전쟁에 지고 동서로 소련군과 미군이 들어올 때엔 이번과는 많이 달랐지만. 그때에는 나는 어머니와 동생하구 무너진 지하실벽 사이에 숨어 있었어.

베를린 사람들은 이렇게 될 줄 알고 있었어요?

지난 여름에 수많은 동독 시민들이 서쪽으로 넘어오겠다며 망명신청을 했고 헝가리를 경유한 망명자 집단이 서독으로 왔지. 가을엔 라이프찌히에서 여행자유화를 주장하는 시민들의 시위가 있었고 지난 주에는 동베를린에서 백만명이 시위를 했어. 그렇지만 본에서는 수백만이 반핵시위를 하고 서베를린에서는 날마다 데모를 해도 아무 일도 없잖아.

그래요, 동베를린의 시민들 일은 나두 신문에서 본 것 같아요.

택시가 왔는데 우리가 장벽 근처로 태워달라니까 운전사가 말했어요.

브란덴부르크 방향은 아직도 막혀 있어요. 차와 사람이 너무 많으니까 필하모니 앞에서 내린다면 가겠소.

우리는 좋다고 그랬지요. 티어가르텐 근방을 지나는데 자동차가 사방에서 몰려들고 있어서 가다가는 멈추고 다시 서행하고 그러더군요. 하여튼 간신히 필하모니 부근에서 내려 인파 속을 걷기 시작했어요. 무슨 봄밤처럼 가녀리게 이슬비가 촉촉이 내리고 있었어요. 제국의회 쪽 광장으로 가는데 길은 완전히 군중들로 뒤덮여 있었어요. 장벽 쪽으로 다가서자 한쪽을 헐어낸 곳으로 자동차와 동독 시민들이 쏟아져 나오고 그 행렬에 길을 열어준 서독 사람들이 박수와 환호로 맞고 있었지요. 성미 급한 서독 젊은이들은 장벽의 곳곳에서 해머로 벽을 부수려고 내려치기도 하고 벽 위에 올라가기도 했어요. 장벽 밖으로 나와 서로 포옹하는 젊은 남녀도 보였고 어린이들과 가족을 태운 남자가 차창 밖으로 손을 흔들어 보이면서 장벽의 허물어진 사이로 서행을 해서 나오는 것도 보였구요. 유니폼에 가죽장화를 신고 권총을 찬 경비병들과 코트를 입은 장교들은 묵묵히 그런 광경을 보기만 하고 서 있어요. 사방에서 합창소리가 요란했어요. 어느 틈에 마리가 샴페인을 따서 몇모금 병째로 마시고는 내게 내밀어주더군요. 나도 얼결에 병을 들고 마셨어요. 장벽을 나오는 사람과 길가에 섰던 사람들의 포옹이며 인사말들이 끝없이 이어졌습니다. 나는 울컥 하고 격한 느낌이 올라와서 그만 울기 시작했지요. 머리카락은 이미 이슬비에 젖어 있었고 얼굴도 촉촉했는데 내 눈물이 뜨겁게 느껴지더군요.

너 왜 우니?

마리가 내게 물어요. 마주 쳐다보니까 그네도 울고 있잖아요.

우리나라가 생각나서요. 당신은 왜 울어요?

아무 느낌 없이……

그런 말이 어딨어. 술 좀 다시 줘봐요.

그네가 건넨 병을 받아 이번에는 벌컥이며 제법 마셨어요. 혀끝이 짜르르 하고 달큰한 맛이 남았지요. 마리가 병을 빼앗아 자기도 벌컥이며 마시고는 입을 씻으며 그랬어요.

이런 축제가 얼마 안 가서 끝난다는 걸 저 사람들은 모를 거야. 하지만 인간을 제한하던 것들이 사라지는 장면은 언제나 멋져.

사람들은 제각기 와인병이나 샴페인을 들고 와서 서로 부어주기도 하고 장벽에 뿌리기도 하며 외치고 노래했습니다. 돌아보니 나 혼자 동양인이고 온통 서양 사람들뿐이었어요. 남의 기쁨에 자기 설움을 운다더니. 우리는 한시간 남짓 서 있었는데 사람들은 끝도 없이 장벽 사이로 걸어나왔습니다.

저길 좀 봐.

마리가 내 팔을 잡고 말했어요. 길 건너편을 보니까 머리를 짧게 깎은 청년들이며 가죽옷을 입은 중년사내들이 늘어서서 사람들이 나올 때마다 영화에서 보았던 낯익은 동작으로 손을 비스듬히 쳐들어 보이는 거예요. 로마 군대에서 빌려온 나찌식 경례 말예요. 그들은 행진곡풍의 노래를 부르기 시작했지요. 한쪽에서는 그들에게 야유하는 소릴 질렀지만 그들은 더욱 큰 소리로 노래를 하더군요.

제발 여기서 떠나자구.

마리가 사정을 하듯이 내 팔을 잡아당겼어요. 나는 그네와 함께 인파에 떠밀리며 광장을 건너갔어요. 거리 곳곳에서 연말에나 쓰는 폭죽과 불꽃을 쏘아올리기 시작했지요.

동쪽이 올바른 사회는 아니었지만 그래두 서쪽의 거울이었는데, 이제는 조심성도 없어지고 멋대로 할 수 있게 된 거야.

사회주의 좋게 생각했어요?

슈타지는 나쁘지만 그쪽 예술은 좋은 점이 많아.

슈타지요?

반혁명을 감시하던 비밀경찰 말이야. 한데 그게 무슨 상관이람……나에게.

하더니 마리는 이번에는 손수건을 펼쳐서 코를 풀고 다시 눈물을 닦아냈어요.

사람이 해놓은 짓들이란 게 다 그렇지.

어서 가요. 나 리이 만나기루 했어요.

그네와 나는 비스마르크 가로를 따라서 한참이나 걷다가 간신히 택시를 잡아타고 오이로파 센터가 있는 부다페스트 가로까지 갔어요. 길 건너편에 이선생과 몇번 갔던 까페가 있었거든요. 까페 이름은 잊었는데 바로 길가에 있어서 햇볕 좋은 날에는 길가에 내놓은 자리에 앉아서 광장을 오가는 사람들을 구경하기가 좋았지요. 비가 오고 밤이니까 모두들 옹색하게 안쪽에 몰려들어가 있었는데 그렇게 까페가 만원인 건 처음 보았어요. 거의가 맥주나 와인을 마시며 왁자지껄 떠들며 축배를 들고 요란하더군요. 두리번거리는데 이희수씨와 마틴은 벌써 와서 그래도 덜 답답한 창가에 자리를 잡고 앉아 있었지요. 그가 손을 쳐들어 보였고 우리가 가서 앉자마자 물었어요.

어디서 오는 길이오?

브란덴부르크 근처까지 갔다 왔어요.

우리는 체크 포인트 찰리하구 브란덴부르크 문까지 한바퀴 돌구 왔어. 그래 기분이 어때?

나는 뭐라고 말할까 잠시 생각해보았습니다.

글쎄요, 아직 잘 모르겠어요. 기분이 묘하기도 하고 눈물도 나고 그래요.

유토피아는 원래 없는 데라는 말이오. 이제 두고 봐. 저울추의 한쪽이 없어졌으니까 평형이 무너진 셈이거든. 시간은 걸리겠지만 생활을 바꿔야 할걸.

이선생은 마틴에게 말했어요.

유니는 울었대. 자넨 어때?

놀랐어. 역사가 아이들 장난 같아. 저렇게 모래처럼 허물어질 것을 어제까지도 몰랐잖아.

우리는 그날 새벽 세시까지 생맥주를 잔뜩 마셨답니다. 마리는 따로 쉬납스를 시켜 훌쩍거리면서 아무 말이 없었구요. 우리는 마틴을 떼어놓고 마리를 부축하고 우리집으로 돌아왔어요. 마리도 그네 방에 데려다주고 이제 그와 나만 내 방에 남았지요. 이선생과 나는 서로 기대어 긴 의자에 앉아 있었어요.

저편 골짜기에 꽃이 피면 이쪽 골짜기에도 눈은 녹을 텐데……

그렇지 않을 거예요.

하고 나는 단호하게 말했습니다.

오히려 더 경직될 거예요. 이건 해답이 아니에요. 최소한 출발은 저쪽이 옳지 않았어요?

둘 다 우리가 들여다놓았던 건데 이렇게 결말이 났으니까 서로 지키기도 시시해지겠지. 그럼 변화가 오겠지 뭐. 오선생도 곧 나오게 될 거요.

아, 그이 얘긴 하지 말아요.

나는 정말 짜증이 났었나봐요. 목소리가 높아졌거든요. 술을 많이 마셨지만 깨어가고 있던 참이었는데 건주정이라도 하고 싶었습니다.

나 여기서 바람난 거 아네요. 이희수 선생님, 앞으루 어떻게 살아갈 작정이세요?

글쎄 말야, 지금 고민중이야. 대학으로 다시 돌아가기는 싫고 어디 벽지에 가서 자그마한 학교나 만들까. 내 아이랑 어머니두 모시구, 그러구 한선생두 같이.

누구 맘대루. 나는 어쩌면 여기서 주저앉을지두 모르는데.

어서 올라가 자요. 난 여기서 눈 좀 붙이고 있다가 날 밝으면 돌아갈게.

나는 그의 와이셔츠 깃을 잡아당겼어요.

안돼요. 날 재워줘야지.

나는 그를 이끌고 비틀거리며 로프트 위로 올라가다가 하마터면 발을 헛딛고 미끄러질 뻔했고 그가 뒤에서 내 몸을 꽉 잡아서 계단 위에 올려놓았어요. 그는 내 신발을 벗기고 코트와 스웨터를 벗기고 내 옆에 누웠습니다.

나는 그 남자와 여러번 잤어요. 그의 목소리와 까칠한 면도자리와 뻣뻣한 살갗을 기억해요. 그의 상식적이고 안정된 정서가 얼마나 편안했는지 몰라요. 그리고 따뜻하잖아요. 열정이 도대체 무슨 독감 따위인지 이제는 기억조차 없지만, 바람부는 날 어느 언덕 위에서 오리나무 같은 데 기대어 서면 좋잖아요. 작별할 때 한맺힌 핏물도 내게 덮어씌우지 않고 조용히 한걸음 물러서는 그림자같이요. 아버지의 감 이야기에 나오는 색시처럼 내색 않고 같은 선에 서서 넉넉한 시선으로 한 방향을 바라보아주는 아낙이 되고 싶었지요. 그렇지만 헤어지진 말고 오래 같이 살 수 있으면 더욱 좋았을 것을.

송영태는 이선생이 돌아간 오후에 왔어요. 동물원역 앞에서 전화가 왔는데 우선 그쪽으로 나오라는 거예요. 나는 다른 도시에서 누가 올 적마다 마중 나가기가 편리해서 역 구내의 레스또랑을 약속장소로 정하곤 했거든요.

역사 바깥에서부터 오르는 철제 계단으로 해서 안으로 들어갔더니 그는 대합실 쪽을 향해 앉아 있었어요. 멀리서도 그의 뒤통수를 보고 나는 금방 그를 알아보았죠.

송형……

하고 나는 작은 소리로 그를 불렀습니다. 어쩐지 영태야,라고 부르지 못하겠더라구요. 그와 가졌던 친밀감의 방에서 나는 한발짝쯤 문지방 밖으로 나와 있는 게 아니었는지. 그가 머리를 천천히 돌려 나를 올려다보았어요.

어, 그쪽에서 오네.

나는 그의 앞자리에 앉았습니다. 그리고 서로를 확인하듯 잠깐 바라보고 있었어요. 영태는 많이 달라져 있었지요. 여기서 사 입었는지 긴 갈색 가죽코트 차림이었고 안경도 옛날의 크고 넓적한 뿔테안경이 아니라 동그랗고 작은 금속테의 안경을 쓰고 있었어요. 하긴 그는 부잣집 아들이었으니까. 그리고 그는 한국에 있는 동료들 사이의 부담스러운 소속감으로부터 놓여났을 테니까요. 그는 탁자 위에 베를린 시가 지도와 카메라를 얹어놓았고 짐은 보이지 않았습니다.

기차를 타구 오는 길이야?

아니, 아우토반으루 왔어. 여기가 제일 찾기 쉬울 것 같아서.

그럼 자동차 가지구 왔어?

응, 돌아다니기 불편해서 중고차를 샀지.

입학은 된 거니?

뭐 그냥 아직은 어학연수중이라……

점심은 어떻게 했어?

고속도로 휴게소에서 대충 때웠어. 야, 우리 나가자.

아이, 한숨이나 좀 돌리구.

그의 차는 역앞의 주차장에 세워져 있었는데 카키색의 번듯한 승용차였지요.

뭐야, 이거 베엠베 아냐. 오늘 호강하겠네.

겉만 번지르르해. 벌써 두번이나 카센터에 들락거렸어.

송영태와 나는 앞자리에 나란히 앉았습니다. 그가 시동을 걸면서 말했어요.

그래두 아우토반에선 붕붕 날아. 밟는 대루 나가더만. 한형, 여기 길 잘 알지?

땅속으로만 다녀서 큰길만 조금 알아.

여기서 제일 가까운…… 그렇지 브란덴부르크 문으로 가보자.

동물원역 앞에서 쿠담과 부다페스트 가로에 이르기까지 모든 길과 광장에는 동베를린에서 몰려나온 사람들과 다른 도시에서 온 사람들이며 서베를린 사람들이 뒤섞여 북새통을 이루고 있었습니다.

우리는 화면에서나 아니면 실제로 타관의 어느 공항에서 북한 사람들을 그 행색과 기미로 알아채듯 동독 사람들을 알아볼 수가 있었어요. 그들은 이를테면 깊숙한 두메나 멀리 떨어진 마을에서 읍내에 나온 사람들처럼 어딘가 서툴고 어릿어릿해 보였지요. 아직은 하루도 지나지 않았기 때문인지 그들은 그저 어슬렁어슬렁 주위를 두리번거리며 번화가를 거닐고 있을 뿐이었어요. 서쪽 시민들은 바깥바람을 쏘이러 장벽 사이로 빠져나온 동쪽 시민들을 웃는 얼굴로 환영했어요. 나중엔 한달이 채 못되어서 서쪽 시민은 그들을 멸시하고 귀찮아하게 되었고 동쪽 시민은 좀더 만만한 외국인에게 눈총을 돌리게 되지만요.

브란덴부르크 문앞에는 여전히 동베를린 경비대원들이 초소를 지키고 있었지만 군중들은 벽의 곳곳에서 기념사진도 찍고 벽 위에 올라가기도 했어요. 몇군데의 초소와 전철역을 통해서 동베를린 시민들은 서쪽으로 마음대로 나올 수가 있었지만 동베를린을 방문하려는 외국인이나 서베를린 사람들은 프리드리히슈트라쎄 역에서 통관절차를 밟아야만 했지요. 그리고 자동차에 탄 사람들은 미군과 서독군이 지키고 있는 체크 포인트 찰리에서 수속을 해야만 했어요. 나중에는 시민들과 정부가 차례로 담을 헐어버리고 말았지만.

우리는 문 옆에 있는 작은 공원으로 갔는데 전에는 판문점처럼 관광명소여서 거기 철제로 만든 사다리와 전망대가 있었죠. 전망대 위에는 한사람도 올라가지 않았어요. 동전을 넣고 들여다보는 망원경도 벌써 폐물이 되어버렸나봐요. 그리고 전망대에서 가까운 녹지대에 철망이 울타리처럼 서 있고 거기 흰 페인트칠을 한 십자가들이 매달려 있어요. 넓적한 십자가 한가운데에 사람의 이름과 연도와 날짜가 씌어 있지요.

이건 뭐야……

장벽을 넘다가 희생된 사람들이래.

땅굴 같은 거로구나.

내 생각엔…… 좀 다른 거 같은데?

뭐가 달라, 자유세계의 반대쪽을 질타하는 고함소리가 들리는데.

사람이나 짐승이나 아무튼 산것들은 더 살기 적합한 데루 이동할 자유가 있잖아.

자유를 추상화하지 마라. 뒤 마려워봐, 그 순간부터 나는 속박된다구. 돈 없이 어디서 자유를 찾아. 이들은 자신이 속했던 사회의 구성원들이 서로 양보하며 나누어 누리던 자유를 타락시킨 거라구.

이쪽이 낙원이 아니듯이 저쪽두 낙원이 아니었어. 이제 우리는 두 눈으로 똑똑히 보게 될 거야.

우리 세기의 약속들을 지켜내야만 할 거야.

송영태와 나는 그런 겉도는 이야기만 하면서 주변을 돌아다녔습니다. 오후 네시가 되자 주위는 완전히 어두워지고 우리는 여전히 축제 분위기인 중심가로 나왔어요. 바로 앞에 아이들을 거느린 부부가 걷고 있었는데 우리는 대번에 그들이 서쪽 바람을 쐬러 나온 동베를린의 가족들임을 알아보았죠. 그들은 아이들의 손목을 꼭 잡고 보도의 안쪽을 조심스럽게 걷고 있었어요. 중심가에는 그런 이들이 더욱 많았어요. 밤이 깊어지면서 늘 그렇듯이 여섯시가 되자마자 가게와 백화점들은 문을 닫고 쇼윈도우 앞에는 불이 환히 밝혀져 있었는데 마네킹들만 물건들 사이에 남아 있고 인적은 보이지 않아요. 우리는 그 인적 없는 무수한 상품더미와 조명이 찬란한 쇼윈도우를 자본주의의 창이라고 불렀죠. 아, 이제 보니 그 말이 얼마나 어울리는지. 동쪽에서 나온 사람들은 마치 장터의 약장수 앞에 모여선 군중처럼 그 진열창 앞에 입을 꾹 다물고 팔짱도 끼고 아이의 손목도 잡고 한없이 들여다보고 있었지요.

이선생 말대로 꼭 필요하지는 않은 물건들을 많이 만들어낼수록 복지는 사라진다는데. 여자의 속옷 상점, 갖가지 이름의 부띠끄, 액세서리와 신변잡화들, 화장품, 전자제품의 창에서는 다시 그 속의 텔레비전 화면 안에서 새로운 물건들이 재생산되고 있었어요. 처음에 이들은 좀 수줍어하면서 새로운 세계의 상품들을 미술품이나 경치처럼 감상하기만 했죠. 나중에 서독 정부는 서베를린 시내로 나오는 동독 사람 모두에게 신분증만 내보이면 아무 은행에서나 백 마르크씩 그냥 주기로 결정했어요. 한사람 앞에 백 마르크씩요. 그래서 동독 사람들은 가족과 친지를 모두 동원해서 끝없이 서쪽을 향해서 몰려들었어요. 다섯 사람의 가족이면 오백 마르크이고 이만한 돈이면 서독에서도 호화판 쇼핑을 할 수가 있거든요. 며칠 안 가서 베를린 중심가는 거대한 시장으로 변했습니다. 동독의 먼 지방에서까지 사람들이 베를린으로 몰려나왔지요. 그들이 제일 먼저 사들이기 시작한 것은 전자제품이었어요. 저마다 두 팔에 안고 있는 것은 텔레비전이나 카세트 라디오였지요. 어서 빨리 서방세계를 공부하려면 텔레비전이 새로운 학교였으니까요. 그리고 그 다음에 사들이기 시작한 것은 과일이었죠. 사회주의 계획경제 아래에선 외국에서 과일을 수입하지는 않으니까 일년에 잠깐씩 딸기와 사과 이외엔 없대요. 그들이 가장 많이 사간 것은 델몬트 도장이 찍힌 캘리포니아산 오렌지였어요. 그러고는 휴지도 몇상자씩 샀어요. 훨씬 나중에 중고차가 동독 사람들에 의해서 거덜이 났지만요. 그런데 우습죠. 서독의 가난한 사람들이나 외국인 유학생 족속들은 반대로 동독 쪽 슈퍼마켓으로 몰려가서 고기며 빵이며 낙농품이며 하는 먹을 것들을 싹쓸이를 해왔으니까요. 거기선 식품값이 서독의 삼분의 일밖에 되지 않았거든요. 그리고 책들은 왜 그렇게 쌌는지. 이런 기묘한 역할바꾸기는 아무런 절차 없이 왕래하게 될 때까지 두어 달 동안이나 지속되었어요. 경제통합을 위해서 서독 정부는 신고된 액수에 한한다는 조건 아래 동독 화폐를 일대일로 교환해주기로 결정했고 자연스레 암거래가 활성화되었어요. 동남아 사람들이나 터키인들은 동베를린 구역으로 넘어가서 동독인들의 신고되지 않은 화폐를 싼 값에 사다가 서독 화폐로 바꾸곤 했지요. 그런 일은 모두 몇달 뒤의 일이고 드디어는 온 세상이 다 아는 바와 같이 다음해에 서독은 동독을 흡수해버리게 되지요.

나는 송영태를 이희수씨네 집으로 데려가기로 했어요. 밖에서 그이에게 전화를 하고 대충 설명을 했지요. 이선생은 흔쾌히 손님을 맞이하겠다며 그를 데려오라고 했어요.

우선 영태를 독일 전통음식을 하는 레스또랑으로 데려가서 시럽을 넣은 베를린식 맥주를 마시면서 저녁을 먹었어요. 나는 그제서야 얘기를 꺼냈습니다.

밥먹구 오늘 주무실 데로 데려다줄게.

아니, 그게 무슨 소리야, 한형 집으로 가는 게 아냐?

응, 사실은 원룸식의 스튜디오라 송형 잘 데가 마땅치 않아서 그래.

지난번에는 멕여주고 재워주고 한다구 큰소리를 치더니…… 내외하는 거야 뭐야. 누구네 집인데?

나는 일부러 아무렇지도 않게 그에게 말했어요.

여기서 친해진 사람인데…… 좋은 분이야.

송은 잠깐 말이 없더니 작은 소리로 중얼거렸습니다.

친한 사람이 생겼다면…… 잘됐구나.

그는 뉘른베르크 소시지를 포크로 연신 서너 개나 찍어서 입에 넣고 우물거리며 한참이나 고개를 숙이고 있었어요. 나도 가만히 기다렸지요.

뭐하는 사람이야, 학생?

아니, 대학 선생이야. 연구소에 나가.

그 사람을 좋아해?

나는 대답 대신에 고개를 끄덕였어요. 송영태가 냅킨으로 입 주위를 닦으면서 말했지요.

그 양반 집으루 가보지 뭐. 한형이 좋아한다면 괜찮은 사람 아니겠어?

여기 며칠 있을 거야?

걱정 마라. 내일 동베를린 넘어가서 책 사고 오후에는 떠나야지.

송영태는 그날 처음이자 마지막으로 이희수씨를 만난 셈이 되었습니다. 이선생은 그의 성격대로 부드럽고 자상하게 그를 대해주었어요. 오히려 영태가 굳어진 표정이었구요. 이튿날에는 셋이 함께 동베를린 쪽으로 넘어가보았어요. 차는 이선생네 집앞 주차장에 그대로 두고 전철을 타고 프리드리히슈트라쎄 역까지 가서 통관수속을 했죠. 나는 처음 가보는 길이었는데 이선생은 전에 두어 번 왔었대요. 여권을 창구에 내밀었더니 서른여섯 시간 체류가 허가된 통행증을 끼워주었어요. 그전보다는 사람이 훨씬 줄었다고 해요. 우리는 걸어서 장벽 너머의 가까운 도심지를 이리저리 돌아다녔어요. 아파트들은 낡았고 모두들 서베를린 구경을 하러 빠져나가서 그런지 거리는 한적했어요.

전에 고속도로에서 동베를린 구역의 휴게소에 들어가본 적이 있었는데 청소가 안되어 있었고 서비스는 엉망이었지요. 화장실은 또 얼마나 더럽던지. 자기 가게가 아니라서 그런다고 하더니 동베를린에서는 국영 호텔 외에는 커피도 사마실 데가 없더군요. 송영태가 미리 들어서 알고 있었는지 운터 덴 린덴 거리의 훔볼트 대학 정문 쪽에 있는 서점에 들러서 맑스와 헤겔의 전집을 샀어요. 내가 보기에도 서독에 비하면 거저나 다름없는 값이었지요. 중심가에서 우리는 동그라미 속에 별이 그려진 낯익은 깃발을 보고 가까이 갔다가 조선민주주의인민공화국 대표부라는 간판을 보고 나서 반갑기도 하고 께름칙하기도 해서 울타리 밖으로 한바퀴 돌아보고 나서 물러나기도 했죠. 송영태가 뒤에 처져서 천천히 다가오더니 내게 중얼거렸어요.

한번 들어가볼까, 자료나 좀 얻었으면 좋겠는데 말야.

대학 도서관에 많더라.

한형, 밖에 나와서 받은 첫번째 충격이 뭔지 알아?

장벽 무너진 거 말구?

우리가 철통 같은 주머니 속에 들어 있었다는 거하구, 북쪽이 유럽이나 미국보다는 훨씬 가까운 곳이라는 사실에 놀랐지.

그런 당연한 소리를……

이선생은 아무 말도 없이 빙그레 웃고만 있었어요. 그는 웬만한 일로는 자기 생각을 잘 꺼내지 않으니까요. 하여튼 다시 서베를린 구역으로 넘어와서야 나는 우리가 잠깐 궤도를 벗어났었다는 사실을 느꼈습니다. 다 늦은 점심을 먹고 나서 그가 돌아가겠다고 했고 차에 오르기 전에 내가 그에게 말했어요.

미안해, 모처럼 왔는데 잘해주지 못해서.

그는 나를 쳐다보지 않고 길 건너편 쪽으로 시선을 돌리면서 말했어요.

한형, 보구 싶었어. 잘 지내.

이선생과 영태가 악수하고 그는 내게 손을 한번 들어 보이고는 차를 몰아 가버렸어요. 이제 나는 비로소 이선생과 다시 둘만 있게 된 거예요. 나는 그의 코트 주머니에 손을 넣어 따뜻한 그의 손을 꼭 쥐고 걸었어요. 그가 물었어요.

어디로 가지?

오늘은 우리집 가요.

25

십이월이 되자 서베를린의 인파는 일상이 되어버렸죠. 지하철에도 관광객과 동독 사람들, 심지어는 폴란드 체코 사람들까지 몰려들어서 서울이나 동경의 출근전철 같아져버렸어요. 제국의회 건물 부근의 공터에는 동구 사람들의 벼룩시장이 섰구요, 자동차 도난사고도 많아졌지요. 우리에게 잊을 수 없는 사건이 생긴 것도 그 무렵이었어요.

어느 겨울비 오는 밤에 한 젊은이가 장벽을 넘어왔어요. 아니 장벽을 넘어왔다기보다는 무너진 벽틈으로 흘러나왔겠지요. 그는 혼자서 동물원역에 내렸어요. 소시지 끼운 빵을 사들고 낡은 우산 하나만 달랑 들고서 그는 쇼윈도우 구경도 하고 누드쇼를 하는 핍쇼 하우스 앞에서 사진을 열심히 들여다보기도 했어요. 그는 그냥 도심지의 엄청난 사람들 틈에 끼여서 어슬렁거리며 돌아다녔겠지요. 동독 사람들은 차츰 누드쇼를 어떻게 구경하는지 한둘씩 알게 되어 그맘때에는 줄지어 들어가서 가진 동전을 몽땅 털어버리고 나오곤 했지요. 한사람에

게마다 눈을 갖다댈 수 있는 구멍이 뚫려 있고 구멍 옆에는 관광지에 설치된 망원경처럼 동전투입구가 있고 타임체커가 돌아가게 되어 있대요. 작은 방이 보이고 맞은편에 도어가 보이고 문이 열리면서 여자가 들어와 옷을 한가지씩 벗으면서 스트립쇼를 한대요. 시간이 초과되면 찰칵 하면서 시야가 차단되는데 다시 동전을 넣으면 앞이 보이게 되지요. 그는 동전을 꼭 한개만 넣고 쇼를 보다가 분개해서 돌아서 나오기도 했죠. 그는 불빛이 휘황해서 지하철이 끊기는 줄도 모르고 돌아다녔어요. 동물원역으로 되돌아가보았지만 노숙자들만 보였어요. 그는 당황해서 이쪽 출구에서 저쪽 출구로 오르락내리락하면서 빈 철길만 확인하고 다시 지상으로 올라오고 하다가 그야말로 자신이 돌아갈 출구를 영영 놓쳐버리고 만 거예요. 방향도 모르고 네거리를 건너서 가다가 길가에 섰는 여자들을 보았어요. 짧은 스커트를 입고 화장을 진하게 한 여자들이 가로등 밑에 서서 지나가는 차량들을 살피고 서 있는 거예요. 차가 멈추면 다가가서 뭔가 얘기를 붙이기도 하고 담뱃불을 빌리기도 해요. 그가 여자에게 서투른 독일말로 길을 물어요. 동베를린 방향이 어느 쪽이냐고. 여자는 조소하듯이 대꾸하죠. 전철이 끝겼다고, 잠자고 내일 가라고, 내가 재워주겠다고. 그는 이런 경우를 이해할 수가 없기 때문에 하룻밤 자는 데 얼마냐고 물어요. 여자는 싸게 해서 백 마르크라고 해요. 그는 질겁을 해서 달아날 수밖에. 세상에 하룻밤 자는 데 백 마르크라니. 그는 주머니에 꼬깃꼬깃 접힌 이십 마르크짜리 두 장을 새삼 만져보는 거예요. 젊은이는 다시 크리스마스 장식과 별 등이 꿈나라처럼 밝혀진 오이로파 센터 앞의 광장으로 되돌아왔어요. 그러곤 겨울철이라 물을 빼고 비워진 분수대 근처의 벤치에 가서 앉아 있었어요. 어떤 동양인 남녀가 지나가자 그는 일어나서 머뭇거리며 담뱃불을 빌려달라고 그랬대요. 담뱃불을 붙여주던 남자가 그에게 독일말로 중국인이냐고 물었어요. 아니오, 나는 코리언이오, 하고 그가 말했고 그 남자는 큰 소리로 웃으면서 우리 말로 나도 코리언이오 그랬다죠. 잠깐 그들 사이에는 미묘한 침묵이 흘렀어요. 두 남녀는 유학생 신씨 부부였지요. 젊은이가 멈칫했다가 서로의 침묵을 깨고 먼저 말을 꺼냈어요.

동베를린으로 가는 전철이 없습네까?

부인이 먼저 눈치를 챘대요.

아, 지금은 돌아갈 수 없군요. 새벽이 되어야 다시 다닐 텐데…… 괜찮다면 우리집으로 가두 되는데.

젊은이는 언뜻 보기에도 고등학생 정도로나 보일 듯 앳돼 보였답니다. 신선생이 다시 거들었어요.

여기서 가까운 곳이오. 가서 쉬었다가 날이 밝으면 역까지 데려다 주겠소.

했더니 그는 순순히 그들을 따라왔어요. 그들은 인적이 끊긴 거리를 세 블록이나 걸어서 로젠하임 거리의 자기네 집까지 젊은이를 데려갔대요. 막상 문앞에 이르자 젊은이가 계단 위로는 올라오지 않고 보도에 선 채로 그들에게 말하더래요.

여기가 어딥네까?

우리집이에요.

부인이 그랬더니 다 눈치를 챘는데도 젊은이가 말했대요.

저는 북조선 류학생이야요.

그래요? 우리두 학생이라구요. 어서 들어와요.

내가 이선생에게서 그런 이야기를 들은 건 그로부터 사흘이나 지나서였습니다. 신씨 부부가 젊은이를 데리고 집으로 찾아왔대요. 사실 그들 부부로서는 이틀 밤도 어려웠을 거예요. 원룸이라 두 부부의 침대와 주방과 거실이 한공간 안에 있었거든요. 그래서 다른 지방의 친구들이 찾아오면 하던 대로 소파 위에 잠자리를 마련해주고 자기네 침대 앞에는 커튼을 쳤다지요.

젊은이의 이름은 조영수, 나이는 스무살, 집은 평양시 보통강 구역이구요, 동베를린 공과대학에 유학온 지 이제 겨우 팔개월 되었어요. 신씨 부부는 아침을 먹이고 어쩌나 보려고 반제 호숫가에도 데려가고 박물관이며 식물원이며 서베를린의 이곳저곳을 구경시켜주었어요. 저녁때까지 따라다니더니 동베를린의 기숙사로 돌아가지 않겠다고 했어요. 처음에는 단순하게 생각했던 그들도 당황하기 시작했지요. 이건 어디까지나 중대한 정치문제가 발생한 것이었지요. 그들은 어떻게 해야 할지 골치를 앓고 있다가 이희수씨에게 데려가게 된 거예요.

내가 이선생 집으로 갔더니 북쪽 젊은이는 이미 그 집에서 하룻밤을 자고 일어난 뒤라서 긴장한 것 같지는 않았어요. 이선생이 나에게 그를 소개했어요. 나는 어린 막내동생을 보는 심정이었지요. 영수는 이선생의 코르덴바지와 쑥색 스웨터를 입고 있었지요. 나는 사가지고 간 빵과 햄이며 치즈를 식탁 위에 풀어놓으면서 그에게 친근하게 보이느라고 한마디 농담을 했지요.

뿔이 없네요.

예에?

눈을 동그랗게 뜨는 그애에게 나는 두 손가락을 세워서 머리 위로 쳐들어 보이며 말했어요.

뿔, 몰라요? 남에서는 북쪽 사람이 뿔이 났다고 농담하는데.

우리두 남조선 사람은 모두 특무라구 배웠시요.

이선생이 나에게 들으라는 듯이 말했어요.

조군은 동베를린으로 돌아가지 않겠대.

나는 영수에게 말을 걸었어요.

돌아가지 않으면 뭘 할 건데요?

독일에서 살아볼라구요.

독일에서 받아주지 않으면?

기럼 제삼국으루 가야지요.

다시는 만날 수 없는 사람들이 많을 텐데. 젤 먼저 어머니를 못 만날 거예요.

그의 등뒤 주방 쪽에 서 있던 이선생이 나에게 눈짓과 손짓으로 말하지 말라는 시늉을 했어요. 그는 접시를 식탁 위에 늘어놓으며 영수에게 말했어요.

자자, 그런 거는 천천히 결정해두 늦지 않아. 우리 밥먹구 백화점 구경 가자.

이선생과 나는 영수를 데리고 그날 오후까지 백화점과 대형 유통센터를 돌아다녔습니다. 나는 돌아다니는 틈틈이 이선생에게 물었어요.

도대체 어떻게 할 작정이지요?

그랬더니 그는 간단하게 답하는 거예요.

돌려보내야지.

뭣하러 그래?

아니면, 나더러 독일 이민국이나 우리 영사관에 신고라두 하란 말야?

그냥 놔두죠. 자기 의지대로 결정하도록.

이선생이 말했어요.

비가 많이 와서 둑이 터졌어. 온갖 잡동사니가 그 터진 물꼬를 따라 다른 못으로 흘러왔는데 어린 물고기두 휩쓸려내려왔어. 환경도 전혀 다른 곳이고 큰 물고기도 많아서 살아나가기가 쉽지 않을 거요.

오히려 먹이두 많구 수초두 많아서 살기 좋다고 결정했는지두 모르잖아요. 사는 건 어디서나 모험이라구요.

당신두 그랬잖아, 저앤 어머니두 못 만나게 된다며? 조군은 이제 겨우 스무살이야. 말하자면 무작정 상경 같은 경우지.

이선생은 영수에게 모자가 달린 두툼한 윈드재킷과 속옷이며 양말도 사주었습니다. 크리스마스 씨즌이라 백화점 안은 온갖 장식과 불빛으로 궁전처럼 보였어요. 붉은 옷에 흰 수염을 날리며 사슴이 끄는 썰매를 타고 가는 산타클로스의 장식과 구내에서 같은 복장과 모습으로 장난감 코너에 섰던 사내를 보고 영수가 이선생에게 물었을 때 그의 대답이 참으로 간단하고 재미있었습니다. 이희수씨가 뭐랬는지 알아요? 글쎄 그건 백화점 도깨비라구 말했어요. 집으로 돌아가서 함께 저녁을 먹고 나서 이선생이 영수에게 말을 꺼냈습니다.

영수는 이제부터 당분간 나하구 같이 지내게 될 모양인데 여기 와서 젤 먼저 하구 싶은 게 뭐지?

전철을 타구 아무데나 가구 싶은 데루 막 가보구…… 다른 유럽 나라루 여행두 다녀보구요.

그럼 언제 돌아갈 건데?

벌써 일주일이 다 되어가는데 난 결정을 내릴 수가 없시요. 밤마다 내일은 기숙사로 돌아가리라 생각했다가두 아침이 되면 생각이 바뀌는 거야요.

돌아가면 처벌을 받을까봐 그래?

새로운 세상에서 맘 내키는 대루 살구파요.

어떻게 마음대로 살아갈 수 있어. 그렇게 쉬운 일은 이 세상 어디에도 없다. 너희 어머니도 아버지도 누나들도 만나지 못할 거야. 천만 명이 반세기 동안 못 만나고 있으니까. 나는 영수가 자란 사회를 잘 모르지만 주변에서는 네가 밖에 나와 훌륭한 엔지니어가 되어 여러 가지 창안과 새로운 기술로 보답을 해주리라고 믿었을 테지. 거긴 외화도 부족하구 어려울 텐데 네가 가르쳐주어야 할 수많은 노동자들을 생각해봐라.

그렇지만 사람은 누구나 자기 행복을 선택할 권리가 있다구요!

사람은 어떤 경우에 낯선 게 좋아 보이기도 한다. 그렇지만 자기 집에서 문제를 해결하지 못한 사람이 남의 집에 가서 잘 해낼 수는 없는 법이다. 너는 아직 성인두 아니구 가출한 거나 같아. 나는 네 가족에게 널 돌려보내주고 싶구나. 물론 이건 어디까지나 네가 결정할 문제다. 지금 당장은 아니지만 깊이 생각해봐라. 평소에 무슨 불만이라두 있었어?

그전부터 내 맘대루 된 건 하나두 없시요. 내가 좋아서 기계를 전공한 것두 아니구.

응, 그건 잘못되었구나. 한데 유학 나오고 싶은 다른 젊은이들도 많이 있었겠지.

기럼요, 전 군에두 안 갔는데요. 수십 대 일이야요, 시험이 꽤 까다로와요.

나는 정치는 잘 모르지만 내가 염려하는 건 누군가 널 이용하는 일이다. 북에 있건 남에 있건 사람의 일생은 누구에게나 귀한 거야. 네가 처지가 아주 불리하고 살기 힘들다면 여긴 선진국이니까 누구나 망명할 수도 있겠지. 하지만 고생두 식구들 있는 데서 겪고 나면 나중에 훨씬 행복해질 수 있지 않을까?

하여튼 이선생은 영수에게 성의를 들여서 얘기했습니다. 나는 그가 진지한 사람인 줄은 알았지만 이런 귀찮은 문젯거리를 공평무사하게 해결하려는 자세를 보고 일단 신뢰가 갔어요. 서로 귀순했다고 우기고 떠들어대지만 내 생각으로도 나의 삶은 남한사회의 산물입니다. 그러니까 그 안에서 최선을 다할 생각이었지요. 당신도 그랬지 않아요? 반대로 북의 인민들도 그렇겠지요. 그쪽이나 이쪽이나 자기들 안에서 변화시키려고 노력해야 한다구 생각했어요. 그게 우리들 분단의 조건입니다.

다음날부터 우리는 영수를 따라나서지 않고 지도 한장과 용돈만 주고 혼자 내보냈어요. 영수는 사흘 동안이나 전철을 타고 돌아다니더니 서베를린에 온 지 거의 열흘이 되던 날 저녁에는 분위기가 많이 달라져 있었어요. 이선생이 눈짓을 하면서 조용히 내게 말했어요.

당신이 한번 가봐요. 방에 틀어박혀서 꼼짝도 않고 있어.

피곤해서 잠들었는지두 모르잖아요.

그게 아닌 거 같애. 들어오면서부터 완전히 저기압이었어.

내가 침실문을 살그머니 열어보았더니 영수는 침대 위에 걸터앉아서 고개를 숙이고 있더군요.

들어가두 돼?

예에, 일 없시요.

방안으로 들어가 침대 맞은편에 앉으면서 언뜻 보니 영수가 눈가를 얼른 훔치면서 외면을 해요. 그러곤 베개 아래로 뭔가 감추는 거예요.

무슨 일이 있었어?

아무것두 아니야요.

그건 뭐야, 이리 좀 줘봐.

사진이야요 머……

어디 좀 보여줘.

그가 머뭇거리면서 내미는 작은 사진을 채뜨려서 보았지요. 수양버들이 늘어진 언덕을 배경으로 다섯명이 나란히 서 있는 흑백의 가족사진이었어요. 목까지 단추를 잠그게 되어 있는 닫힌 옷을 입은 남자가 아버지, 그리고 한복을 입고 머리를 뽀글뽀글 파마한 여자가 어머니, 그들 가운데 흰 셔츠와 반바지에 목에는 소년단 머플러를 두른 인민학교 어린이가 얼굴 윤곽으로 보아 영수가 분명하겠고, 옆에 나란히 서 있는 중학생 교복의 소녀들이 누나들이었을 거예요. 내가 말했죠.

가족사진을 보구 있었구나. 여기가 어디니?

대동강변에 소풍 나가서 박은 사진이야요.

나는 영수에게 사진을 돌려주었습니다. 사진을 받으면서 영수가 그랬어요.

저어…… 래일 돌아갈라구요.

잘 생각했어.

오늘 나갔다가 학교 기숙사로 전화했대시요.

누구한테……

같이 류학 나온 동무한테 전화했시요. 돌아오기만 하문 아직 괜찮다구 날래 들오라구 기래요.

잘못이 있으면 벌두 받구 하겠지만, 솔직하게 얘기하구 떳떳하게 사는 게 좋을 거다.

저두 기렇게 생각해요.

나가서 밥먹자.

내가 영수를 데리고 거실로 나오자 이선생은 벌써 식탁에 저녁을 차리고 있었습니다. 내가 먼저 말했어요.

영수 학생 내일 돌아간대요.

어, 그래? 우리가 바래다줘야겠구나.

그러곤 세 사람 다 저녁을 먹으면서도 별로 할말이 없었지요. 내가 식탁을 치우고 차를 내고 둘은 차를 마시고 앉았더니 영수가 이선생에게 말했어요.

여기서 망명을 하면 어떻게 되나요?

글쎄, 먼저 변호사를 만나구 당국에 자진 신고해야겠지. 심사를 받은 뒤에는 일정기간 망명자 수용소에서 지내야 할걸. 자넨 독일말을 어느정도 하니까 곧 취업을 할 테구…… 그렇게 되지 뭐.

여기서 사는 것두 막막해요. 독일 사람들두 제각기 쓸쓸하게 살던걸요.

모두 자기 혼자의 책임이니까. 세상 어디나 마찬가지 아니냐?

정신없이 일하구 돈 벌구 물건 사구……

우리는 아침에 일어나자마자 함께 근처의 할인점에 가서 영수에게 몇가지 선물을 사주었습니다. 나는 영국 상표가 붙은 모직 머플러와 장갑을 샀고 이선생은 신발을 골랐어요. 영수는 그 자리에서 머플러를 두르고 장갑을 끼고 신발을 바꿔 신었지요. 전철을 타고 철로의 이쪽 편은 서베를린이고 건너편은 동베를린인 프리드리히슈트라쎄 역까지 가서, 처음에는 그애를 통관하는 게이트가 있는 지하 폼으로 내려보내고 우리는 돌아올 작정이었어요. 그런데 영수가 애원하듯이 말했어요.

저하구 같이 가주십쇼. 전화를 하면 데리러 나올 겁네다.

그래 같이 가지.

이선생이 영수의 등에 팔을 두르며 지하로 먼저 내려가는 바람에 나도 그들 뒤를 따랐어요. 줄지어 늘어선 관광객이며 시민들 틈에 끼여 역 구내를 통과해서 차도를 건너가 포츠담 광장으로 갔어요. 광장의 가운데는 잔디밭이었지만 관리를 안해서인지 군데군데 벗겨져 흙이 드러난 곳이 많았어요. 벤치가 광장 둘레에 놓여 있었고 공중전화 부스도 있었죠. 부근의 벤치 앞에서 이선생이 영수에게 말했습니다.

전화해봐라.

부스 안에 들어가서 한동안 통화를 하고 나온 그애는 얼굴이 벌겋게 상기되어 있었지요.

곧 온답네다.

포츠담 광장은 행인이 별로 없이 한적했는데 건너편에는 국영 호텔이 보였고 그 너머로 중심가의 차도가 보였어요. 우리는 정면으로 그쪽을 향하고 벤치에 앉아서 삼십분이 넘도록 기다렸어요. 차 한대가 광장 모퉁이로 들어서는 게 보이고 거기서 두 사람이 내렸습니다. 영수가 자리에서 일어났지요. 그가 몇걸음 앞으로 나가 서 있었더니 차에서 내려 두리번거리던 두 사람이 똑바로 잔디밭을 가로질러 걸어왔어요. 그들이 가까이 오자 이선생도 벤치에서 일어났지요. 영수가 말했어요.

저 가겠시오. 두 분 안녕히 계시라요.

잘 가라, 열심히 공부하구.

잘 가요.

영수는 마중 나온 두 사람과 함께 광장을 건너가면서 몇번 우리를 돌아보았고 이선생과 나는 손을 흔들어주었습니다. 우리는 다시 프리드리히슈트라쎄 역에서 전철을 타고 갔던 길을 되돌아왔어요.

그뒤로 동유럽은 급속도로 변해갔어요. 아프리카나 남미의 비동맹권은 더했지요. 헝가리에서 사회당이, 폴란드에서는 연대회의가, 체코에서는 시민포럼이 정권을 잡았고, 불가리아 루마니아 유고 알바니아, 크로아티아가 뒤를 이었습니다. 드디어 유럽에서 시작했던 현실사회주의는 실패한 것으로 드러났어요. 이른바 국가사회주의에서 자본주의 시장경제로 이행되어갈 수밖에 없었지요. 천구백팔십구년을 기점으로 세계사의 반동이 시작되었습니다.

아버지와 당신이 꿈꾸었고 내가 마음 깊이 찬동했던 우리들의 소망은 이제 전세계적으로 처음부터 다시 시작하지 않으면 안되는 출발점으로 되돌아온 거예요. 현재의 삶의 방식이 잘못되었다는 걸 잘 알면서도 어쨌든 이 변화된 세계 속에서 수많은 힘없고 가난한 이들과 더불어 다시 시작해내야만 하는 것입니다.

구십년 여름방학 때 이희수씨는 서울에 다니러 갔고 나는 그냥 베를린에 남아 있었어요. 잠깐 다녀오고 싶기도 했지만 서울에 가봐야 집에서 늙은 어머니가 챙겨주는 음식치레로 살이나 뒤룩뒤룩 찔 게 뻔했고 은결이를 보러 정희네 집에 들르는 일도 번거로웠거든요. 내가 돌아가서 대학선생 노릇이라도 하려면 뭔가 간판을 만들어 가야 할 텐데 여기선 예술대에는 학위 따위가 없어요. 디플롬이 석사인 셈인데 쟁이들은 마이스터쉴러를 해야 하거든요. 지도교수는 자유구상 경향인 내 그림을 매우 좋게 생각하고 있어서 다행인 점도 있었지요. 어쨌거나 다 마칠 때까지 되도록 서울에 가지 않을 작정이었습니다.

팔월 말이었는데, 그때가 저녁 무렵이었어요. 베를린의 여름은 밤 열시가 넘도록 주위가 부옇게 밝아요. 오후 세시만 넘으면 어두워지는 겨울과는 정반대지요. 그래서 황혼 무렵부터 창문을 활짝 열어젖히고 몇시간 동안이나 저녁 무렵의 고즈넉한 박명에 잠겨 있는 기분이 괜찮아요. 문 옆의 인터폰이 울렸어요. 누구냐고 물었는데 그건 송영태였지요. 나는 버튼을 눌러 정문을 열어주었어요. 잠시 후에 방문 앞에서 초인종 소리가 났고 송영태가 등장했어요. 양손에 트렁크와 짐을 잔뜩 들고 우스꽝스럽게도 도시에 처음 나온 시골뜨기처럼 감색 양복에 하얀 셔츠에 붉은 넥타이까지 매고 땀을 뻘뻘 흘리고 서 있는 거예요. 나는 순간적으로 웃음을 참지 못하고 손으로 입을 가리면서 깔깔 웃어버렸지요.

뭐야, 장가라두 가는 거야?

물 한잔 주라.

그는 방안에 들어서자 쥐고 있던 짐을 놓더니 그렇게 말했어요. 내가 냉장고에서 생수를 꺼내다 주니까 벌컥이며 단숨에 마시고는 소파에 털썩 주저앉았어요.

대체 어디서 오는 거야?

보면 모르니? 먼데서 오는 길이다.

먼데라니……

유라시아 대륙을 건너왔다구.

피이, 비행기 안 타본 사람 있나?

우랄산맥과 싱안링산맥을 넘긴 힘들걸.
하더니 영태는 넥타이를 느슨하게 풀고 목단추를 끌렀습니다. 그는 트렁크 옆에 놓인 쇼핑백과 상자를 들어서 탁자 위에 올려놓았어요.
이게 다 뭐야?
그는 말없이 쇼핑백과 상자를 뜯고는 여러가지 물건을 꺼내놓았어요. 인삼주며 백두산 들쭉술이며 영광담배와 장뇌삼 등속이었어요. 그제야 그가 어디서 오는가를 눈치채게 되었죠.
무슨 뜻이니…… 이건?
나 평양서 오는 길이야.
거긴 니가 왜 가?
다들 못 갈 데라구 해서 갔다온다 왜……
하지만 지난 몇달 동안에 벌어진 일들로 해서 나는 별로 놀라지는 않았거든요. 다만 이건 좀 비약이 아닌가 의아하기도 했어요.
너 정말 언제까지 방랑의 무법자 노릇만 할래?
영태는 그 무렵에 남과 북과 해외동포들이 떠들썩하게 벌인 무슨 행사인가에 다녀온 게 분명했어요. 그는 아마도 독일에 사는 교포를 따라서 참가했겠지요. 나는 지갑을 챙겨들고 일어났어요.
나가서 저녁 먹자.
여기서 밥 안해줄 거야?
우리 음식 실컷 먹구 왔을 텐데 뭘 그래. 나 피곤해, 아무거나 주는 대루 먹어라, 응?
나는 그를 데리고 우리 동네인 분데스플라츠 건너편에 있는 이태리 레스또랑 로마로 갔지요. 동네 레스또랑엔 날마다 웬 노인 부부들이 그렇게 많던지. 그래도 그 집 음식은 맛있어요. 뚱보 주인은 앞치마를 입은 채로 주방보다는 입구에 서서 동네 단골들에게 인사를 건네는 적이 더 많아요. 맨 구석자리에 앉아서 붉은 포도주 시키고 음식 나오기 전에 밀가루 냄새가 싱싱한 갓 구운 빵을 뜯어먹으면서 나는 영태에게 슬슬 말을 걸었지요.

어땠어?

복잡해. 한마디로 다 표현할 수는 없어. 감동과 절망이 반반이야.

그런 기회주의적인 대답이 어딨니?

어렵지만 버티며 살아낸 생활력이 눈물겹고 물샐 틈 없는 통제가 절망적이고 그래.

짐작은 했지만 뭐 별로 새로운 관점은 아닌 것 같은데? 어디선가 보니까 그들 스스로 제국주의에 대하여 바늘을 곤두세운 고슴도치라구 하더라.

꼭 남의 말 하듯 하는구나. 그들은 우리가 잘 먹구 잘 사는 동안에 우리 몫까지 해낸 거야.

무슨 소리야. 우리두 가만있지는 않았어. 느림보이긴 했지만 거북이처럼 기어왔어.

우리두 변하겠지. 그렇지만 이행기가 다시 몇십년은 계속될 거야.

앞으로 어떡할래? 또 사고를 쳤잖아. 넌 이 상태로는 순순히 귀국하지 못해. 이런 큰 변화의 시절에 미련하기는……

편 좀 들어줬다 왜. 나 같은 무명 졸개 따위가 무슨 도움이 될까마는.

나는 조영수 학생의 이야기를 그에게 해주었어요. 영태는 내 말을 중도에서 끊지 않고 참을성있게 듣고 있었습니다. 내가 말했어요.

물론 이런 식으로 끝나선 안되겠지. 시간이 걸리더라도 여기나 베트남 식으론 안돼. 개항 이래 백년이 걸린 싸움이었어.

나는 요즈음의 이 동네가 지긋지긋해졌어. 요리를 열심히 해놓고 식탁에 차려놓기만 하고서 불을 꺼버린 거나 같아. 배고픔은 지금도 생생하게 남아 있는데.

이제 와선 사람이 원래 그렇다잖아.

그러고는 둘 다 침묵. 먹고 마시고 담배 피우고 계산하고 일어났지요. 하는 수 없이 이선생네 집에도 못 가고 우리집으로 돌아가서 나는 로프트 위의 내 침대에, 그는 아래쪽 소파에 누워서 잠을 청했어요. 내가 뒤척일 때마다 매트리스의 스프링이 가늘게 쇳소리를 냈어요. 그가 아래쪽에서 뜬금없이 묻더군요.

최미경 생각나?

가끔……

했다가 내 목소리가 갑자기 높아졌어요.

이 바보야, 그앤 널 좋아했어. 나는 처음부터 알고 있었다구.

그는 대답하지 않았습니다. 한참이나 지나서야 영태가 다시 조용하게 물었어요.

한형…… 정말 이희수씨 사랑하는 거야?

또 저런다, 아아 못 참겠더라구요. 예전에 시장 순대국집에서 영화 찍는 폼으로 목소리를 깔던 게 생각나서. 하지만 가슴은 어쩐지 저려오는 겁니다. 정말이지 사는 게 서로 안됐다는 생각이 들어서요. 나는 대답하지 않았죠. 그런데 그렇게도 아슬아슬 맘을 졸이고 있던 말을 그가 꺼냈어요.

오선배는 어떡할 거야.

니가 그런 걸 왜 물어?

하면서 나는 침대에서 일어나 앉고 말았죠. 내 가슴속에서는 격렬한 말들이 들끓으며 솟아올랐어요. 십년 전에 아버지의 젊은 시절 같은 어떤 그림자가 내 보호를 받으려고 나타났어. 나중엔 그맘때의 모든 젊은이가 짊어져야 했던 자책감 때문에 서로 의지하려고 했었지. 그는 어두운 창 너머 저쪽으로 사라졌고 벽에 아무렇게나 연필로 끼적거린 글씨처럼 시간의 먼지와 바람에 지워져갔다. 그는 아직도 거기에 있어. 그렇지만 거기는 부재의 장소일 뿐이야. 나는 사생활을 탈환하고 싶었어. 아무도 간섭할 사람 없는 조용한 생활을. 내 속에서 부글거리던 말들은 그냥 어두운 목구멍 속에서 넘쳐나오지 못하고 가슴을 향해서 천천히 빠져내려갔습니다. 세면기의 물이 내려가듯이.

그냥…… 한번 물어봤어.

송영태가 거의 들리지 않을 정도로 작게 중얼거렸어요. 나는 자리에 누웠는데 그제야 당신이 나를 다시 찾아왔다는 걸 깨달았어요.

이튿날 영태를 중앙역까지 바래다주고 돌아와서 어쩐지 가슴이 빈 병처럼 되어서 방안을 서성대다가 건너편 마리 클라인 할머니의 방으로 갔습니다. 초인종을 여러번 눌렀는데도 대답이 없어요. 돌아설까 하다가 도어를 주먹으로 쾅쾅 두드렸더니 발소리가 나는 것 같고 렌즈로 내다보는 느낌이 들더군요. 문이 조금 열렸어요. 나는 문을 잡아당겼지요. 목욕가운 바람의 마리가 서 있었는데 귀신 같았어요. 백발의 머리카락을 사방으로 늘어뜨렸고 화장기도 없이 술에 취해서 비틀거리고 있었거든요. 농담할 기분이 들지 않아서 얼결에 그네의 허리를 안고 부축해서 안으로 들어가 소파에 앉히고 나도 곁에 털썩 주저앉았어요. 역시 탁자 위에는 반쯤 비워진 술병과 마시다 남은 잔이며 물컵이 어지럽게 놓여 있었어요. 나는 그네를 더이상 술 때문에 비난하지 않기로 진작부터 작정을 해버렸거든요. 그냥 한숨을 쉬었죠.

마리, 또 식사를 하지 않았죠?

먹었어, 많이 먹었어.

나는 그네와 말다툼을 않고 직접 부엌으로 가서 냉장고를 열어보았더니 소시지와 우유와 버터가 조금 있었어요. 시리얼 대신 곡물가루가 있어서 우유에 묽게 타가지고 나왔죠. 마리의 턱밑에 대고 한술씩 떠먹이니까 처음엔 얼굴을 찡그리며 고개를 돌리던 그네가 한모금 넘기고 나서는 잘 받아먹더군요.

밤새도록 혼자서 술만 마셨어요?

아니야…… 뭘 좀…… 그렸어.

소파 아래 아무렇게나 펼쳐진 손바닥만한 스케치북이 뒤늦게 눈에 띄었어요. 전에 보았던 그림들 뒤에 몇 페이지인가 비어 있었고 다시 독일어로 낙서가 몇줄 보였어요.

인간의 삶은 한편의 시와도 같아 그것은 시작이 있는가 하면 종말이 있다, 단지 전체가 아닐 뿐.

사랑하는 사람이 죽은 자들 앞에서 두려워하랴? 아, 죽은 자들이여 그녀를 쉬게 하라.

낙서를 읽고 나서 뒷장을 넘기니까 연필이나 볼펜으로 그린 그림이 계속되고 있었어요. 나는 그네의 그림을 여러번 본 적이 있는데다 몇 가지의 중요한 기호를 알고 있었죠. 동그라미 뒤에 여러 가닥의 선을 그은 기다란 물체는 마리 자신일 거예요. 그네는 애들 그림에서처럼 몸통 아래에 삼각형을 달고 있는데 아마 치마인 듯해요. 그 대신 슈테판은 그냥 동그란 머리에 작대기같이 길고 삼각형이 없는 걸로 보아 바지차림이겠지요. 작대기 남자를 직선을 긋고 아래쪽으로 그어진 빗금 안에다 뉘어놓았어요. 슈테판이 죽어 땅속에 묻힌 게 아닐까. 역시 직선 위에 마리가 서 있고 털뭉치도 옆에 있어요. 꼬불꼬불한 선이 이어진 끝이 개줄에 매인 한스겠지요. 그네는 한스를 데리고 슈테판의 묘에 갔다는 소리겠지요. 그런데 털뭉치 위에는 무슨 작은 구름이 떠 있었어요. 나는 그걸 손가락으로 짚으면서 마리에게 물었습니다.

마리, 이건 뭐죠?

그네는 정말 어울리지 않게 쉰 목소리로 킬킬 웃었어요.

그건 한스의 모자야. 죽은 것들이 머리에 얹고 다니는……

나는 속으로 중얼거렸죠. 아, 후광이로구나. 그럼 죽은 한스를 데리고 죽은 슈테판의 묘지에 간 셈이었구나. 결국 이건 혼자 남겨진 마리 자신의 그림이로군. 마리가 자기 그림을 물끄러미 들여다보았어요.

한스는 오래 살았어. 열다섯살까지 살았는데 나는 녀석을 한번도 요양원에 데려가지 못했어. 슈테판은 나도 못 알아볼 지경이었고 기차를 타구 가야 했으니까. 한스가 슈테판보다 먼저 죽었어. 그 다음 장을 봐.

삼각형 치마를 입은 마리가 화살표로 직선을 가리키고 있어요. 직선은 땅일 텐데 그 옆에 올챙이처럼 꼬리 달린 동그라미 같은 것들이 떼지어 모여 있고 사각형이 놓여 있어요. 나는 스케치북을 이리저리 돌려보면서 알아보려고 애를 썼지만 잘 모르겠더라구요.

이건 뭐예요?

마리는 처음과는 달리 퉁명스럽게 받았어요.

그냥 선일 뿐이야.

이 화살표는 뭐예요?

그네는 말없이 잔을 가져다가 술을 따랐어요. 내가 눈치를 채고 얼른 잔을 채뜨려서 손아귀에 쥐었어요.

그만 해요. 이건 내가 마실 거야.

오오, 유니도 나처럼 취하면 서로 통하게 될지두 몰라.

기대하지 말아요. 당신의 술과 내 술은 달라요.

내가 한모금 마시고 내밀었더니 그네는 나머지를 단숨에 털어넣었어요. 나의 어깨 너머로 스케치북을 넘겨다보며 마리가 말했습니다.

화살표는 삽이야. 상자 안에는 한스가 들어 있어. 나는 녀석을 마거리트가 만발한 정원 아래 묻어주고 싶었는데……

당신은 요즈음 한스만 생각하고 있어요?

아기를 생각해.

그 녀석은 개였잖아요.

야근을 하고 돌아와보니 개가 잠들어 있었어. 캔을 따서 그릇에 옮겨담아 내밀어주었는데도 고개를 다리 사이에 파묻고 있었어. 나 혼자 앉아서 한잔 했을 거야. 날이 새고 많이 취했으니까. 만져보니까 뻣뻣하더라. 한스를 비닐에 싸고 종이박스에 넣어서 들고 나갔어. 공원 근처로 한참이나 걸어갔는데 노란 칠의 쓰레기차가 보였어. 나는 비틀거리며 걸어가서 꽁무니를 쳐든 차의 화물칸에 던져넣었어. 그러곤 돌아와 죽은 듯이 잤지. 오후에 깨어보니 한스가 없는 거야. 나는 나중에야 새벽에 내가 갖다버린 걸 알았을 정도야.

그만둬요. 그래서 어쨌다는 거야. 날마다 죽은 개 타령만 할 거예요?

슈테판과 나는 아기를 가진 적이 있어. 낙태했지만……

나는 다음 장을 넘기고서야 거기에 사각형과 삼각형이 겹쳐진 몸통에다 선을 그은 동그라미를 보았어요. 마리의 치마 위에 상자가 겹쳐져 있는 거죠. 그건 한스가 들어 있는 상자가 아니라 아기의 죽음인지도 몰라요. 그러나 나는 묻지 않았어요. 대신에 이렇게 말했지요.

노년은 적막하지만 평온해진다는데.

마리는 다시 웃었어요.

그건 거짓말이야. 그런 척할 뿐이지. 모양만 다를 뿐 마음은 전과 같아. 남자와 자구 싶은 것두 그래. 다만 한가지 알게 되는 게 있어.

뭐예요, 그게?

가장 좋았던 때, 그리고 사랑에 대해서.

슈테판 말예요?

아기 말이야. 나는 어머니가 되다 만 할멈이야. 슈테판은 내 아들이기도 했어.

그때 나는 온몸에 전기가 통하는 것처럼 찌르르하는 전율이 지나갔어요. 갈뫼의 어두운 마루구석에 먼지가 케케묵은 채로 남아 있을, 그 해 여름 내가 그린 젊은 당신의 초상을 생각해냈어요.

다시 가을이 오고 가고 이선생과 나는 전처럼 애가 달아 공원을 오가며 서로의 집을 찾지는 않고 좀더 생활적으로 바뀌었고 나는 일주일에 한점씩 그려낼 정도로 작품에 몰두했습니다. 그에게 내색은 하지 않았지만 그맘때에 다시 당신을 생각하기 시작했어요. 주방의 간이식탁 앞에 앉아 차를 마시며 갈색으로 변해서 떨어지는 칠엽수 나뭇잎을 내다보다 문득 당신이 저 아래 마당에서 서성이는 모습을 보기도 했어요. 물론 이것은 현실이 아니라 미망이 틀림없었지만. 내가 어떤 죄책감을 지니고 있다면 그건 당신에게가 아니라 오히려 이희수씨에게 갖고 있답니다. 나는 편안했으므로 그를 사랑했어요. 잠자리의 머리맡에 놓인 한잔의 물처럼 그이는 내 가까이에 있었어요. 그런데 기묘하게도 당신이 다시 나를 찾아올 그 무렵에 그는 나를 떠나게 됐어요. 아마 내가 벌을 받았는지.

독일의 통일은 시월에 이미 예정되었던 대로 완료되었습니다. 이선생은 체류기한이 다 되어 귀국을 준비하기 시작했구요, 나도 처음에는 마이스터 때려치우고 돌아갈까 생각했어요. 장벽이 터지던 때로부터 꼭 일년 만이었는데 그해에는 한파가 몰아닥쳐서 두꺼운 오리털 코트를 늘 입고 다닐 정도였어요.

이희수씨는 마틴과 함께 프랑크푸르트 부근으로 출장을 갔어요. 인근 소도시에 있는 작은 공동체마을을 방문하기 위해서였어요. 그는 돌아가면 낙향해서 아름다운 열린 학교를 만들겠다는 꿈이 있었지요. 나는 그가 어릴 적에 떠나온 고향을 그리워하고 있다는 걸 잘 알고 있었고 나까지 덩달아 그곳에 가보기라도 한 것처럼 그가 말했던 다리와 느티나무와 물웅덩이를 되풀이 이야기하곤 했죠. 그가 출장간 지 일주일이 거의 다 되도록 전화 한통 연락이 없어서 궁금하기도 하고 걱정이 되기도 했어요.

아침에 학교에 들렀다가 공대 연구소 쪽으로 전화를 걸어봤지요. 물론 그는 돌아오지 않았더군요. 마틴을 찾았는데 한참이나 있다가 어떤 사람이 전화를 받더니 내 주소를 묻는 거예요. 의아한 생각이 들면서도 무심코 주소를 불러주고 나서 왜 그러느냐고 물었어요. 독일인 연구원이거나 조수일 텐데 아마도 누군가가 나를 찾아올 거라고 하는 거예요. 고개만 갸웃해보고 그저 그러려니 했어요. 이튿날도 아무 연락이 없어요. 오전 내내 집에 있다가 마리와 함께 내 방에서 오랜만에 잡채를 데워서 냉동식품으로 나온 중국식 춘권을 튀겨 맛있게 먹었죠. 물감이며 화구를 사러 시내 나갔다가 쪼오 플라스트에서 우리 영화 한편을 보았구요. 무슨 상을 받았다는데 대사는 우리말이 나오고 자막은 독일어로 나오니까 제법 신기하더라구요. 다른 장면은 별로 생각나지 않고 어린 동자승이 처마에서 떨어진 새 새끼를 줍던 게 선명하게 남아 있구요, 죽은 노스님의 다비와 장작더미며 불길이 남아 있어요. 비엔나 까페에 가서 카푸치노와 꼬냑 한잔을 마시면서 혼자 멍하니 앉아 있었어요. 분데스플라츠 우리 동네에 도착한 건 주위가 캄캄해진 뒤예요. 내가 층계를 천천히 올라가 열쇠를 꽂고 문을 열려는데 등뒤에서 마리가 자기 방문을 열고 말했어요.

유니, 손님이 왔어.

손님이…… 나에게?

그네가 머릿짓으로 나를 불러들였어요. 나는 빨려들어가듯이 그네의 방으로 들어섰지요. 내가 마리를 따라서 들어서니 우리가 늘 앉던 소파에 웬 부인이 앉았고 젊은 여자가 식탁 앞의 나무의자에 앉았다가 얼른 일어났어요. 나는 그저 어리둥절해서 여자들을 바라보았지요. 내 또래쯤 되어 보이는 여자가 물었습니다.

한윤희씨인가요?

네, 그런데……

전 이희수씨 동생이에요. 오빠에게서 말씀 많이 들었어요. 이쪽은 저희 어머니세요.

나는 그제야 허리를 굽혀 그들에게 인사를 했습니다. 그리고 두 사람을 데리고 내 방으로 왔지요. 노부인은 쓰러질 듯 소파에 앉으면서 중얼거렸어요.

미안해요. 나 좀 길게 앉을게요.

나는 얼른 팔걸이에 쿠션을 올려드렸지요.

이렇게 기대고 누우세요.

부인은 한팔을 얼굴 위로 얹고 누웠고 누이는 한동안 말이 없이 고개만 숙이고 앉아 있어요. 어쩐지 분위기가 심상치 않았습니다.

무슨…… 일이…… 있는 거예요?

내가 물었고 거의 동시에 누이가 두 손으로 얼굴을 감싸며 재빨리 부르짖었어요.

오빠가 돌아가셨어요.

나는 멀뚱히 그네를 쳐다보기만 했습니다. 처음에는 무슨 말인지 이해할 수가 없기 때문이었어요.

그분 프랑크푸르트에서 아직 안 오셨는데요.

하고 대꾸하는 순간에야 나는 스스로 내 말이 틀렸다는 걸 뒤늦게 눈치챘지요. 누이는 감쌌던 손으로 얼굴을 쓸어내리고는 뭔가 털어버리려는 듯이 머리를 흔들고 나서 긴 숨을 내쉬었습니다. 그네는 나를 정면으로 바라보면서 침착하게 말하더군요.

지난주 금요일에 연락을 받았어요. 어제까지 프랑크푸르트에 있었어요. 우리는 오빠 짐을 정리하려고 베를린에 온 거예요.

나는 별로 놀라지도 않고 머릿속이 텅 빈 것 같은 느낌이었습니다. 어쩐지 아무 일 없이 잘 흘러가더니, 내 그럴 줄 알았어. 희미한 냉소가 턱밑에서 번져와 입술 끝을 바람처럼 스치고 지나갔습니다.
언제…… 어떻게요?
출장을 간 첫날이래요. 고속도로에서 사고가 났어요. 같이 간 분은 중상이에요. 그이를 만났더니 한윤희씨 얘기를 해주었어요. 어제부터 계속 전화를 했는데 연결이 안돼서 오늘 이렇게 불쑥 찾아왔죠.
누이의 냉정하고 침착해진 목소리를 듣는데 아무런 느낌도 감각도 없이 두 눈에서 눈물이 솟아나더니 광대뼈 위로 한두 줄기 주르륵 흘러내렸습니다.
나중에 마틴에게서 자세한 이야기를 들었지요. 베를린을 벗어날 때부터 눈발이 날렸는데 도로는 괜찮은 편이었대요. 군데군데 빙판이 있었고 프랑크푸르트에 거의 다 도착할 때까지 눈이 계속 내려서 차가 제법 밀려 있었어요. 하나우 부근 아우토반 교차로에서 맞은편에서 달려오던 컨테이너 화물차가 중앙분리대에 부딪치면서 뒤집혔어요. 떨어져나간 컨테이너가 거대한 철벽처럼 도로를 가로막으며 미끄러져왔고 연쇄충돌이 일어났지요. 차가 다섯대나 부서지고 사람이 여러명 죽었어요. 마틴도 정신을 잃었고 구급차가 달려와 찌그러진 운전석과 그 옆자리에서 두 사람을 간신히 꺼냈어요. 나는 몇개월이나 지난 뒤에도 마틴에게 그의 마지막 모습은 끝내 묻지 못했습니다.
나는 뺨이 젖은 채로 이선생의 누이를 똑바로 쳐다보았어요.
그인…… 지금 어딨죠?
어제 입관을 시켜서 공항으로…… 실례지만, 괜찮으시다면 오빠 방으로 좀 데려다주시겠어요? 어머니께서 한숨도 주무시질 못해서요. 거기 가서 좀 쉬고 내일 짐을 정리하구 돌아가야 해요.
나는 멍청하게 중얼거렸습니다.
그러세요. 열쇠는 저한테 있어요.
늘 걷던 폴크스 공원을 가로질러 가는데 두 여자는 아무 말도 없이 고개를 숙이고 나를 놓칠세라 따라왔어요. 그날도 매섭도록 추웠죠. 공원의 가로등이 새파랗게 얼어붙어 있는 것처럼 보였어요. 이선생 방의 창문은 불이 꺼져 캄캄했지요. 그는 이곳에 다시는 돌아오지 않을 거예요. 서로 전화를 하고 나서 그가 근처의 선술집이나 공원 산책로에서 돌아오기를 기다리던 날에도 나는 이처럼 캄캄한 창문을 다정한 느낌으로 올려다보았지요. 아니면 그가 잠들었을 때 현관의 인터폰을 누르고 나면 한참 뒤에 잠에서 깨어난 그이의 목소리가 들리고 불이 켜지는 거예요.

방안에 들어서면서 나는 어둠속에서 익숙하게 스위치를 더듬어 불을 켰고 내가 너무나 잘 알고 있는 그의 물건들이 한눈에 다 보였어요. 나는 겸손하게 문 옆에 서서 그이의 어머니와 누이가 방안을 한바퀴 돌아 그의 손길이 남은 물건들을 바라보고 만져보고 들어보고 하는 사이를 참고 기다렸어요.

이런 이야기를 길게 늘어놓고 싶지 않아요. 나는 그 방안의 슬픔에 함께 동참할 수는 없었어요. 서로 떨어져 앉은 그네들에게 고개를 숙여 인사하고 나오기 전에 내가 누이에게 말했어요.

저걸 내가 가져가두 될까요?

그네는 내 손가락 끝을 따라서 고개를 돌렸습니다. 창턱에 놓여 있는 불상을 보았는지 아니면 그 옆에 있던 독일어판 티벳 경전을 보았는지 그네는 알아볼 겨를이 없었겠지만 얼른 고개를 끄덕여주었어요.

물론이죠, 그러세요.

나는 다른 곳을 쳐다보지 않으려고 애를 쓰면서 손바닥만한 동불상을 향하여 똑바로 걸어가 손에 쥐고는 돌아서서 나왔습니다.

집으로 돌아와 내 방 소파에 주저앉자마자 나는 큰 소리로 마음껏 울어대기 시작했어요. 마리는 그날 밤에 그걸 들었대요. 그런데도 꼼짝도 않고 제 방에 틀어박혀 있었다지요. 서양 사람들 타인의 감정에 개입하는 일엔 원래 소심하잖아요. 그리고 독한 깍쟁이들이고. 이튿날 오후에 시간을 알고 있어서 테겔 공항에 나갔어요. 두 여자는 마치 서로 모르는 사이처럼 출구 앞의 대기실에 각자 떨어져 앉아 있더군요. 나는 먼저 누이에게 가서 옆자리에 앉았어요. 그네는 어제와는 달리 화장도 했고 옷도 갈아입고 있어서 다른 여자 같았죠.

짐정리를 했어요. 연구소측에서 나중에 부쳐준다구 하더군요.

나는 가구마다 흰 시트를 씌운 그의 텅 빈 방이 떠올랐지요. 그네가 물었어요.

오빠하구 결혼할 거였어요?

나는 솔직히 그와 베를린에서 만난 그 상태대로 만족했고 앞으로 긴 세월 동안 어떻게 살게 될지는 생각하지 않았거든요. 하지만 솔직하게 대답하지는 않았답니다. 다만 이렇게 말했습니다.

같이 귀국할까 생각하고 있었어요.

우리 오빠 정말 복두 없어.

하면서 그네는 얌전히 핸드백을 열고 손수건을 꺼내어 눈가를 찍어냈지요. 그네들이 출구로 나갈 때 이제껏 한마디도 하지 않던 이선생의 어머니가 문을 나서려다가 나를 한번 돌아보더니 몇걸음 쫓아나와서 말하더군요.

자식을 대신해서 사과하는데…… 미안해요. 잘살아요.

26

다시 한해가 갔어요. 구십일년 팔월에 소련은 쿠데타를 시작으로 완전히 해체되어 국가사회주의의 탄생에서 죽음까지를 전세계에 보여주었어요.

이희수씨의 죽음은 의외로 작은 사건처럼 곧 지나가버리고 말더군요. 그이와의 시간이 덧없게 느껴졌다기보다는 현실이 아니었던 것처럼 생각되었어요. 바로 최근의 일이 아니라, 아득한 유년시절에 어느 강둑에서 토끼풀꽃이며 제비꽃을 따서 팔찌를 엮고 목걸이를 하고는 입술에 강아지풀을 깨물며 누웠던 봄날이 뇌리로 스쳐 지나가는 것과 마찬가지였어요. 어느 부분은 명료하고 어떤 일은 아무리 애써도 희미하기만 해요. 오히려 사소한 것들이 오래 남아 있는 셈이었어요. 그래요, 이제는 모두 사소한 것들투성이죠. 그의 방에서 가져온 손바닥만한 불상이 내 책상 위에 같은 모습으로 서 있었습니다.

이제 송영태와 작별할 차례가 되었군요.

그는 가끔 전화를 해서는 무게를 잡기도 하고 자기가 뭔가 중요한 일을 하고 있다는 투로 설명을 하기도 했고 화를 내기도 했지요. 그러나 그는 여기서 마리와 함께 나의 몇 안되는 가까운 친구였거든요. 나는 괴팅엔으로 한번 그를 만나러 갔던 적도 있었어요. 그의 친구들과 술 마시고 고기 구워먹으러 교외로 나가고 속풀이하노라고 밤새껏 노래하다가 이웃사람들의 항의도 받고 그랬죠.

나는 겉으로는 전혀 의기소침해지지 않았어요. 그동안 열심히 이것저것 그린 덕분에 사십여점의 작품이 쌓였고 대작도 여덟 점이나 해냈거든요. 티어가르텐 부근의 화랑에서 개인전을 열었어요. 마이스터쉴러를 마치는 데도 얼마쯤 도움이 될 거였어요.

입구 쪽에서부터 크로키들을 보여주고 소품과 큰 작품들을 잘 섞어서 배치하고 최근에 변화를 보인 것들을 맨 마지막에 걸었어요. 솔직히 말하자면 마리의 어린이 낙서 같은 함축된 선과 표현의 영향을 받은 게 사실이에요. 다만 나는 그런 느낌을 더 구체화시켰고 민화의 단순함과 축약을 활용했던 것 같습니다. 나는 과거의 흔적을 출발점으로 삼는 것이 아니라 내 양식에서 처음 시작하는 그런 그림을 그리고 싶었어요. 주관은 형상의 안쪽에 숨기고 객관성은 양식화를 통해 일종의 기호로써 드러내는 식이었지요. 그 기호를 보는 이가 자기 감각에 의해서 재구성하고 번역해낼 테니까요. 형상은 일그러지거나 겹쳐지거나 뭉개졌지만 기하학적인 어떤 제도의 틀 안에 갇혀 있기는 마찬가지였지요. 나의 큰 작품들은 이 제도의 틀을 더욱 엄격하게 갖추어 보여주는 것이었고 그 안에 단순한 형상의 물질들이 터질 듯이 와글대는 그런 그림이었습니다.

전람회는 제법 괜찮았어요. 여러 매체에 소개가 되었고 다른 도시로의 전시기획도 들어왔어요. 나는 날마다 낯선 사람들에 둘러싸여 지내다가 마지막날에 그림을 떼러 신선생 부부와 함께 전시장에 늦게까지 남아 있었어요. 늦게라야 여름밤이었으니까 저녁식사 무렵의 한 일곱시 반쯤 되었을까. 앞섶을 풀어헤친 흰 셔츠 위에 헐렁한 카디건을 걸친 안경잽이가 입구로 성큼 들어섰어요. 그는 바퀴 달린 커다란 슈트케이스를 끌고 있었지요. 나는 무심코 돌아보고 나서 다시 그림을 양팔에 들어 벽에서 떼어 세워놓고 있는데 뒤에서 목소리가 들려왔어요.

내가 보구 나서 떼면 안되냐?

돌아보니 그건 송영태였어요.

뭐야, 다 늦게 나타나서……

하면서도 나는 반가웠습니다. 어쨌든 그는 잊어버릴 만하면 아주 중요한 시기에 내게 왔거든요. 그리고 문젯거리를 한가지씩 던져주고 가서 부담스럽기는 했지만요. 나는 뒤로 물러서서 그가 내 그림들을 한바퀴 둘러볼 때까지 기다려주었어요. 그는 신선생과 인사를 하고 나를 도와서 뒷정리까지 끝냈어요. 일단 화랑의 창고에다 그림들을 보관해놓고 우리는 근처의 그리스 식당으로 가서 저녁을 먹었어요. 우리는 소련의 어처구니없는 쿠데타 실패에 대해서 이야기했고 자본주의의 전세계화에 관해서도 암울한 전망을 주고받았어요. 그러나 그런 얘기는 학생식당에서도 그 무렵에 늘 주고받던 화제라서 새로울 것도 없었지요. 신선생 부부와 헤어지고 영태와 나는 그의 거추장스러운 짐 때문에 택시를 타고 집에까지 갔어요.

도대체 이건 뭐야…… 또 어딜 가려구?

택시의 트렁크에 짐을 넣는 그를 보고 내가 투덜거렸더니 그가 대수롭지 않게 받더군요.

귀국할라구 그런다.

공분 때려치우구?

한형, 오늘 전시두 끝났는데 내 한잔 사지. 짐만 갖다두고 다시 나오자.

그럴 필요 없어. 집에두 술 많다. 맥주가 한 박스 있구 모젤 와인두 몇병 있다구. 귀찮은데 집에서 마시자.

내가 한잔 산다는데두?

다음에 사.

나는 그를 억지로 이끌고 내 방으로 올라갔어요. 마리의 방을 두드려서 그네도 부르고 우리는 셋이서 조촐한 술판을 벌였지요. 우리는 가끔식 독일말로 그리고 대부분은 우리말로 떠들었습니다. 마리가 잔을 쳐들어 보이며 말했어요.

네 개인전 축하한다.

영태도 술잔을 쳐들어 보이기에 나도 멋쩍게 술잔을 들어 보였지요. 마리가 말했어요.

유니, 그림 중에서 마음에 드는 게 있었어.

그게 뭐예요?

기다란 네모상자 안에서 크림이 위로 솟아나와 수많은 삼각형들에 닿은…… 그것. 맨 마지막 모퉁이 첫번째 벽에 있던 큰 그림.

그건 흐느적이는 껌처럼 변모한 사람의 형상이 네모난 벽 안에서 한손을 뻗어 두 개의 삼각형이 겹쳐진 형태의 종이로 접은 나비 같은 물체를 잡으려고 하는 그림이었죠. 네모틀 밖에는 무수한 삼각형 날개의 나비가 가득 차 있어요. 기하학적인 무늬가 아닌 것은 틀 안에서 흐느적이며 뭉개진 사람의 모양이 유일한 것이었어요. 마리는 그것을 크림덩어리로 읽었나봐요. 나는 그네와는 달리 그림을 번역해주지 않았습니다.

그림이 대단히 절망적이더군.

송영태가 예의 그 단정적인 투로 중얼거렸습니다.

그래? 어떤 점에서……

소통을 거부한다는 점에서 너무 개인적이고, 세계는 이미 변화시킬 수 없을 정도로 확정되었다고 그러는 모양이고.

내 상태가 지금 그래.

나하구 여행 가자.

하도 뜬금없이 나대는 친구라 좀 경계하면서 나는 되물었어요.

어딜, 서울에 가자구?

그가 부스럭대더니 뒷주머니에서 뭔가 꺼냈습니다.

시베리아 횡단열차 예매권이야. 나는 할아버지에게서 여러번 이야길 들은 적이 있어. 냉전시대가 끝난 기념으로…… 가자.

그건 어디서 났어?

지금 여러 여행사들이 난리야. 일본 여행사에서 샀어. 단체에 끼여들면 돼.

참 지금도 알 수 없는 건 송영태가 제안해서 내가 한가지도 거절한 일이 없었다는 거예요. 그는 나에게 자신과 시대의 각인을 찍어 남기려고 했던 건지도 몰라요. 나는 그의 손에서 티켓이며 안내 팜플렛에 소개된 시베리아의 풍경이며를 살펴보았어요. 마리도 얘기를 듣고는 말했어요.

우리 젊은 시절에 대륙은 여러 조각으로 막혀버렸어. 하늘도 두 세계로 나뉘어 있었거든.

나는 하는 수 없이 중얼거리고 말았습니다.

참 근사한데.

송영태와 나는 구월 초에 베를린을 떠났습니다. 여행사에서 지정해준 날짜에 모스끄바에 도착해야 되었어요. 우리는 여행정보에 따라 여러가지 준비를 했구요. 글쎄 시베리아에서는 팔월 말이면 벌써 두

달 동안의 짧은 여름이 끝나 첫눈이 온대요. 컵라면도 좀 사두었어요. 베를리너 슈트라쎄의 종점에서 공항으로 가는 리무진 버스를 탔어요. 쇠네펠트 공항은 예전 동독의 국제공항이었는데 주로 동구나 소련 그리고 아시아권 사회주의 나라들로 가는 항공노선이 출발하고 있었어요. 물론 북한으로 가는 비행기도 있지요.

아에로플로뜨 편으로 모스끄바의 쎄레메띠예보 공항에 내리니 궂은비가 내리고 있었습니다. 공항 안은 휑하니 넓은데 여행씨즌이 막 끝나서인지 승객은 적었고 썰렁했어요. 다시 리무진을 타고 붉은광장과 모스끄바 강변에 접해 있는 러시아 호텔에 갔는데 날이 일찍 어두워졌어요. 빗속에 가로등이 부옇게 켜지기 시작했지요.

그날 비 오는 밤거리로 나가서 돌아다니다가 저녁을 먹고는 밤늦게까지 까페에 앉아서 맥주를 마셨지요. 붉은 초를 두 개나 구리촛대에 꽂아서 식탁에 놓아두었는데 그 덕분에 영태가 제법 취한 걸 눈치채지 못했어요. 그도 그랬지만 나는 출발할 때부터 별로 말이 없었던 것 같아요. 사실은 가로막힌 곳이 없는 대륙을 죽 달려보자던 오랜 소망 때문에 앞뒤 물어보지 않고 이 여행에 따라나섰던 셈이에요. 생각했던 대로 스산하거나 무섭지는 않았지만 현대식 호텔마저 음울해 보였죠. 벌건 녹물이 나오는 수도꼭지와 골목에서 비틀거리는 주정뱅이들이며 딱딱하고 거만한 표정의 공항 관리들, 그리고 살찌고 무뚝뚝한 아줌마 봉사원들이 마치 거대한 낡은 관청에 들어온 듯한 느낌을 주었어요. 상점의 진열대에 물건이 별로 보이지 않는다거나 곳곳마다 심지어는 하찮은 물건을 파는 작은 가게 앞에도 긴 줄을 이룬 입을 꾹 다문 사람들의 무표정한 얼굴은 그래도 이해할 만했어요. 이들은 여행자를 위해서 살지 않는 여기 토박이들일 테니까 우리보다는 덜 불편하겠지요. 그들은 자신의 작은 아파트로 틀어박히면 그만이지요. 송영태는 조금 떨리는 손으로 맥주를 따라 마시면서 입을 떼었어요.

정말 한심해. 세계의 육분의 일이라는 땅덩어리를 가진 나라가 이렇게 엉성하다니. 이건 무너지는 담벼락 같은 거야. 오랫동안 수리도 않고 버려둔 낡은 콘크리트 건물의 모퉁이가 부슬부슬 떨어져내리구 있어. 사람을 이렇듯 아무렇게나 관리하다니.

송형 말은 건물 쪽이야 사람을 얘기하는 거야?

모든 틀거지는 사람이 만들었으니까 결국은 사람이 문제지.

나는 그냥 시시둥한 느낌으로 말했어요.

꿈속의 여인을 그리다가 뒤늦게 속옷을 본 거야.

어디 뭐 그런 데가 없을까? 지구의 끝에 전혀 발견되지 않은 무슨 섬이나 산이나 동네가……

문득 당신과의 몇개월이 스쳐가더니 다시 이희수씨가 말하던 아름다운 열린 학교 생각이 지나가고, 희미하고 아련하게 작은 식탁 위를 채우고 있는 촛불이 보였습니다.

이제부터 물신의 세계가 지배할 테지. 시장은 모든 지구 사람들에게 동일한 생산양식을 강요하고 망하지 않으려면 이게 문명이니까 받아들이라고 들이댈 거야. 누구나 번들거리는 크리스털 눈알이 되어 아무런 상상력도 없이 돈에 반응하는 상품으로 다시 태어나게 될지두 몰라.

나는 이희수씨의 죽음에 관한 소식을 듣자마자 무기력한 냉소가 입가에 번지던 기억이 떠올랐습니다. 같은 느낌으로 아무렇게나 던져버리는 것처럼 송영태에게 말했어요.

어쨌든 이게 우리가 만난 세상이야. 나는 더이상 기대하는 게 별로 없다구.

그대는 이선생을 사랑한 게 아닐걸.

여긴 낯선 동네니까 맘놓구 얘기해라. 널 떼어놓구 갈 수도 없으니까.

한형, 그대두 지금의 나처럼 어딘가 딴데루 새구 싶었던 거야.

그래……?

하고 나는 맥없이 대꾸했을 뿐예요.

껍질만 남아버린 대륙에서 또다른 날이 밝았습니다. 오전에는 호텔 로비에서 일본 여행사 직원의 안내로 인원점검을 받았고 주의사항을 들었지요. 대부분이 일본인 관광객들이었는데 거의가 젊은 사람들이었어요. 노부부도 한쌍 끼여 있었구요. 오후 두시에 꼼소몰 광장 앞에 있는 야로슬라프스끼 역으로 갔어요. 블라디보스또끄 행 시베리아 횡단열차는 오후 세시 출발이었어요. 출발에 앞서 영태와 나는 안내인의 충고대로 식료품을 사러 광장 건너편에 있는 베료스까에 가서 담배며, 보드카, 살라미 소시지, 햄, 인스턴트 커피 등속을 큰 꾸러미로 세 봉지나 샀습니다. 외국인 여행객들은 그때만 해도 대륙횡단중에 노선을 변경하거나 중도에서 내려 체류할 수 없었지만 단체여행자들에게는 허용을 했어요. 시베리아 횡단열차인 러시아호로 일주일이 걸렸는데 우리는 이르꾸츠끄와 하바로프스끄에 하루씩 호텔 숙박이 예정되어 있었고 블라디보스또끄에서 해산하게 되어 있었지요. 기관차는 붉은 별이 달린 녹색의 전동차였고 일등칸과 이등칸밖에 없어요. 외국인은 모두 일등을 이용하게 되어 있어요. 하늘색 셔츠에 감색 넥타이와 스커트를 입은 여승무원이 승강구 옆에 서서 우리를 안내해주었어요. 유럽처럼 칸막이가 된 객실 안에 소파 겸 침대가 양편에 있고 창에는 커튼이 쳐져 있어요. 창가에 간이탁자가 달렸는데 바닥엔 카펫도 깔려 있지요. 여승무원이 담요와 베개 시트 수건을 각 방에 나누어주었어요.

기차가 달리기 시작했고 교외로 나서자 어디서나 자작나무숲이 보였어요. 어둠속에서도 희끗희끗한 나무가 흘러서 지나가는 게 보였지요. 다른 곳에서는 초가을인데도 여기선 벌써 깊어져 잎이 갈색으로 물들었어요. 모스끄바 강을 건너 기차는 끼로프를 향해서 달렸어요. 우랄산맥을 넘기 전까지는 아직 시베리아가 아니에요. 어둠속에서 더욱 짙게 이빨처럼 치솟은 검은 숲의 벽이 들판을 따라서 끊겼다 이어지곤 했습니다.

서리가 뽀얗게 내린 대평원에 해가 뜨는 장면은 이 엄청난 대지가 얼마나 아름다운가를 느끼게 했습니다. 쉼없이 달리는 기차 때문에 숲의 나뭇가지 사이로 낮게 뜬 해가 가려졌다가 다시 나타나곤 했어요. 끝없는 벌판 군데군데에는 옹기종기 모인 마을의 지붕과 나무판자 울타리가 보였고 그것은 대지 위에 생겨난 작은 흠집 같았어요.

노란색, 갈색, 짙은 갈색으로 얼룩진 자작나무 잎사귀는 햇빛을 받아 황금조각처럼 나부꼈고 잎갈나무도 노랗게 변하기 시작했는데 초원과 습지 너머로 전나무, 가문비나무, 소나무의 늘푸른 숲이 계속되고 있었어요. 이런 숲은 하루 종일 달려도 끝나지 않는 평원의 저 아득한 지평선에까지 닿아 있었구요. 처음 하루이틀은 이 압도적인 땅을 내다보느라고 둘 다 아무 말 없이 차창 밖으로 고개를 돌리고 앉아 있었어요.

아침에 해가 떠서 강물과 습지의 웅덩이 위에서 은그물 같은 빛을 반짝거리게 하거나 오리며 새떼 들이 하얗게 갈대숲 위로 날아오르는 걸 보았어요. 풀 사이로 검게 드러난 비옥한 러시아 평원의 흑토 밭고랑들이 철길 곁을 따라서 흘러갔어요. 아직 베어지지 않고 바람에 출렁이는 밀밭가에는 사람은 없고 녹슨 트랙터 한대가 서 있었지요. 정지하지 않고 지나쳐버리는 광야 한가운데의 작은 간이역은 낡은 회색 빛깔로 퇴색된 목조가옥인데 검은 제복에 붉은 줄을 친 모자를 쓴 역무원이 깃발을 들고 바라보고 있었어요. 체격 좋은 선로지기들이 오렌지색 조끼를 입고 줄지어 침목을 메고 뒤뚱대며 걸어가기도 했구요.

객차의 양쪽 끝에 있는 일등 화장실에 가서 세면도 하고 더운물을 틀어놓고 대충 몸을 씻기도 했어요. 그러고 나면 아침을 먹는데 햄과 흑빵에 열차판매원이 밀차에 끌고 다니는 수레에서 뜨겁게 데운 우유 한잔을 사먹어요. 그리고 점심은 식당차에 가서 하루에 한번뿐인 정찬을 먹지요. 당근과 감자와 양배추를 듬뿍 넣어 마요네즈 같은 사워크림을 쳐주는 보르시치 수프에다 딱딱하고 신 라이보리빵을 먹고 나서 파스타와 고기와 완두콩을 넣은 스튜를 먹었어요. 우리는 이걸 먹으면서 짜장면이라고 킬킬거렸는데 아주 괜찮았지요. 맥주는 모스끄바 상표를 붙이고 있었는데 달치근한 맛과 발효한 냄새가 너무 생생해서 우리는 또 이걸 막걸리라고 불렀어요. 그리고 어쩌다가 기차가 갈림길에서 쉬게 되면 시골역에 나가서 철로변에 기다리고 있는 행상 아줌마들을 찾아갔지요. 따뜻한 객실에 있다가 밖으로 나가면 갑자기 쌩하니 추운 바람이 등을 때리는 것 같았어요. 햇빛은 투명하고 하늘은 새파란데 마치 우리네 초겨울 날씨 같았죠. 아줌마들은 머리에 스카프를 두르고 조끼나 스웨터를 입고 제각기 떠들며 우리를 불렀어요. 그들이 가지고 나온 것은 집에서 구워온 빵이나 과자들, 찐 계란, 그리고 아직도 냄비에서 김이 무럭무럭 나는 찐 감자, 튀김, 볶은 해바라기씨, 작고 못생긴 사과와 쪽파 등속이죠. 영태와 나는 간식으로 뜨거운 찐 감자를 샀어요. 신문지에 싸주는데 쪽파도 한묶음 같이 주어요. 우리는 나중에야 감자를 먹으면서 쪽파를 소스에 찍어 먹는다는 걸 알았죠. 우리 칸의 승무원은 금발에 푸른 눈을 가진 또냐라고 하는 통통한 아가씨였는데 우리와 손짓 발짓으로 의사소통을 하곤 했어요. 영어나 독일어는 한마디도 못했지만 영태가 사전을 뒤적거리며 러시아어의 외마디 단어를 내뱉으면 발음까지 교정해주면서 곧 알아듣곤 했지요. 그네가 싸모바르 주전자에 끓는 물을 가져다주는 덕분에 저녁에는 간단히 컵라면을 먹곤 했어요. 물론 또냐에게도 주었는데 맵다고 눈물까지 흘리면서도 아주 하라쇼라고 그랬어요.

평원의 해 지는 모습은 장엄했습니다. 새들이 높다란 자작나무숲 위로 깃을 찾아 날아가고 기온이 떨어지기 시작한 땅에서 퍼져오른 뽀얀 습기가 허공에 가득 차서 햇빛은 부옇게 바래어 물기에 번진 수채화의 그것처럼 태양이 벌겋게 일그러져 보여요. 땅은 물론이고 숲이며 하늘도 그렇고 우리 기차며 객실까지도 내다보는 우리의 얼굴과 옷자락도 벌겋게 물이 들어버려요. 주위에 언덕과 고지대가 나타나면서 멀리 흰눈이 삐죽삐죽 이빨처럼 얹힌 높은 산의 연봉들이 벌판 멀리 보였어요. 또냐가 통로를 지나다가 창밖을 가리키며 우랄, 우랄, 하면서 외쳤어요. 우리는 그날 밤 우랄산맥을 경계로 유럽을 작별하고 아시아로 넘어가는 길이었어요. 시베리아는 또 하나의 세계였고 위대한 대지였지요.

사흘 밤낮을 달려서 기차는 오브 강을 건너 노보시비르스끄에 도착했어요. 시간은 저녁 여덟시쯤이었지요. 기차가 역 구내에서 한시간쯤 정차했기 때문에 나는 초저녁 잠이 들었던 영태를 깨워서 바람을 쐬러 나갔어요. 승객들은 장시간 앉아서만 왔기 때문에 기차가 서기만 하면 승무원들의 만류에도 불구하고 다투어 땅에 내려서 걸어보려고 하지요. 역사 앞을 벗어나 화물이 드나드는 아래쪽 출구 앞에 작은 인파가 모여 있는 게 보였어요. 가보니까 다른 역들보다 더 큰 노점이 벌어져 있었고 우리에게 다가서며 달러를 바꾸자는 남자들도 있었구요. 훈제연어를 가득 넣은 뜨거운 빵이며 면발이 손가락만큼 굵은 국수를 넣은 치킨수프를 팔고 있어서 예전에 대전역의 가락국수 생각이 나서 사먹었습니다.

이튿날 오후에 이르꾸츠끄에 도착했는데 우리는 예정표대로 짐을 모두 가지고 그 기차에서 내려야만 했죠. 거기서 일박하고 시내와 바이칼 관광을 하고 나서 다시 기차를 갈아타야 했거든요. 앙가라 강이 내려다보이는 인뚜리스뜨 호텔인가에 묵었는데 방에 들어서서 창문을 열자마자 붉은 노을이 가득 찬 하늘과 강물과 강변의 숲이 방안에 가득 차는 것 같던 기억이 납니다. 이튿날은 밤에 기차에 오르기 전까지 관광버스를 타고 안내를 받으며 시내를 돌아다니고 바이칼까지 갔다왔는데 생각나는 곳은 호텔 앞의 강변보도 부근과 데까브리스뜨 기념관 정도예요. 바이칼은 바다처럼 보였고 마을은 알프스의 산동네 같았어요. 나는 버스 안에서 호수의 바람이 차갑게 불어오는 밖으로 나가기가 싫을 정도였어요.

저 사람들은 '전쟁과 평화'의 주인공들이었다구.

서구식 목조가옥의 회랑을 지나면서 송영태가 그렇게 말했어요. 귀족이면서 자기를 낳은 짜르체제에 최초로 반기를 든 사람들이 십이월당이라고 하는 데까브리스뜨들이어요. 나뽈레옹이 유럽 곳곳을 들쑤시고 다니는 동안에 공화주의가 민들레의 씨앗처럼 퍼져나갔잖아요. 주동자 다섯은 처형당하고 살아남은 백여명의 귀족들은 무기형을 받은 정치범으로 이 도시 근처의 벌목장이나 광산으로 끌려왔어요. 부인과 약혼자들이 남편과 애인을 찾아서 수개월 동안 눈보라를 헤치며 달려와요. 만난 사람들도 있었지만 남자가 먼저 죽거나 노상에서 여자가 병들어 죽기도 했죠. 그들은 형리와 심판관들에게서 갖은 모욕과 경멸을 당하며 세탁부나 허드렛일로 남편의 형기가 끝나기를 기다렸어요. 공작부인 뜨루네츠까야는 이르꾸츠끄까지 와서 머물지 않고 두메산골인 네르친스끄의 혹한 속으로 남편을 찾아가요. 보르꼰스까야 부인은 광산의 갱 속에까지 남편을 찾아가 그의 가슴에 기대지 않고 발목에 묶인 쇠사슬에 입을 맞추었대요. 그뒤로 수많은 혁명가들이 이곳을 거쳐갔어요. 레닌도 체르니셰프스끼도 그랬지요. 그들이 중노동형에서 사면된 것은 삼십년 뒤였고 겨우 살아남은 사람들도 다시는 뻬쩨르부르끄나 모스끄바로 돌아가지 못했어요.

그런 이야기를 나누며 우리가 앙가라 강변보도를 따라서 낙엽이 노랗게 떨어진 가로수 길을 걷던 게 생각납니다. 나는 윈드재킷을 걸치고 있었고 영태는 얇은 코트를 입고 벙거지 같은 모직모자를 쓴 차림이었어요. 강변로에는 유모차를 끌고 나온 엄마들과 소풍 나온 연인들이 보였죠.

근대는 저러한 노력과 희생 끝에 겨우 칠십년 동안 반체제의 바리케이드를 유지할 수 있었던 거야. 그런데 부르주아는 이걸 재탈환했어. 전세계가 식민화되는 과정에 있지.

영태는 베를린에서처럼 다시 시대의 주제로 돌아가고 있었지만 나는 매우 개인적이고 서정적인 이 여정을 방해받고 싶지 않았어요. 나는 지쳐 있었을 거예요. 데까브리스뜨 기념관의 손때 묻은 초라한 살림도구들과 형벌에서 겨우 풀려난 유배자의 고적한 삶의 흔적들 앞에서 잠깐 당신을 면회하러 갔다가 돌아서서 어두운 창을 올려다보던 생각이 지나갔어요. 눈시울이 아주 짧은 순간 뜨거워졌지요. 나는 기념관 뜰앞에 높직하게 뻗어올라간 하얀 몸집의 자작나무를 올려다보면서 그 기억을 흔들어 떨쳐버렸습니다. 그리고 무엇보다도 후회되는 것은 나는 당시의 송영태를 너무도 이해하지 않으려 했던 점입니다.

변화라구 해야겠지. 누구나 무엇이든 햇빛 아래서 모두 변하잖아.

저 코쟁이들 페르시아만에서 합심해서 두들겨패는 것 좀 봐. 이제 남은 건 북쪽하구 쿠바뿐이지. 카리브해 쪽으로 가서 버티어볼까. 거긴 너무 멀구.

저 아기 좀 봐!

나는 유모차에 타고 앉아 엄마의 손짓에 까르르까르르 웃어대고 있는 두어 살쯤 된 아기에게로 다가섰어요. 엄마는 머리에 둘렀던 리본을 풀어 아기의 얼굴 앞에다 흔들고 있었는데 그게 바람에 팔랑거릴 때마다 아기가 웃고 있는 거였어요. 영태는 그냥 강을 향해서 낭떠러지 위에 세운 콘크리트 난간 앞에 서 있었어요. 내가 아기의 가녀린 손가락을 쥐고 흔들어주자 엄마도 반가운 기색을 보이더군요. 나는 아기의 빰에 입을 맞추고 영태에게로 돌아갔지요.

저기도, 또 저기도, 엄마와 아기가 많이 소풍 나왔네.

베를린의 공원에서두 많이 봤잖아. 왜 호들갑을 떨구 그래.

그냥…… 송형은 가족들 싫어하지.

아버지를 증오해.

그러면서 어디 가서 버틴다구 그래. 그런 데가 다들 아버지 중심으로 버티구 있었어.

나는 파시스트와 부르주아를 증오하는 거야.

네 아버지가 그래?

그는 긴 세월 동안 독재에 봉사한 집권당 국회의원이었어. 잘 알잖아?

나는 이제야 아버지를 이해하기 시작했는데.

라고 말하면서 다른 생각을 했습니다. 그의 증오와 나의 이해는 어느 것이 옳은지 모르게 되어버렸다구요. 출발점은 하늘과 땅처럼 달랐는데. 나는 혼잣말처럼 중얼거렸어요.

세상 도처에 저렇게 많은 그저 그런 사람들이 있는데. 그들은 이제부터 누가 보호하게 될까.

보호가 싫다구 오히려 옛날루 돌아가자구 한 게 아닌가? 시장이 저들을 삼켜버릴 테지.

물론 경쟁은 나빠. 하지만 통제두 그에 못지않게 나빠.

지상에 없는 것을 생각하지 말자구.

우리는 며칠 사이에 생활이 되어버린 여행으로 되돌아갔어요. 그렇지만 여행은 또 얼마나 아무런 책임도 없는 것인지. 그냥 바람처럼 대지와 사람들의 집 동네 사이를 스쳐 지나갈 뿐이었거든요. 그렇지만 그 길은 대륙을 건너 점점 나의 울타리 가까이로 접근해가는 행로였지요. 허리가 잘리고 수많은 사람들이 꿈을 위해서 자신의 일생을 바치고 이제는 엄청난 변화에도 무심하게 전신의 상처를 드러내놓고 있는 내 나라에 말예요.

바이칼을 넘어서 동시베리아 쪽으로 들어서자 대평원 멀리 산맥이 나타나고 길게 뻗은 강이며 언덕들도 보이기 시작했습니다. 타이가의 침엽수림이 울창하게 덮인 산이 연이어졌습니다. 품위있는 갈색의 낙엽송이며 가문비나무, 삼나무 그리고 세상의 자작나무는 모두 이 고장에 모여 있다는 듯이 끝도 없이 철도를 따라오고 있었어요. 대륙의 젖줄인 아무르 강의 흐름을 따라서 횡단열차는 떠오르는 해를 받으며 달리고 황혼 무렵이면 기차의 꽁무니 쪽으로 해가 사라져갔어요. 이틀 밤낮을 달려서 하바로프스끄에 이르기 전날 밤에 영태와 나는 이제는 차를 타는 일에 참을 수 없을 정도로 싫증이 났어요. 우리는 잠들기 전에 조금씩 마시던 보드카를 권커니 잣거니 했지요. 처음에는 그저 취기가 약간 오르는 듯했는데 또냐 때문에 발동이 걸려버렸어요. 그네가 독일에서도 우리가 김치 대신 먹던 것과 비슷한 러시아 양배추절임과 돼지고기를 가져왔기 때문이었어요. 전날 내가 스타킹을 주었거든요. 우리는 신나게 마셔댔어요. 밤바람이 제법 차가웠는데도 창문을 열었지요. 싱그런 나무냄새와 그야말로 강의 물 비린내가 향긋하게 불어들어왔어요. 제각기 떠들며 노래하고 지껄이고 또냐는 근무중이라 몇잔 걸치고는 가버렸구요. 송영태와 나는 정신을 잃을 정도는 아니었지만 입술이 풀릴 만큼은 되었던 것 같아요. 언제부턴가 두 사람은 차츰 가라앉기 시작하더니 보통 때처럼 각자 침묵에 빠져버렸습니다.

너 왜 찔찔 짜냐?

영태가 손가락질을 하면서 물을 때에야 나는 창밖의 어둠속을 내다보다 눈물이 났다는 걸 알았죠. 이선생이 여기 이 자리에 있었으면 싶었습니다. 그건 살아 있는 당신의 부재와는 전혀 다른 무엇이었거든요. 나는 말해버렸어요.

이선생 생각나서.

개인주의자……

이봐, 난 주의자 아냐.

넌 너밖에 몰라. 그림두 개떡 같고.

너는 잘난 줄 아니? 맨날 주둥이만 나불대구 말야. 엄살떨지 말구 콱 저질러버리든지, 아니면 다 그만두구 한가지라두 열심히 해보지 그래.

내 말에 송영태가 입술을 일그러뜨리면서 조소하는 시늉을 했어요.

넌 구제불능이야. 아무도 사랑한 적이 없잖아. 너 자신까지두……

나는 눈물이 철철 흘러내렸습니다. 아마 주정이 반쯤은 섞였을 거예요. 나는 울고는 있었지만 그렇다고 처절한 느낌이거나 소리를 내기까지 한 건 아니었어요. 그에게 사정없이 들이댔죠.

나쁜 자식, 다 알구 있었잖아. 미경이에게 어떻게 대했는데?

그땐 그런 시대였어.

영태가 중얼거렸고 나는 소리를 질렀지요.

저 잘못한 생각은 않고…… 시절 탓하지 마라!

그가 갑자기 얼굴을 기묘하게 비틀더니 나를 따라서 비죽비죽 울기 시작하는 거예요.

조용히…… 사라지면…… 될 거 아냐.

갑자기 더 밉살스러운 생각이 들어서 나는 내 침대 위로 올라가 커튼을 닫아버리고 말았습니다. 기차 바퀴가 레일에 걸리는 소리가 규칙적으로 들려왔지요. 우리는 아무도 사랑하지 않은 걸까요. 아니면 사랑하는 방법을 몰랐던 것일까. 나는 아마 깜빡 잠이 들었던가봐요. 커튼이 슬그머니 열렸어요. 칸막이 안은 불이 꺼져 있었지만 바로 머리 위에 영태의 거뭇한 상반신이 있는 게 보였죠. 그가 머리를 숙이더니 내 뺨에 입술을 댔어요. 어떻게 할까 순간적으로 복잡한 생각이 엉클어지는데 그가 얼른 물러서더니 다시 커튼이 닫혔습니다. 나는 벽을 향하여 돌아누웠어요. 다시 바퀴가 레일에 걸리는 소리가 규칙적으로 들려오고, 기차는 쉼없이 밤 속을 달려갔습니다.

하바로프스끄에 들어설 때 아무르 강 위로 첫눈이 희끗희끗 날리고 있었습니다. 이상한 것은 여름날의 여우비처럼 해가 부옇게 떠 있는데도 눈발이 날리는 거예요. 레닌광장 근처에서 여장을 풀었는데 거기가 마지막 숙박지였지요. 이튿날은 블라디보스또끄에서 단체관광의 여정이 다 끝날 테니까요. 로비에서 아무르 강의 유람선 관광객을 접수하고 있었어요. 우리들 일행의 일정에도 일몰의 강변 유람이 잡혀 있었거든요. 영태는 얼굴이 푸석푸석하게 부어 있었고 아침부터 시종 말이 없었지요. 호텔에서는 광장과 그 앞으로 곧게 뚫린 칼 맑스 대로가 한눈에 내려다보였습니다. 호텔 현관 앞에서 버스를 타고 대로의 북쪽 끝에 있는 선착장으로 갔어요. 해가 제법 많이 기울었지만 아직은 하얀 햇빛이 붉은색으로 짙어지기엔 조금 이른 시각이었습니다. 일층은 카페테리아였고 이층이 갑판이었는데 모두들 갑판으로 올라가게 마련이었어요. 우리는 관광객들 틈에 끼여 배의 우현 쪽 난간에 기대어 강 건너편을 바라보았어요. 멀리 아득하게 중국 국경의 거뭇거뭇한 산과 숲이 보였지요. 아무르 강을 그쪽에서는 우리가 잘 아는 흑룡강이라고 부르지요. 이 장대한 강은 거의 동시베리아 대륙 전체를 감돌아 흘러서 사할린스끄 북쪽 연안의 오호츠끄 해로 빠져나가요. 유람선은 강 가운데로 천천히 항행하여 하바로프스끄 철교까지 갔다가 되돌아오는데 한시간 반쯤 걸린다고 해요. 해가 강 건너편으로 기울기 시작하더니 하늘에 붉고 노란 띠가 나타났어요. 그것은 불이 붙은 나뭇가지처럼 차츰 주위로 번져가면서 띠의 폭이 넓어져 거대한 천처럼 펼쳐지고 해가 발갛게 작열하면서 뚝뚝 떨어져가는 것처럼 보였어요. 그리고 강물도 붉게 물들었고 가까운 곳의 남색은 짙어지고 멀리 나아갈수록 바래어가다가 하늘의 짙은 빨강과 만나면서 경계가 없어져버렸어요.

또 해가 지는구나.

라고 그가 중얼거린 것 같았어요. 나는 곁에 서서 강을 바라보고 있는 그의 얼굴을 살폈습니다.

이젠 좀 괜찮니?

뭐가……

속이 아프다구 그랬잖아.

음, 배가 고플 지경인데. 하여튼 고마워.

나는 그를 말없이 쳐다보았어요. 송영태는 내가 늘 잘 알고 있던 예의 그 묵직하게 내리깐 듯한 목소리로 말했지요.

이 여행에 한형이 동행해주어서…… 정말 좋았어.

나두 좋아.

나는 이러한 말 몇마디로 분위기가 좀 바뀌었으면 좋겠다고 생각했지요. 그리고 유람이 끝나 선착장에 내려서 모두 흩어질 때 우리는 버스로 오면서 보아두었던 중국 레스또랑으로 갔어요. 접시 넷을 시켜서 오랜만에 밥을 먹고 나와 까페에 갔는데 그가 거기서 없어진 거예요. 그는 커피를 시켜놓고는 화장실에 가듯이 슬그머니 일어서서 나갔어요. 나는 차를 마시고도 한참이나 기다리다가 그가 돌아오지 않아서 아마 또 뭔가 삐쳐서 호텔로 돌아갔겠거니 여기고는 일부러 칵테일을 시켜놓고 앉아서 실내악단의 연주를 들었지요. 아니 오히려 누군가와 일주일 이상을 어쩔 수 없이 함께 붙어다니다가 혼자가 되니까 홀가분하고 갑자기 자유스럽게 느껴졌어요. 에그 시원해라, 하는 느낌이었죠. 또 설령 내가 함께 붙어 있었다 할지라도 그를 막을 수가 있었을까요. 두 시간쯤 지나서 가로수 거리를 따라 천천히 걸어서 호텔로 돌아갔어요. 방에 들어서자마자 그의 짐이며 걸려 있던 옷들이 없어졌다는 걸 알았죠. 나는 어쩐지 그때에도 침착했습니다. 두리번거리는데 경대 거울 위에 세워둔 메모종이 한장을 발견했어요. 볼펜으로 휘갈겨 쓴 그의 글은 이랬어요.

> 오자마자 떠나려고 했는데 저녁이라도 같이 먹고 헤어지기로 했습니다. 한형, 나는 다시는 돌아올 수 없는 멀고먼 두메산골로 갑니다. 그곳은 지금 세상에서 가장 어렵고 구석진 장소가 될 거요. 무력하게 가만있을 수도…… 그렇다고 자살할 수도 없지 않겠어요? 이번 여행 잊지 않겠소. 다스비다니야!

그의 이 엉뚱한 행동이 무엇을 의미하는지 처음에는 전혀 몰랐어요. 그래서 이튿날 오전에 안내자에게 가서 우리가 여기서 여행을 끝낸다고 말하고는 그냥 호텔에서 하루 더 묵었습니다. 그는 역시 돌아오지 않았죠. 온 하루를 낯선 도시에서 나 혼자 오롯이 보내고 나서야 문득 깨달았습니다. 그에게는 처음부터 행선지가 있었던 것이 분명하다고.

27

귀국한 뒤로 해마다 방학이 되면 이곳에 왔어요. 여기도 많이 변했죠. 흥청망청 마시고 떠드는 카라오께 확성기 소리와 기름진 고기를 굽는 냄새가 과수원 동네의 고즈넉한 시냇물 소리며 상큼한 바람냄새를 다 망쳐버리고 말았어요.

이제는 지방 어느 대학의 선생이 되어 학교 근처 아파트에서 혼자 살아요. 세계가 변했다지만 여기는 옛날과 변한 게 하나도 없고 사람들은 더욱 파편처럼 쪼개졌어요. 이젠 다 이루었다는 것처럼 보여요. 돈에 대한 악착스러움과 이기적인 본능은 더욱 뻔뻔해졌어요. 친구들끼리뿐만 아니라 가족과 부모형제 사이에서도 재물은 가장 중요한 친소의 기준이지요. 갑자기 가난해지거나 물질의 바탕을 상실하면 어쩌려고들 그러는지. 이제 저러다가 큰코 다칠 텐데. 타성에 빠진 대중, 이상주의가 없어지고 쾌락만 남은 젊음, 위선과 기회주의가 가장 빠르게 이길 수 있는 덕목이 되어버린 정치, 여론의 노골적인 조작과 왜

곡, 대중이 타락되는 것은 과거의 폭력적인 지배의 상처 때문일 거예요. 오랫동안 자유가 제한된 사회에서 살다보면 창조적인 힘이나 정신적 풍요로움 자체를 두려워하고 변화를 싫어하게 된다지요. 아직도 길은 멀고 당신은 그대로 제자리에 있는데 모든 가치가 뒤범벅이 되고 먼저 가졌던 자들의 힘은 여전히 막강하답니다.

그래두 나는 여기를 사랑하고 자랑스러워하겠어요. 요만큼이라두 이루어낸 사람들과 같은 시대에 살았으니까요. 이 초라하고 남루한 누더기 더미 속에서 보석 같은 알맹이들을 골라내어 다시 빛나는 옷으로 지어낼 테니까요.

재작년에 돌아와서 이 집과 텃밭을 당신과 내 이름으로 샀어요. 그리고 올해 구십오년에야 수리를 했습니다. 처음에는 당신이 돌아왔을 때 우리들 기억에 남아 있는 것들을 훼손하게 될까봐 손을 대지 않았지만 너무 쇠락해 있어서 지붕이나 방을 고쳐야만 했구요, 다른 데도 여러 곳 손을 보았지요. 나는 이 글을 쓰는 지금, 예전의 부엉이 우는 소리를 듣고 있어요. 저물녘의 산비둘기 울음소리도 들었어요. 그 새들은 지금까지 살아남은 옛날의 바로 그 새들일까요, 아니면 우리가 잃어버린 것들과 하나가 된 죽은 새들의 혼령들일까요?

나는 언젠가 친구를 비판하면서, 우리는 그 시대에 아무도 사랑하지 않았다, 우리는 사랑하는 방법을 몰랐다,라고 절망적으로 외쳤던 적이 있어요. 그렇지만 요새 와서 나는 이 말을 수정할 작정입니다. 지상에서 어느 때에나 사람들은 사랑을 했어요. 세상에 드러나는 모양이 시대마다 다르기는 했어도. 물살에 씻기어 닳아지고 부서지는 돌멩이처럼 일상에 시달리는 벗들을 보면서 나는 그들이 회한에 잠기지 않기를 바래요. 지금 그들의 가슴속에 남아 있는 풍요로운 인생의 깊이를 존중하라고. 그리고 더욱 성숙한 사랑으로 지난날과 미래를 껴안게 될 것을 기대하구 있어요.

요즈음 몸이 좋질 않아요. 너무 과로한 것 같아요. 여름방학이 나를 구원해주었지만 지난 학기말에는 시험감독 들어갔다가 하마터면 쓰러질 뻔했어요. 교탁에 붙박이처럼 오뚝 서 있다가 한발 내디디며 창가 쪽으로 돌아서는데 갑자기 환한 빛 때문이었는지 현기증이 나면서 어찔, 하는 거예요. 간신히 창턱을 잡고 눈을 감고 잠시 서 있었어요.

그런 일은 나중에 목욕탕에서도 있었어요. 앉은 자세로 수도를 샤워꼭지로 전환해서 등에다 뿌리는데 문득 아랫배가 찌릿하면서 바늘로 찌르는 듯한 통증이 왔어요. 나는 얼결에 옆구리를 두 손으로 비틀면서 이를 악물고 신음소리를 냈구요. 한참 뒤에 파도가 잔잔해지는 것처럼 아픔이 물러가더군요. 몸무게도 많이 빠지고 그러잖아도 광대뼈가 튀어나왔는데 볼이 홀쭉하게 패어서는 더 불쑥 나온 것처럼 보여요.

나는 근년에 들어 나의 일관된 화두였던 어머니에 대해 생각하고 있어요. 모든 사람을 낳아 기른 자. 권력의 절대화와 관료주의에 대하여 로자가 비판했던 근거는 대중에 대한 모성적 사랑이었지요. 근대는 수컷들의 삭막하고 쓸쓸한 갈등과 번민의 시대였어요. 어느 밀폐된 방에서 숨어 지내는 비밀경찰 출신의 늙은 고문자처럼 그것은 황폐하고 외로워요. 잃어버린 권력을, 잃어버릴 위험이 있는 헤게모니를 되찾거나 지키려고 부릅뜨고 결심하는 음산한 눈초리와, 사랑으로 위장한 메마른 웃음과, 모든 것을 탈취해서 복종시키려는 음험하게 부드러운 표정 위에 감출 수 없이 날카롭게 빛나고 있는 저 눈매를 보라지.

잊고 있었던 케테 콜비츠의 만년의 목판화를 보고 있어요. 나는 학생 때처럼 그네의 자화상을 자주 다시 보고는 합니다. 특히 투박한 칼

질로 목판 위에 거칠게 표현한 늙은 여인의 연민에 찬 얼굴을 봅니다. 그네의 얼굴에는 일차대전에서 전사한 아들의 죽음에서부터 가난한 사람들의 불행에 대한 안타까움이며 동지들과 자신이 받은 박해와 이차대전중에 러시아 전선에서 죽은 손자의 죽음까지에 이르는 긴 고뇌의 여정이 반영되어 있어요. 베를린시절 마리 클라인 부인이 우리는 이미 케테처럼 작업할 수는 없는 시대에 살고 있다고 말했어요. 나는 이렇게 이야기했을 거예요. 여기서는 사람이 지겨워져서 쫓아내고 달아나고 하지만, 다른 한쪽에서는 사람을 찾아내려고 애를 쓰고 있다구요. 그런데 지금 여기가 클라인 부인의 '여기'처럼 되었지요. 그래요, 마리와 작별하던 일이 생각나요. 내가 혼자서 베를린의 마지막 겨울을 보내던 구십이년 겨울에 그네는 국립양로원으로 옮겨갔어요. 아파트 관리인이 보기에도 마리는 이미 깊은 알코올 중독증세였거든요. 떠나기 전에 짐을 모두 정리해놓고는 작고 낡은 슈트케이스를 침대 곁에 놓아둔 채 마리는 종잇장처럼 얇은 몸집으로 얌전히 앉아 있었어요. 그네는 헐렁해진 회색 정장을 입었고 펠트모자까지 쓰고 있어서 무성영화에 나오는 흘러간 여배우 같았어요. 내가 노랑색 장미를 사들고 그네의 방으로 찾아갔는데 마리는 꽃을 얼굴에 바짝 대고 깊게 숨을 들이마셨어요. 그러곤 무슨 작별의 말도 없이 주름진 얼굴로 배시시 웃기만 했지요.

다시 케테의 마지막 그림 이야기로 돌아가요. 그건 유언 같은 석판화라고 알려져 있어요. 세 아이를 외투자락에 가리고 있는 어머니의 형상이어요. 어머니의 얼굴은 거의 중성인 것처럼 보일 정도로 강인하고 힘이 있는 표정입니다. 머리는 아무렇게나 뒤로 빗어넘겼고 입은 꾹 다물고 있어요. 볼이 패어 광대뼈가 도드라져 보여요. 그네는 아이들을 보호하기 위해 두 팔을 잔뜩 위로 쳐들었기 때문에 거의 얼굴이 어깨에 붙어 있는 것처럼 보입니다. 어머니의 두 눈은 단호하고 아무것도 두렵지 않다는 듯, 그래 어쩔 테냐 하는 표정으로 빤히 올려다보고 있어요.

치켜든 두 팔 아래서 아이 둘은 왼쪽 측면을 보고 있으며 다른 한 아이는 오른쪽에서 정면을 향하고 있지요. 오른쪽 작은 아이는 어머니의 외투자락을 들치고 장난스럽게 바깥을 내다보고 있는데 왼쪽의 큰 아이는 놀란 얼굴이 되어 어머니가 바라보는 시선 쪽을 올려다보고 있구요, 그 아래편의 아이는 울 것 같은 얼굴로 밖을 내다보고 있어요. 그림의 제목은 괴테의 시구절인 '씨앗들이 짓이겨져서는 안된다'라고 되어 있습니다. 칠십육세의 노파가 그린 것 같지 않게 힘이 있고 너무나 실감나서 요즘 화가들이 보면 재미없다고나 해야 할 단순한 그림이어요. 글쎄 그까짓 그림 하나 그리는 일 가지고 얼마나 복잡한 체하는데. 아, 나는 이제 사십대가 넘어서야 겨우 사는 일에 대한 눈치를 채는 중이에요. 여기 그네의 일기에서 몇자 옮겨두려고 해요.

늘상 그렇듯이, 누군가를 묻고 애도하고 그러나 비통하게 울지는 않으면서 항상 내 안에서 살아야 한다는 감정이 북받쳐오른다. 내일이면 이러한 감정을 더이상 가질 수 없을 것이다. 그러므로 오늘 살자. 모든 것은 지나간다.

어머니는 더이상 아무것도 생각하지 않기 때문에 삶 전체가 하나로 통일되어 있다. 아주 나이든 사람은 내향적이고 무감각하다. 그래, 하지만 덧붙인다면 이 내향적인 것은 아주 순수하며 조화를 이루고 있다. 어머니의 존재가 늘 그러했듯이.

남자들이 같은 남자들을 죽인 전쟁의 세기를 보내면서 내면적으로는 그와 함께 살해한 모성을 생각해요. 나도 스스로 내 안에서 그것을 죽였어요. 당신을 앗아간 것들이 나로 하여금 스스로 그렇게 하도록 만들었어요. 나는 이 위대한 자연을 회복하고야 말 것입니다.

지금 밖에는 함박눈이 펑펑 내리고 있습니다. 정희가 운전을 해주어서 갈뫼에 내려왔어요. 또 한해가 지나가려 합니다. 나는 지난달에 당신에게 처음으로 편지를 했어요. 물론 감옥으로 보낸 것은 아니고 당신이 언제 나오게 될지도 모르면서 누님에게 보냈습니다. 언젠가 당신이 자유를 얻게 될 때면 아마 나는 이 세상에 없게 될지도 모르기 때문이었어요.

편지에서 밝힌 대로 나는 아파요. 병원에도 갔었어요. 몸상태가 어쩐지 이상하다고 느꼈는데 살갗이 마른 생선의 껍질 같은 느낌이었지요. 소변을 보느라고 변기에 앉았는데 이상하게 뜨거운 것이 울컥 쏟아져나오는 거예요. 내려다보니 온통 붉은색으로 가득 차 있었어요. 아픔은 별로 못 느끼겠는데 하혈을 한 거예요. 정희에게 전화로 물었더니 당장 달려왔고 그 길로 함께 대학병원에 갔죠. 검사결과가 나왔는데 의사가 우물쭈물하고 정희도 눈물바람을 하고 그래서 뭔가 된통 걸렸구나 생각했어요. 놀랄 일을 하두 많이 겪어서인지 나는 오히려 담담해지더군요. 입원수속 마치고 개인병실에 들어가 눕기 전에 정희에게 화내지 않고 침착하게 물었답니다. 내가 뭔가 중병이 들었거나 절망적이라면 누구보다도 내가 알아야 하지 않겠느냐, 그래야 인간의 품위를 지키면서 정리정돈을 할 것이 아니냐 그랬어요. 자궁경부암이래요. 방사선치료도 받고 항암제도 투약했는데 통증은 많이 가셨지만 어쩐지 예감이 안 좋아요. 체중이 놀랄 정도로 줄어들고 있어요. 나는 아마 여기 사흘 동안 묵고 갈 겁니다. 공기 맑고 아름다운 그곳에 가면 앓던 병도 나을 것 같다, 평생소원 풀어주는 셈치고 데려다달라고 내가 울고불고 사정을 해서 여기 내려온 거예요. 그러니까 이곳에서의 글쓰기는 이번이 마지막일 것 같아요. 병원에 가서 생각이 나면 당신 누님 편으로 또 편지할지도 모르지만.

나는 한 남자의 아내 노릇도 아이의 엄마 노릇도 못하고 사십대가 되어서야 진정으로 어머니가 되고 싶다고 생각했는데. 제대로 해내지도 못한 실패한 예술가로서 이제 겨우 모성이란 것이며 그 세계관을 어렴풋이 짐작하고 있을 때에 모성 자체를 뿌리째 앗아가는 병에 걸리다니, 인생은 참 묘하기도 하지요!

나 당신에게 부탁 한가지 할게요. 언제가 될지는 모르지만 당신이 내 갈뫼 노트를 다 읽을 즈음이면 우리들의 아이 은결이를 알게 되겠지요. 감옥에 있는 동안에 나는 당신이 모르기를 바랐지만 언젠가는 당장 달려가서 아기를 철창 사이로 내밀어 그애의 웃음을 보여주고 싶기도 했더랬어요. 그리고 한동안은 그애에게서 또 당신에게서 벗어나고 싶기도 했죠. 내게 가르쳐주거나 베풀어주지 못할 미래의 것들, 남겨두었다가 당신의 딸에게 모두 주시기 바랍니다.

당신도 이제는 나이가 많이 들었겠지요. 우리가 지켜내려고 안간힘을 쓰고 버티어왔던 가치들은 산산이 부서졌지만 아직도 속세의 먼지 가운데서 빛나고 있어요. 살아 있는 한 우리는 또 한번 다시 시작해야 할 것입니다. 당신은 그 외롭고 캄캄한 벽 속에서 무엇을 찾았나요. 혹시 바위틈 사이로 뚫린 길을 걸어들어가 갑자기 환하고 찬란한 햇빛 가운데 색색가지의 꽃이 만발한 세상을 본 건 아닌가요. 당신은 우리의 오래된 정원을 찾았나요?

윤희의 기록은 거기서 끝났다. 내가 누님에게서 전달받은 마지막 편지는 구십육년 여름이라고 되어 있었다. 나는 그네의 마지막 글귀를 기억한다.

당신은 그 안에서 나는 이쪽 바깥에서 한 세상을 보냈어요. 힘든 적도 많았지만 우리 이 모든 나날들과 화해해요. 잘 가요, 여보.

나는 한 시대가 종언을 고하고 나서 그것이 무엇이었던가를 독방에서 아프게 이해하는 데 몇년이 걸렸다. 국가권력을 장악하려는 여러가지 시도는 낡아버렸거나 불필요한 일이 되어버렸다. 지난 세기에 자본과 물질의 체제 속에서 반체제의 눈으로 세계를 바라보았던 생각은 그것을 현실화하는 과정에서 왜곡되었다. 오히려 이제는 무너진 건물 사이로 솟아나온 철골처럼 남아버린 몇가지 명제가 소중해졌는지도 모른다. 어느 집단에나 민주적 원칙의 관철과 대중에 의한 주권의 회복은 수백년 이래로 가장 생명력있는 유산으로 확인되었다. 이는 불탄 자리에서 골라낸 살림도구 같은 것이리라. 국가권력에 대하여 변화와 개혁을 들이대고 이름없는 사람들의 집단이 서로 연대하며, 아이들의 땅뺏기놀이처럼 그침없이 한뼘 두뼘 자본이 남겨먹은 것들을 되찾아 실질적인 평등의 단계로 영역을 넓혀나가야만 한다.

어느 여름날 일어나 운동시간에 나갔더니 방송이고 신문이고 난리가 나 있었다. 유신시대 이후 한강 남쪽에 번성한 중산층 구역에서 다리와 백화점이 차례로 붕괴했다. 그맘때에는 민간정부로 외형은 바뀌었다지만 사실은 군사파쇼의 이행기에 지나지 않았는데 삼십여년 근대화도 종결인 셈이었다. 죽어가고 살아남고 그리고 무너진 시멘트와 흙더미 속에서 버티다가 구조되는 많은 사람들의 이야기가 일주일 이상이나 계속되었다. 여론은 불법적인 건축변조와 위험진단을 무릅쓰고 붕괴될 때까지 고객을 대피시키지 않은 채 영업을 강행한 기업주를 질타했다. 그러다가 별의별 묵은 사실들이 쏟아져나왔다. 그는 원래 일제 식민지 치하의 정보 끄나풀이었다. 그가 어떤 활동을 했는지 구체적으로 알려지진 않았으나 나중에 만주에서 일본 영사관의 문관이 되었다. 해방되어 귀국해서 미군정의 방첩대에 근무했고 전쟁중에는 미군에 배속되어 중국군 포로심문관이 되었다. 유창한 중국어와 만주의 항일연군 맥락을 이해하는 전문성이 그를 남한사회에서 유능하게 했다. 그는 정보부 창설에 관여했고 미군의 연락관을 했으며 당시의 미군 기지창이던 알짜의 땅을 불하받았다. 그러고는 부동산 재벌이 되어 아파트를 짓고 백화점을 지었다고 신문은 자세하게 써놓았다. 남에서는 개발독재와 근대화시대가 막을 내리고 있었으며 북에서는 그맘때부터 대대적인 굶주림과 탈북이 진행되었다. 무너지기 시작한 분단시대의 마지막 단원이 그렇게 시작되고 있었다. 주변부의 혼란과 변화는 어쩌면 더욱 깊숙이 오래 이행될지도 몰랐다. 내가 할 일이 아직도 남아 있을까. 아마도 일이 남아 있다면 그건 바로 일상과의 씨름이다.

나는 감옥에서 하루를 지우기 위해 날마다 자신의 미래를 앞당겨 사는 버릇이 붙었다. 매달 초가 되면 나는 그달 전체를 빗금으로 그어버렸고 새해 첫날이 오면 새 연도에 동그라미를 쳐두곤 하였다. 하지만 현재는 한없이 느리게 지속되었다. 바깥세상이 변해간다는 소식은 민들레씨가 철창 안으로 날아들거나 노랗게 변한 버드나무 잎새가 복도에 떨어져오듯이 철이 바뀌는 것처럼 슬그머니 스며들곤 했다. 아무리 늦어도 한해가 가기 전에 우리는 세상의 잘잘못을 깊이 느끼게 되고는 했다.

어느 해 여름 혹시나 하면서 기다렸다가 그뒤 몇년이 지나도록 서로 욕을 퍼부었던 유월에서 다시 출발해야 한다. 모두들 희망을 가졌다가 절망했다가 허탈해져서 서로를 파편화시켜버렸다. 노동자, 농민, 학생, 지식인, 종교인, 빈민, 실업자…… 도무지 끝나지도 않을 것처럼 주워섬기다가 넥타이부대까지 끼워넣었다. 그때에도 우리는 자신을 발견하지 못했다. 서로를 합쳐서 그것이 시민의 탄생이었는데도.

이제 감옥에서 나온 지 한달도 못 되었는데 세상은 경제대란이었다. 나는 독방에서 갖고 나온 속옷 몇벌뿐이라 가난해지는 것이 무엇인지 실감이 나질 않았다. 전깃줄에 앉은 참새들도 다른 무리가 날아오면 일시에 날아올랐다가 다시 맞춤한 간격으로 재편성해서 앉는다. 공간의 혼란이다. 이 잠깐 동안의 날아앉기에 잽싸게 끼이지 못한 것들은 다른 곳으로 흩어져 뿔뿔이 날아가버린다. 이를테면 나는 혼자가 아니리라.

갈뫼에서의 여섯째날 아침이 밝았다.

나는 짐을 꾸렸고 내가 읽었던 윤희의 노트들을 가방 속에 넣었다. 아침을 지어먹고 나서 독방에 있을 때처럼 설거지를 해놓고 걸레를 빨아서 방바닥을 깨끗이 닦아냈다. 그리고 집을 나서기 전에 마루방에서 시간이 엇갈린 두 사람의 초상을 본다. 젊은 나를 보는 게 아니라 그네가 써놓았듯이 저 뒤편에서 내 어깨 너머를 바라보고 있는 것 같은 나이든 어머니 윤희를 바라본다.

눈을 감으면 이제는 사라진 다른 계절의 풀꽃이 눈꺼풀 안으로 스쳐 지나간다. 아침 찬이슬에 발목을 적시며 밭두렁을 지나다 초록 일색의 풀잎들 사이로 간신히 고개를 내민 연분홍의 메꽃이 발치에, 또 저 건너편 두어 걸음 앞에, 피었다가 사라진다. 엉겅퀴는 바람 속에서 털처럼 수많은 꽃술들을 떨고 있다. 억새가 파란 하늘을 배경으로 언덕 위에서 휘청거린다. 푸드득 하면서 까치 한마리가 나뭇가지 사이로 날아오른다. 한쌍의 까치가 꼬리를 가끔씩 깝작대면서 한들거리는 나뭇가지 위에 앉아 있다. 메꽃의 한뼘쯤 거리에 그네의 흰 고무신 코끝이 놓여 있고 엉겅퀴를 꺾는 기다란 손가락이 보인다. 억새 사이로 그네가 길을 가고 있다. 그네의 옷자락이 흰 억새꽃 속에서 나타났다가는 사라지곤 한다. 까치가 앉은 곳은 감나무인데 그 둥치에 윤희가 기대어 서 있다. 주위가 갑자기 어두워지고 눈앞에 철창이 드리워진다. 철조망을 둘러친 흰 담벽 위에 탐조등이 밝게 빛나고 담 너머로 길가의 감나무가 보인다. 처음에는 나타나지 않았다가 윤희가 그 아래 섰는 것이 보인다. 누군가 변소 창문가에 나와 서서 수십번이나 같은 노래를 부른다. 음정도 틀리고 가사도 제멋대로다. 그래도 그는 숨죽여 가만가만 작은 목소리로 노래하고 쉬었다가는 다시 부르기를 되풀이한다. 새벽녘에는 또 어느 창가에서 외마디 소리가 들려온다. 야, 눈 온다! 복도를 오가는 규칙적인 구둣발 소리. 눈을 뜨자 흑백사진들은 사라진다.

당신은 그곳을 찾았나요?

윤희가 내게 묻는다. 집으로 돌아오는 중이오,라고 나는 대답할 것이다. 인가를 찾아서 산을 넘고 언덕을 내려오는 중이라고. 멀리 마을의 불빛이며 연기나는 굴뚝이 보인다고. 당신이 살고 겪어온 길을 따라서 나는 휘적휘적 걷기 시작했다고. 나는 젊은 내 얼굴 뒤편에 떠오른 그네의 눈길 이쪽에 서서 중얼거렸다.

다녀올게.

타향으로 출발하는 사람처럼 나는 마당을 한바퀴 휘둘러보고 나서 집을 나섰다. 순천댁이며 토담의 막내 부부와도 인사를 나누고 과수원길을 걸어나와 다릿목에서 택시를 타고 처음 찾아오던 모양 그대로 갈뫼를 떠났다.

은결이는 체크무늬의 스커트에 짧은 상의의 교복을 입고 있다. 가운데 가르마를 탄 긴 머리카락의 끝이 말린 게 제 어미를 닮았다. 내가 제과점의 유리문을 밀고 들어서자 그애는 예의 바르게 일어서서 내가 가까이 가기를 다소곳이 기다리고 있다. 나는 한정희씨의 주의를 기억하고 있어서 감정을 겉으로 드러내지 않으려고 노력한다.

우리 아버진 어떤 분이셨어요?

넌 엄마를 좋아했니?

두 사람은 거의 동시에 서로에게 묻는다. 그러다가 가볍게 웃고 어색한 침묵. 은결이가 착한 아이답게 양보하고 먼저 대답한다.

좋아했지만 이해할 수는 없었어요.

그게 무슨 뜻이지?

엄마는 한가지밖에 몰랐잖아요?

한가지라니……

은결이가 말을 고르는지 눈길을 옆으로 돌리고 잠시 생각한다.

그런 사람들 있잖아요. 뭘 수집하든가 늘 같은 길로만 다니든가…… 신들린 것처럼요.

내가 알기론 그런 분이 아닌데. 세상을 사랑하는 방법이 은결이 생각하구 다를 뿐이지.

어려서는 미운 적도 많았는데 커서는 좋아하게 되었어요. 이제는 제 물음에도 대답해주셔야죠.

무슨 얘기였지……?

아버지 얘기요. 미국에서 함께 계셨다면서요?

은결이처럼 말하자면 그도 한가지밖에 모르는 사람이지.

그애는 또 착한 아이답게 긍정을 해주고 만다.

좋아하는 일이 있다면 그것두 괜찮은 거 같애요.

은결이와 내가 공원 벤치에 앉아 있다. 그애와 나는 미끄럼틀이며 그네가 있는 모래밭에서 꼬마들이 재깔대며 뛰노는 모양을 바라보고 있다. 웬 노인이 여자아이의 뒤에 서서 그네를 밀어주고 있다. 조금씩 힘을 주어 밀면 그네가 드높이 올라가고 아이가 짧은 다리를 흔들면서 깔깔대고 웃는다. 쇠줄이 삐걱이는 소리가 계속해서 들려온다. 우리는 나란히 앉아서 솜사탕을 먹는다. 혀끝으로 부드러운 설탕의 섬유질을 더듬으면 입술에 자꾸만 달라붙는다. 내가 손수건을 꺼내어 은결이의 뺨에 붙은 분홍색 물감을 닦아준다. 그애는 내가 자기의 아비라는 사실을 이미 알아채고 있다.

어렸을 때, 아버지가 저렇게 나하구 놀아주었으면 했어요.

엄마하군 친하지 않았어?

마음은 그렇지 않았는데 뭐랄까, 서로…… 타이밍이 안 맞았어요.

그럼 어떻게 했니?

그냥 혼자 놀았죠 머. 엄마도 혼자 지내고. 그러다보니까 오히려 무슨 날이라고 놀이동산에 소풍이라도 가면 서로 배려하느라구 피곤했어요.

왜 그랬을까……?

서로 섭섭하게 생각하구 있는 거예요. 그러다가 미안해져서 지나치게 잘해주려고 하고, 둘 다 알아채고, 그 반복이에요.

은결이가 전화를 받는다. 그러고는 엉거주춤 일어난다.

저 이제 가야 해요. 아버지, 자주 만나요.

가뭇, 하면서 모든 장면이 사라졌다. 고속버스의 차창 밖으로 봄들판이 지나가고 있다. 개나리가 활짝 피어난 언덕이 천천히 지나갔다. 새잎이 돋아나고 있는지 대지가 연두색으로 물들어 있었다.

전화로 약속했던 장소로 갔다. 그애는 이모와 함께 나올 것이다. 중심가에 있는 광장 분수대가 보이는 찻집이 그곳이었는데 마침 점심시간이라 근처 사무실에서 나온 사람들이 벤치나 계단에 앉아 있었다. 광장의 모퉁이에서 브라스밴드가 '푸른 도나우 강'을 연주중이었고 분수에서는 물이 솟구쳐오르고 있었다. 나는 보도에서 두리번거리다가 건물의 현관으로 오르는 대리석 계단에 사람들이 꽉차게 앉은 걸 보고는 나도 모르게 한숨을 내쉬었다. 저들을 지나서 광장을 건너가야만 한다. 갑자기 얼마 전 대학병원에서의 일처럼 진땀이 나고 다리가 후들거렸다. 잠시 대리석 기둥에 손을 짚고 오가는 사람들을 피해서 고개를 숙이고 흥분을 가라앉혔다. 기둥을 돌아서 내려가는데 저 계단 아래에 윤희가 서 있었다. 옷이 흰색인지 하늘색인지 분간할 수는 없었지만 얼굴은 나를 향하여 희미한 미소를 짓고 있었다. 나는 그곳을 향하여 비틀거리며 내려갔다. 마주 오는 사람들과 부딪치고 두 손을 저어 뿌리치면서 허둥지둥 걸음을 떼었다. 조금 아까만 해도 분명히 보였던 그네의 모습은 인파 속에 스며들었는지 이젠 사라졌다. 필름을 거꾸로 돌리면 방금 전에 나타났던 자취가 다시 반복될 수 있을까. 나는 손수건을 내어 이마의 땀을 씻고 두어 번 긴 숨을 내쉬며 숨을 골랐다. 찻집의 간판과 작은 격자창의 유리문이 바로 건너편에 보였다.

너희들은 어디로 날아가느냐
아무 곳도 아닌 곳으로
누구로부터 떠나왔느냐
모든 것들로부터
그들이 함께 있은 지 얼마나 되었느냐
조금 아까부터
그러면 언제 그들은 헤어질 것이냐
이제 곧

후기

『장길산』을 출판한 것이 1984년의 일이고 『무기의 그늘』이 나온 때가 1987년이었지만 사실은 그 작품을 드문드문 쓰기 시작한 게 이미 칠십년대 초반의 일이고 겨우 끝마무리만 해놓은 것도 팔십년대 초반이었다. 따져보면 이번의 『오래된 정원』을 쓰기까지 거의 십오년 동안을 딴짓으로 세월을 보낸 셈이다.

감옥에 있을 때 후배들이 찾아와 요즈음 젊은이들은 이미 선생의 이름을 잊었거나 이름도 모르더라고 했을 적에도 나는 별로 초조하다거나 섭섭한 느낌이 들지 않았다. 세상에 나온 뒤에도 혹자는 황아무개가 다시 글을 쓸 수 있을까를 염려하더란 소문도 들렸고 사실 어느 기자는 인터뷰를 하면서 내게 묻기도 했다. 그런데 글을 쓰기 시작하면서 나도 모르게 예전보다 훨씬 담담해져 있는 자신을 발견하고 은근히 걱정이 되었다. 마치 쥐고 있는 패가 신통치 않은데도 새벽까지는 어떻게 되겠지 하면서 느긋해하는 노름꾼처럼 말이다. 하여튼 뭔가 빛나는 물건을 만들어보려고 애달캐달하던 조급증이 가셨다. 전처럼 감정을 아낀 문장을 갈고 다듬기보다는 그냥 수수하게 마음을 열자는 기분이 들었다. 나이 들어서야 평상심으로 글을 대하게 된 것만 같다.

군사독재 시절에 고향도 아니면서 전라도에 내려갔다가 수많은 인연도 생겼고 광주에서의 유혈은 내내 짐이 되었다. 한편으로는 복받은 일이고 다른 한편으로는 운나쁜 일이기도 했다. 작가로서는 겪을 만한 일이었겠지만 부담을 덜기 위해서는 자기 그릇에 넘치는 일도 감당을 해야만 했다. 이제 나의 반생을 돌이켜보면 나는 정말로 운이 좋은 사람인 듯한 생각이 든다. 곡절 많은 세월이었지만 나는 글을 쓰든 쓰지 않든 '문학을' 오롯이 살아냈다. 어쨌든 죽는 날까지 작가는 자신의 문학을 온몸으로 사는 것이다. 나의 산전수전은 작가로서의 마음바탕이 되었으리라.

이 작품은 베를린 망명시절, 작곡가 윤이상 선생 댁에서 떠올랐던 구상이 기초가 되었다. 그때에는 아직 장벽이 무너지기 전이었고 아마도 그해 여름이었을 것이다. 나는 저녁을 먹고 나서 선생과 함께 거실에서 사모님이 깎아주는 과일을 들고 있었는데 그가 내게 말했다. 저것 좀 보아, 어떤 때에는 고향집에 돌아온 것 같아. 현관에서 거실로 들어서는 입구에는 문 대신 중국식당에서나 볼 수 있는 주렴이 드리워져 있었다. 색색가지의 작은 구슬을 엮어 먼데서 보면 수양버들과 강물과 나룻배가 떠 있는 그림이 비쳤는데 그것이 바람에 잔잔히 흔들릴 때면 그림이 움직이는 것처럼 보였다. 그가 가구점에 갔다가 동양풍이라 얼른 사왔다고 한다. 선생은 그렇게 망향의 마음을 드러냈는데 곰곰이 생각해보면 그곳은 또한 현재 실재하는 남쪽 바다와 통영이 아니었다. 그는 영원히 고향을 잃어버린 사람이었다. 우리네

민요 성주풀이에 보면 '낙양성 십리허에 높고 낮은 저 무덤아' 하는 첫구절이 나오지만 그의 관현악 조곡 「뤄양」은 이 낙양의 중국 원어 발음이다. 아시아와 인도와 아프리카의 타악기를 동원한 이 음악은 대단히 명상적이고 적막감이 드는 곡인데 내가 그에게 왜 낙양인가를 물었다. 그는 지금과 같은 전쟁의 폭력과 굶주림과 억압의 공포가 없던 태곳적 평화로운 아시아 저편을 그리면서 곡을 썼다고 했다. 한 사람의 디아스포라로서 그의 고향은 바로 그곳이었던 셈이다.

베를린 장벽이 무너지고 동구 사회주의가 일제히 몰락했을 때 나는 이십세기가 끝나는 현장을 보면서 이러한 이행기를 냉전과 분단의 시대를 살아온 작가로서뿐만이 아니라, 한 개인으로서도 삶을 통하여 기록해두어야 한다는 생각을 했었다.

1993년에 귀국하자마자 구치소에 있던 무렵 운동시간에 나가 하염없이 시멘트 담벽 안의 비좁은 공간을 맴돌면서 문득 무릉도원 이야기와 샹그릴라 전설이며 하는 것들을 생각하던 중 '오래된 정원'이라는 제목이 떠올랐다. 세상 어디서도 찾을 수 없는 섬인 유토피아까지도. 그러나 나와 내 벗들의 지난날을 회상하면서 우리가 겪은 일들을 미래나 예견에 사로잡힌 추상적인 관념이 아니라 현실 변화를 끌어내오기 위한 구체적인 과정으로서 그려야 한다고 생각했다. 또한 이제는 시대나 역사를 통해서가 아니라 그 물결 속에 휩쓸리며 헤엄쳐가던 하찮고 가냘픈 개인의 나날을 통해서 세계를 보아야 한다고도 생각했다. 에른스트 블로흐의 말투로 얘기하자면 『오래된 정원』은 더 나은 삶에 대한 꿈을 추구한 세대의 초상이 될 것이다.

새로운 세기에 지난 세기의 암울한 고통과 상실과 좌절을 되새기면서 나는 수많은 사람들이 해왔던 질문을 다시 던져본다. 아직도 희망은 있는 것일까?

질문이 계속되는 한 우리는 언제나 다시 출발할 것이다.

내가 사랑한 사람들, 나의 벗들에게도, 오늘 우리 같이 가자고 오랜만의 인사를 전하면서.

2000년 4월, 德山에서

황 석 영

* 소설의 앞뒤에 인용된 시는 각각 브레히트의 「아, 어떻게 우리가 이 작은 장미를 기록할 수 있을 것인가?」와 「사랑하는 사람들」이다.